शत-प्रतिशत संस्कृत अनुष्टुप् श्लोक छन्द

संस्कृत महकाव्य

रत्नाकरी गीता

प्रो. रत्नाकर नराले

Ratnakar
Pustak-Bharati
Books-India

Composition :
Prof. Ratnakar Narale
B. Sc. (Nagpur), M. Sc. (Pune), Ph. D. (IIT), Ph. D. (Kalidas Sanskrit Univ.)
Prof. Hindi, Ryerson University, Toronto.
web : www.books-india.com   *   email : rnarale@yahoo.ca

Scripture Title : रत्नाकरी गीता, संस्कृत महाकाव्य

Published by :
PUSTAK BHARATI (Books India), Toronto, Ontario, Canada, M2R 3E4
  email : books.india.books@gmail.com

For :
Sanskrit Hindi Research Institute, Toronto

ISBN 978-1-989416-06-8

Copyright ©2020

All rights reserved. No part of this book may be copied, reproduced or utilised in any manner or by any means, computerised, e-mail, scanning, photocopying or by recording in any information storage and retrieval system, without the permission in writing from the author.

अनुक्रम

INDEX

रत्नाकरी गीता

मंगलाचरणम्

अवतरणिका

1.	गीतायाः पार्श्वभूमेः कथा	The Background of the Gita	5
2.	पाण्डववंशः	Story of the Pandava Family	5
3.	वनवासगमनकथा	Story of the exile to forest	8
4.	अज्ञातवासकथा	Story of the Exile Incognito	10
5.	हठिनो दुर्योधनस्य कथा	Story of Stubborn Duryodhana	12
6.	अज्ञानिनो दुर्योधनस्य कथा	Duryodhana's Ignorance	18
7.	उपादिष्टानां कौरवाणां कथा	The advices given to the Kauravas	21
8.	धर्मयुद्धकथा	Story of the Righteous War	28
9.	धर्मक्षेत्रकथा	Story of the Sacred Battlefield	31
10.	महायुद्धकथा	Story of the Great War of Mahabharata	35
11.	अर्जुनविषादकथा	Story of Arjun's Despondency	38
12.	अर्जुनवल्गनाः	Story of Arjun's meaningless chatter	44
13.	साङ्ख्यनिरूपणम्	The Sankhya Yoga	47
14.	निष्कामबुद्धेर्निरूपणम्	The Buddhi Yoga	58
15.	कर्मयोगनिरूपणम्	The Karma Yoga	69
16.	गुरुशिष्यपरम्परानिरूपणम्	Story of the Guru-disciple succession	77
17.	ज्ञानयोगनिरूपणम्	The Jnana Yoga	80
18.	यज्ञविविधतानिरूपणम्	Diversity of the Yajnas	83
19.	कर्तृपदसंन्यासनिरूपणम्	Renunciation of Authorship of Karma	86
20.	ब्रह्मसम्पत्तिनिरूपणम्	The Divine Wealth	89
21.	आत्मसंयमनिरूपणम्	Self Restraint	92
22.	ज्ञानविज्ञाननिरूपणम्	Knowledge and Science	102

23.	द्वंद्वभावनिरूपणम्	The Duality	106
24.	ब्रह्मनिरूपणम्	The Brahma	108
25.	गीतारहस्यनिरूपणम्	The Secrets of the Gita	113
26.	दैवीविभूतिनिरूपणम्	The Divine Glory	121
27.	विश्वरूपदर्शनकथा	Display of the Universal Form	127
28.	भक्तियोगनिरूपणम्	The Bhakti Yoga	136
29.	क्षेत्रक्षेत्रज्ञनिरूपणम्	The Kshetra and Kshetrajna	140
30.	गुणत्रयनिरूपणम्	The Three Attributes	147
31.	संसारवृक्षनिरूपणम्	The Worldly Tree	151
32.	दैवीसम्पत्तिरूपणम्	The Divine Wealth	155
33.	श्रद्धानिरूपणम्	The Faith	161
34.	मोक्षनिरूपणम्	The Final Liberation	166
35.	301-हरिनामनिरूपणम्	Krishna's 301 Names	180-23

श्रीमद्भगवद्गीता अध्याय अनुक्रम

Shrimad Bhagavad Gita Chapters Index

	गीताया: पार्श्वभूमि:			05
1.	प्रथमोऽध्याय:	विषादयोग:	Chapter 1 : Vishad Yoga	38
2.	द्वितीयोऽध्याय:	सांख्ययोग:	Chapter 2 : Sankhya Yoga	47
3.	तृतीयोऽध्याय:	कर्मयोग:	Chapter 3 : Karma Yoga	69
4.	चतुर्थोऽध्याय:	ज्ञानकर्मसन्यासयोग:	Chapter 4 : Jnana-Karma-Sanyas Yoga	78
5.	पञ्चमोऽध्याय:	कर्मसंन्यासयोग:	Chapter 5 : Karma-Sanyasa Yoga	86
6.	षष्ठोऽध्याय:	आत्मसंयमयोग:	Chapter 6 : Atma-Samyama Yoga	92
7.	सप्तमोऽध्याय:	ज्ञानविज्ञानयोग:	Chapter 7 : Jnana-Vigyana Yoga	102
8.	अष्टमोऽध्याय:	अक्षरब्रह्मयोग:	Chapter 8 : Akshara-Brahma Yoga	108
9.	नवमोऽध्याय:	राजविद्याराजगुह्ययोग:	Chapter 9 : Rajvidya-Rajguhya Yoga	113
10.	दशमोऽध्याय:	विभूतियोग:	Chapter 10 Vibhuti Yoga	120
11.	एकादशोऽध्याय:	विश्वरूपदर्शनयोग:	Chapter 11 : Vishvarup-Darshan Yoga	126
12.	द्वादशोऽध्याय:	भक्तियोग:	Chapter 12 : Bhakti Yoga	135
13.	त्रयोदशोऽध्याय:	क्षेत्रक्षेत्रज्ञविभागयोग:	Chapter 13 : Kshetra-Kshetrajna-Vibhaga Yoga	139
14.	चतुर्दशोऽध्याय:	गुणत्रयविभागयोग:	Chapter 14 : Guna-Traya-Vibhag Yoga	146
15.	पञ्चदशोऽध्याय:	पुरुषोत्तमयोग:	Chapter 15 : Purushottama Yoga	151
16.	षोडषोऽध्याय:	दैवासुरसम्पद्विभागयोग:	Chapter 16 : Daivasura-Sampad-Vibhaga Yoga	154
17.	सप्तदशोऽध्याय:	श्रद्धात्रयविभागयोग:	Chapter 17 : Shraddhatraya-Vibhag Yoga	159
18.	अष्टादशोऽध्याय:	मोक्षसंन्यासयोग:	Chapter 18 : Moksha-Sanyasa Yoga	165

Dedicated to
My Caring Children
Dr. Meenal and Sunil
and my Loving Grandchildren
Samay, Sahas, Saanjh, Saaya, Naksh, Nayra, Navay Narale

INTRODUCTION

Ratnakari-Gita is world's first Sanskrit recension of the Gita, <u>composed wholly in *Anushtubh Shlokas*</u>. Its sholks are in side-by-side association with the verses of the Bhagavad Gita. The Ratnakari-Gita is neither a translation nor a commentary, but it is a devotional poetry on the **Shrimad Bhagavad Gita**. Its aim is to answer the unanswered questions and question the unquestioned answers while defining each yogic term clearly, in sweet language. While doing so, the core objective is to remove the misconceptions and the wrong notions that linger in the commentaries on the Gita.

The original divine Shrimad Bhagavad Gita of Maha-muni Vyasa is a celestial poem (chapters 25-42) in the *Bhīshma parva* of Mahabharata. Here, the earlier chapters of Mahabharata provide the history and background for a sound understanding of the divine dialogue between Shrī Krishna and Arjun. However, in the stand alone Gita, without giving this important context, the first chapter stands abrupt and a bit incongruous with the Adhyatmaic philosophy of the other seventeen chapters. Reading the Gita without knowing the pertinent history and nature of the characters, is like walking blindly on a path without knowing the direction and nature of the path. Therefore, like the Mahabharata, the Ratnakari-Gita begins with the vital background of the Gita and the nature of its characters. This essential addition provides a proper introduction and congruency to the first chapter and the philosophical teachings of the rest of the seventeen chapters of the Gita.

The sacred poem of Vyasa is written in such meters as Anushtubh, Upajati, Indravajra, Upendravajra, Viparitapurva, etc. which add a rhythmic flavor to the divine poem. The Bhagavad Gita is the most translated and commented scripture in the world. In order to impart melodic sweetness to the celestial poem of the Gita, the Ratnakari-Gita utilizes magic of the *anushtubh Chhanda*.

For the insightful Gita lovers, whether they know Sanskrit or not, this English translated work is a must. It will enlighten the Gita learners, new, average as well as the scholars.

Hari Om Tat sat

मङ्गलाचरणम्

मुक्तछन्दः

श्रीपरमात्मने नम आत्मने नमः । नमो ब्रह्मणे गायत्र्यै नमः ।। 1
प्रकृत्यै नमः पुरुषाय नमः । नमः शिवाय पार्वत्यै नमः ।। 2
नमो विष्णवे लक्ष्म्यै नमः । गणेशाय नमः सरस्वत्यै नमः ।। 3
रामाय नमः सीतायै नमः । नमः कृष्णाय राधायै नमः ।। 4

वसुदेवाय नमो वासुदेवाय नमः । भीमार्जुनयुधिष्ठिरेभ्यो नमः ।। 5
देवकीयशोदामातृभ्यां नमः । विश्ववृक्षाय विराटरूपिणे नमः ।। 6
देवेभ्यो नमो गुरुदेवेभ्यो नमः । मात्रे नमः पित्रे नमः ।। 7
इन्द्राय नमो वरुणाय नमः । वायवे नमो वायुपुत्राय नमः ।। 8

अग्नये नमो द्यवे नमः । पृथ्व्यै नमो नवग्रहेभ्यो नमः ।। 9
पञ्चभूतेभ्यो नमस्त्रिगुणेभ्यो नमः । सर्वभूतेभ्यो नमो वनस्पतये नमः ।। 10
नदीभ्यो नमः पर्वतेभ्यो नमः । सूर्याय नमश्चन्द्रमसे नमः ।। 11
वेदेभ्यो नमः सर्वोपनिषद्भ्यो नमः । नारदाय नमो ज्ञानाय नमः ।। 12

दत्तात्रयाय नमः स्कन्दाय नमः । प्रह्लादाय नमो ध्रुवाय नमः ।। 13
पाणिनिपतञ्जलिभ्यां नमः । यास्काय नमः पिङ्गलाय नमः ।। 14
वाल्मीकये नमो व्यासाय नमः । रामानन्दाय नमस्तुलसीदासाय नमः ।। 15
शिवाजीप्रताभ्यां नमो राज्ञीलक्ष्म्यै नमः । शङ्कराचार्याय रामानुजाय नमः ।। 16

वल्लभाचार्याय वरदाचार्याय नमः । यमुनाचार्याय माधवाय नमः ।। 17
मीरायै नमो ब्रह्मानन्दाय नमः । सत्यानन्दाय नमो विवेकानन्दाय नमः ।। 18
सर्वमुनिभ्यो नमः सर्वर्षिभ्यो नमः । सर्वज्ञानिध्यानियोगिभ्यो नमः ।। 19
सर्वकविभ्यो नमः सर्वसुहृद्भ्यो नमः ।। 20

एषा अनुष्टुप्-श्लोक-छन्दसि संकृतेन

रत्नाकरी गीता

अथ अनुष्टुप्-श्लोक-छन्दसि
संकृत रत्नाकरी गीता आभ्यते

◎ Ratnakari-Gita : *Here begins Ratnakar's Gita, solely composed in anushtubh shloka meter.*

योगेश्वरवन्दना

श्लोकछन्दः

<u>कृष्णो</u> माता पिता बन्धुर्गुरुर्ज्ञातः सखा तथा ।
<u>कृष्णं</u> योगेश्वरं पुण्यं पूज्यं वन्दे जगद्गुरुम् ।। 1
<u>कृष्णेन</u> ना समो दाता भूतो न च भविष्यति ।
<u>कृष्णाय</u> वासुदेवाय राधावराय वन्दना ।। 2
<u>कृष्णात्</u>-हि जायते सर्वं कृष्णात्सर्वं समाप्यते ।
<u>कृष्णस्य</u> करुणां प्राप्य श्रद्धालुर्न निमज्जति ।। 3
<u>कृष्णे</u> मनश्च चित्तञ्च बुद्धिर्निवेशिता हि स्यात् ।
<u>कृष्ण!</u> कृष्ण! नु कृष्णेति तस्माद्भज मनः सदा ।। 4

◎ **Krishna :** ***<u>Krishna</u>*** *is father, mother, brother, friend and guru. I bow* ***<u>to Krishna</u>****, the Yogeshvara (Lord of yoga), the Jagadguru (Teacher of the world), the Auspicious and the Venerable. There is none, was never and will never be a charitable giver* ***<u>like Krishna</u>****. This prayer is* ***<u>for Krishna</u>****, the Vaasudeva (son of Vasudeva), the Radhavara (Beloved of Radha). Everything arises* ***<u>from Krishna</u>*** *and attains liberation from Krishna. Having received the grace* ***<u>of Krishna</u>****, a devotee does not sink in the worldly ocean. May our mind and heart be focused* ***<u>on Krishna</u>****. O Devotee! always chant* ***<u>O Krishna!</u>*** *O Krishna!*

मन्दाक्रान्ता-छन्दः

ऽ ऽ ऽ, ऽ । ।, । । ।, ऽ ऽ ।, ऽ ऽ ।, ऽ ऽ

श्रीकृष्णवन्दनम्

♫ रे-<u>ग</u>रेसा-रे- म<u>ग</u>रेसारे<u>ग</u>-, रे-<u>ग</u>म-<u>ग</u>- रे<u>ग</u>-रे- ।
<u>ग</u>-<u>ग</u>-<u>ग</u>-<u>ग</u>- मममममम- म-पम- प-म<u>ग</u>रे- ।।
सा-सा-सा-सा- रेरेरेरेरे-, म-पम- प-म<u>ग</u>-म- ।
<u>ग</u>रेसा- रे-<u>ग</u>- ममम<u>ग</u>रे<u>ग</u>-, रे-<u>ग</u>म-प-म<u>ग</u>-रेसा- ।।

गोपीनाथं कमलनयनं नन्दनन्दं मुकुन्दम् ।
लक्ष्मीकान्तं परमशरणं माधवं चक्रपाणिम् ।। 1
श्रीयोगेशं गरुडवहनं केशवं पद्मनाभम् ।
वन्दे कृष्णं कलुषदहनं विघ्नसंहारकारम् ।। 2

◎ **A Prayer to Shrī Krishna :** *I salute Shrī Krishna, the Gopinath (Lord of the cow maids), Kamala-nayan (whose eyes are like lotus), Nand-nand (Joy of Nanda), Mukund (Jewel), Lakshmikant (Husband of Lakshmi), Parama-sharana (Supreme shelter), Madhav (Husband of Lakshmi), Chakrapani (who has Sudarshan Chakra in his hand), Shrī Yogesh (Lord of the yogas), Garuda-vahana (whose vehicle is Garuda eagle), Keshav (he is a God), Padmanabh (from whose belly button lotus emerged), Kalusha-dahana (who burns the sins), Vighna-samharaka (Destroyer of the obstacles).*

गीताध्यानम्

धन्यवादाः प्रभो कृष्ण योगं दातुं सनातनम् ।
अज्ञानमोहहन्तारं ज्ञानशान्तिसुखप्रदम् ।। 1

कृष्णद्वैपायनं व्यासं पराबुद्धिं महाकविम् ।
कृष्णदामोदरं विष्णुं गीताज्ञानं नमाम्यहम् ।। 2

श्रीकृष्णं द्वारिकानाथं मोहनं नन्दनन्दनम् ।
गोवर्धनं हृषीकेशम्-ईशं.[1] कृष्णं वन्दे जगद्गुरुम् ।।3

वासुदेवं च गोविन्दं योगेशं पार्थसारथिम् ।
यशोदादेवकीनन्दं वन्दे राधामनोहरम् ।। 8

हरिर्हरति दुःखानि सदा शान्तिं ददाति च ।
दहति पातकं सर्वं भक्तस्य जन्मजन्मनाम् ।। 5

कृष्णो हि वेत्ति श्रीकृष्णम्-उक्तं कृष्णेन तत्त्वतः ।
कृष्णाय देहि सर्वं तत्-कृष्णात्प्राप्तं हि यत्त्वया ।। 6

कृष्णस्य हि कृतं कृत्स्नं कृष्णे सर्वं विलीयते ।
कृष्ण कृष्णेति कृष्णेति भज कृष्णेति केशवम् ।। 7

◎ **A Contemplation :** *O Lord Krishna! I express my gratitude for your gift of the ancient yoga. I salute Damodar Krishna, Lord Vishnu and the Wisdom of the Gita. I salute Jagadguru (Guru of the world) Shrī Krishna, the Dwarka-nath (Lord of Dwarka), Mohan (Mind charmer), Nand-nandan (Son of Nanda), Govardhan (who picked up Govardhana mountain), Hrishikesh (Lord of the body organs), Partha-sarthi (Charioteer of Arjun), Yashoda-Devaki-nand (Son of Yoshosa and devaki), Radha-Manohar (Beloved of Radha). Hari removes sorrow and gives peace. He washes away our sins of all the lives. Only* ***Krishna*** *knows Krishna in principle. Everything belongs* ***to Krishna****, that is given to us* ***by Krishna****. Everything is* ***for Krishna*** *that comes* ***from Krishna****. It is gift* ***of Krishna****. It dissolves* ***in Krishna****. Therefore, chant* ***Krishna!*** *Krishna! Krishna!*

---

[1] PLEASE REMEMBER : For the ease of singing the Sanskrit shlokas (verses) of this books, a breathing pause is purposefully provided with a hyphen after eight syllables. It is done only when and where the Anushtubh meter does not break with this hyphen. Please do not consider this innovation as a grammatical error. Example : हृषीकेशमीशम् = हृषीकेशम्-ईशम् ।

अथ अनुष्टुप्–श्लोक–छन्दसि रत्नाकरी गीता इतिवृत्तम् ।

प्रथमस्तरंग:

1. The Background of The Gita
गीतायाः पार्श्वभूमेः कथा

(गीतायाः पार्श्वभूमिका)

दर्शयतीतिवृत्तं किं, कुत्र, केन, कदा कृतम् ।

नो चेदन्धो विना दण्डं स्खलति निर्बुधो यथा ।। 9

◎ **The Background :** *The historical background makes us understand who did what, when and why. Without knowing this, one would walk like a blind person who stumbles at every step.*

इतिवृत्तं च गीताया लिखितमस्ति भारते ।

पात्रपरिचयोऽप्यस्ति व्यासेन तत्र वर्णितः ।। 10

इतिहासः सदाऽस्माकं मार्गदीपो नियन्त्रकः ।

सुकर्मणां स निर्व्याजो दोषाणां च हि दर्शकः ।। 11

◎ **The Background of Gita :** *The background reveals us who did what, when, where and why. Reading the Gita without understanding its background properly is like the learned blind fool who stumbles in the pitfalls. Without knowing historical background, he who reads the empty story is the dumb witted person who enjoys living on misunderstanding. The background of the Gita and the sketches of its characters are amply written by Vyasa muni in the Mahabharata. The lessons we learn from his writings are the guiding light for us to learn what is right and righteous and what is wrong and un-righteous.*

2. Story of the Pandava Family
पाण्डववंशः

अस्मिन्पुरुकुले जातो निष्कपटः कुरुर्नृपः ।

प्रपौत्रः शान्तनुस्तस्य पाण्डवानां पितामहः ।। 12

◎ **Kuru Dynasty :** *In this royal Puru dynasty, king Kuru was born. Kuru was a righteous and dharmic king. Shantanu was his great-grandson. Shantanu was great-grandfather of the Pandavas of Hastinapur.*

शान्तनोर्हि त्रयः पुत्राः प्रसिद्धा भूरिशः खलु ।

नृपो विचित्रवीर्यश्च भीष्मो व्यासो महामुनिः ।। 13

◎ **Kuru Dynasty :** *King Shantanu had three virtuous sons namely, Vichitravirya, Bhīshma and Vyasa. All three sons became well known in the history.*

विचित्रस्य त्रयः पुत्राः सर्वे भिन्नगुणान्विताः ।
पाण्डुर्ज्ञानी धृतः कूटो नीतिज्ञो विदुरो महान ।। 14

◎ **Pandu :** *Vichitravirya had three sons : Pandu, Dhritarashtra and Vidura. These three great men were different in nature from each other. Pandu was intelligent, Dhrita was blind from his birth and his mind was as blind as his eyes. Vidura was wise and dharmic (dutiful), but he was an illegitimate son.*

धृतराष्ट्रस्तु जन्मान्धोऽवैधश्च विदुरः सुतः ।
नृपतिरभवत्पाण्डुः–तस्माद्धि हस्तिनापुरे ।। 15

◎ **Dhritarashtra :** *As Dhritarashtra was blind and deceitful and Vidura was a son born of a palace maid, Pandu became the rightful king of Hastinapur.*

मथुरानन्दिनी कुन्ती शूरसेनस्य कन्यका ।
अग्रजा वसुदेवस्य कुन्तिभोजेन पालिता ।। 16

◎ **Kunti :** *Kunti was the daughter of Mathura king Shursena and elder sister of Vasudeva. She was raised by Kuntibhoja after the death of king Shursena. Kunti was truth loving, righteous and dharmic woman.*

युधिष्ठिरश्च भीमश्चार्जुनः कुन्त्याः सुतास्त्रयः ।
नकुलः सहदेवश्च च सुतौ माद्र्या हि युग्मजौ ।। 17

◎ **The five Pandavas :** *Pandu had five sons, all of them truth loving, righteous and dharmic (dutiful). Pandu had two wives, Kunti and Madri. Kunti had three sons : Yudhishthir, Bhīma and Arjun. Madri had twin sons : Nakul and Sahadev.*

अन्धस्य धृतराष्ट्रस्य पुत्रा दुष्टाः खलाः शतम् ।
धार्तराष्ट्राः सुताः सर्वे संज्ञिताः शतकौरवाः ।। 18

◎ **The Kaurava family :** *The blind king Dhrita had one hundred wicked sons. They were collectively known as Kauravas.*

आसीत्कर्णः सुतः कुन्त्याः किन्तु कौरवपक्षकः ।
राज्यमङ्गस्य देशस्य तेनतस्मादधिष्ठितम् ।। 19

◎ **Karna :** *Karna was Kunti's sixth son. He was born before she got married and therefore, given up at birth Karna joined the Kauravas, for he received the kingship of Anga from Kauravas.*

भीष्मद्रोणकृपाचार्याः शिक्षका हस्तिनापुरे ।
कौरवान्पाण्डवाञ्छात्रान्–अपाठयद्गुरुत्रयम् ।। 20

◎ **The Gurus :** *Bhīshma, Dronacharya and Kripacharya were the teachers employed to teach the royal princes. They taught them the scriptures and warfare.*

छात्रैर्गुणानुसारेण विद्या सर्वैरुपार्जिता ।
इच्छा यथा यथा यस्य लब्धं ज्ञानं तथा तथा ।। 21

◎ **The students :** *The Kaurava and Pandava brothers learnt under the three gurus. Every student learned as his inborn nature and liking.*

(वर्णाश्रम:)

द्रोणाचार्यो द्विजो जात्या क्षात्रस्तस्य सुतोऽभवत् ।

अश्वत्थामा गुणी पुत्रः क्षात्रधर्ममपालयत् ।। 22

◎ **Varnas :** *Dronacharya was Brahmana by birth, but his brave son Ashvatthama became a Kshatriya following his own inborn nature.*

ब्राह्मणे स कुले जातः स्वभावेन तु क्षत्रियः ।

क्षत्रियो गुणकर्मभ्यां विप्रो यद्यपि जन्मनः ।। 23

◎ **Therefore, :** *Even if Ashvatthama was born in a Brahmana family, he chose to be a Kshatriya, following his own inborn guna and karma.*

(सुभाषितम्)

गुणेभ्यो जायते वर्णो वर्णे कोऽपि न जायते ।

वर्णो नैसर्गिको ज्ञातः स्वार्थाज्जातिस्तु निर्मिता ।। 24

◎ **An aphorism :** *A Varna is born out of inborn nature. No one takes birth in a Varna. Varna is a natural gift. Jati is an artificial term coined to serve self interest and exploitation. It depends on one's birth and who are your parents.*

तेषु छात्रेषु प्रावीण्यं सर्वे हि पाण्डवा गताः ।

कौरवा ईर्षया पृक्ता रताः सर्वे कुकर्मसु ।। 25

◎ **Pandavas :** *Among the one hundred five students of Bhīshma, the five Pandavas progressed with their righteous guna. They became great warriors. But, the one hundred Kauravas, with their jealous nature lagged behind the Pandavas.*

उद्यताः पाण्डवान्हन्तुं मूढा ज्वलितमानसाः ।

रचिताः कपटास्तस्माद्-दुर्योधनेन छद्मना ।। 26

◎ **The Kauravas :** *Burnt in the fire of anger, the Kauravas made schemes to kill the Pandava brothers.*

(दुर्भाग्येन यदा)

पीडितो व्याधितो पाण्डुः-राज्याधिकारमत्यजत् ।

अन्धस्ततः समारोहद्-धृतराष्ट्रो नृपासनम् ।। 27

◎ **Pandu :** *Pandu abdicated the throne, for his acute sickness. He retired to forest giving the kingship to blind Dhritarashtra.*

(अन्धो धृतराष्ट्रः सिंहासनमारूढः)

ऐच्छद्दुर्योधनो राज्यं राज्ये च परिवर्तनम् ।

युवराजपदं किन्तु सोऽनुजो नहि प्राप्तवान् ।। 28

◎ **Duryodhan :** *As Dhritarashtra became the king, Duryodhan desired to be the heir apparent prince and a change in the righteous rule of Pandu. But, as he was unrighteous and younger prince, he could not become the heir.*

(युधिष्ठिरस्य राज्याभिषेचनम्)

अधिकारः स धर्मस्य सर्वे चेच्छन्ति यं जनाः ।

अग्रजं ते पदं तस्माद्-दत्तवन्तो युधिष्ठिरम् ।। 29

◎ **Yudhishthir :** *As an eldest prince and as the most popular person in the kingdom, Yudhishthir had the right to be anointed as heir.*

अभिषेचितवन्तस्ते युवराजं युधिष्ठिरम् ।

दुर्योधनः खलो दुष्टो राज्यपदं न प्राप्तवान् ।। 30

◎ **Anointment :** *Yudhishthir was anointed as heir prince. Duryodhan did not receive that honour.*

रत्नाकरी गीता
द्वितीयस्तरंगः

3. Story of the exile to forest
वनवासगमनकथा

(कौरवैर्दुष्टाचारः)

अरचच्छकुनिर्भिन्नान्-कपटाञ्छलनाटकान् ।

षडयन्त्रान्स दिवानक्तं मारयितुं हि पाण्डवान् ।। 31

◎ **The evil deeds :** *Duryodhan made evil schemes day and night to kill all Pandavas, but he was not successful in any of his attempts.*

भीमे विषप्रयोगं च नित्यमाक्रममर्जुने ।

ज्वालिता पाण्डवास्तेन, सर्वमसफलं परम् ।। 32

◎ **Duryodhan :** *Duryodhan tried to poison Bhīma. He attacked Arjun several times. He tried to burn all Pandavas in a flammable house. However, all his attempts failed.*

कोऽपि हन्तुं न शक्नोति तं यं रक्षति श्रीहरिः ।

व्यर्थं तत्र सदा सर्वं कुर्यात्कोऽपि यथा मतिः ।। 33

◎ **Shrī Krishna :** *How can any one kill someone who is protected by Shrī Krishna. One can try all he wants, but he will only get a failure.*

(किन्तु)

द्वारिकां नगरीं दूरे कृष्ण आसीद्गतो यदा ।
अशठन्द्यूतक्रीडायां धर्ममाहूय कौरवा: ।। 34

◎ **However :** *Once when Krishna was at Dwarka, the Kauravas availed an opportunity to destroy the Pandavas. They invited Pandavas to a deceitfully orchestrated game of dice and cheated Yudhishthir.*

भीष्माचार्य: कृपाचार्यो द्रोणाचार्यश्च धार्मिका: ।
न कोऽपि शकुनिं किन्तु प्रत्यकरोद्धि प्रेक्षका: ।। 35

◎ **Gurus :** *The gurus Bhīshma, Drona and Kripacharya witnessed the cheating as silent spectators. They did not protest nor stop the misbehavior of Shakuni.*

कदा कं किं भवेत्कोऽपि नहि जानाति मानव: ।
पाण्डवानां तथा जातं ललाटे लिखितं यथा ।। 36

◎ **Misfortune :** *No one knows what will happen to whom and when. It is the game of luck. Thus, Pandavas had to face what misfortune was in store for them.*

(यथा)

श्वानपुच्छं सदा वक्रम्-ऋजुं कर्तुं न शक्यते ।
गर्दभो ज्ञानशून्यो हि विद्वान्स न च जायते ।। 37

◎ **Kauravas :** *As the tail of a dog can not be kept straight, as a donkey can not be taught words of wisdom;*

पय: पीत्वाऽपि नागस्य विषमेव हि वर्धते ।
तथा दुष्टस्य क्रोधोऽपि प्रेम्णा नहि निवर्तते ।। 38

◎ **And :** *and, as feeding of milk to a cobra, only helps growing its poison, as a word of wisdom given to a wicked person makes him even more angry;*

(अत एव)

एवमेव स्थितिस्तेषां कौरवाणां हि सर्वथा ।
विघ्नं कर्तुं सुखं तेषां भद्रकार्ये व्यथा तथा ।। 39

◎ **Similarly :** *So was the case with Kauravas. They could not be taught righteousness. They detested wisdom. They loved mischief.*

समे वृक्षे उभौ जातौ भिन्ने तु प्रकृती तयो: ।
एकं सुगन्धितं पुष्पम्-अन्यं तत्रैव कण्टकम् ।। 40

◎ **Kauravas :** *Grown on the same tree, these two had different natures. One grew to be fragrant flowers while the others grew to be prickly thorns.*

(दुष्टाचार:)

लुण्ठितं देवनैर्धूर्तैः-तेषां राज्यमशेषतः ।

धृतराष्ट्रसमक्षं तैः पाण्डवानां नु कौरवैः ।। 41

◎ **The sin :** *As the king-prince of Hastinapur, the entire kingdom belonged to Yudhishthir. By fixing the dice, the Kauravas robbed the kingdom from the Pandavas. They even forced the Pandavas to wager Draupadi. The Kauravas did not hesitate to try to undress Draupadi in public, while Dhritarashtra kept quiet.*

भीष्मद्रोणप्रमूखतो नग्नीकृता च द्रौपदी ।

सभायां रक्षिता लज्जा तस्याः कृष्णेन दूरतः ।। 42

◎ **Krishna :** *In front of Bhīshma and Drona, Draupadi was being dishonored. But, Krishna saved her honour invisibly.*

(त्रयोदशवर्षीयो वनवास:)

दुर्योधनस्ततो घोरं वनवासं च दत्तवान् ।

तेभ्यो द्वादशवर्षीयम्-एकं चाज्ञातरूपिणम् ।। 43

◎ **Thirteen Years :** *Having lost at the game of dice, the Pandavas were given twelve years of exile in the forest and one more year of exile incognito.*

(निर्णयप्रतिज्ञा)

"त्रयोदशानि वर्षाणि यदि जीवन्ति ते वने" ।

राज्यार्धं पाण्डवानां स पाण्डवेभ्यो ददिष्यते ।। 44

◎ **The Agreement :** *The condition set for the exile was that : The Pandavas will stay in exile for 13 years and if they could finish the exile and return home alive,* ***the Kauravas will return them half of the kingdom they won from Pandavas*** *without any trouble.*

(अपितु)

तां ते वनेऽप्यचेष्टन्तो हन्तुं पाण्डवबान्धवान् ।

द्रौपदीमपहर्तुं स चाचेष्टत जयद्रथः ।। 45

◎ **Twelve years :** *During the first twelve years, the Kauravas made many attempts to kill the Pandavas in the forest. Jayadratha even tried to kidnap Draupadi.*

4. Story of the Exile Incognito
अज्ञातवासकथा

(एकवर्षस्याज्ञातवास:)

एवं द्वादशवर्षाणि भुक्त्वा ते सङ्कटं वने ।

ततश्चाज्ञातवासाय विराटपुरिमागताः ।। 46

◎ **One year :** *After spending twelve years in struggle, the Pandavas came secretly in disguises to the kingdom of king Virata.*

(युधिष्ठिरः)

कङ्क पुरोहिते रूपे युधिष्ठिरोऽभवद्द्विजः ।

भीमश्च बल्लवो भूत्वा राजप्रासादमागतः ।। 47

◎ **Yudhishthir :** *Yudhishthir dressed as a Brahmana priest named Kank. Bhīma became a cook. They took employment at the palace of King Virata.*

(अर्जुनः)

स्त्रीवेषमर्जुनो धृत्वा शालायां नृत्यशिक्षिका ।

वीरः स नर्तकी भूत्वा नृत्यगानानि चाकरोत् ।। 48

◎ **Arjun :** *Arjun dressed as a female dance-teacher and took the name Brihannada. She taught dance to the ladies in the palace.*

(नकुलः सहदेवश्च)

नकुलो गजशालायां तुरङ्गगजधावने ।

सहदेवश्च गोपालो रतो धेन्वजपालने ।। 49

◎ **Nakul and Sahadev :** *Nakul took up the job of keeping the horses and elephants. Sahadev became a cowherd to keep cows and goats.*

(द्रौपदी)

प्रासादे द्रौपदी चापि दासी भूत्वा समागता ।

राज्ञाः सेवां च स्नेहेन कृत्वा प्रासीदयच्च ताम् ।। 50

◎ **Draupadi :** *Draupadi became the maid servant named Sairandhri for Queen Sudeshna. She kept a close watch on the activities in the palace.*

तथा च सेवकान्सर्वान्-कृतवती स्वपक्षिणः ।

एवं राज्यस्य सर्वं हि प्राविशत्खलु द्रौपदी ।। 51

◎ **Thus :** *In this manner, the Pandavas lived with peace and quiet for one year in hiding. Kauravas looked for them but could not trace them.*

(ततः)

त्रयोदशे व्यतीते ते हस्तिनापुरमागताः ।

तदा दुर्योधनो भीत्या विस्मयेन च व्यावृतः ।। 52

◎ **Then :** *After the exile of thirteenth year was over, the Pandavas came to Hastinapur. That time, seeing them alive, Duryodhan got terrified.*

यथोक्तं वचनं पूर्वं वनवासगमे तदा ।
राज्यमर्धमयाचंस्ते दुर्योधनं हि पाण्डवाः ।। 53

◎ **Fulfillment of the Agreement :** *As agreed earlier, the Pandavas demanded their share of half of the kingdom from Duryodhan.*

रत्नाकरी गीता
तृतीयस्तरंगः

5. Story of Stubborn Duryodhana
हठिनो दुर्योधनस्य कथा

(दुर्योधं च धृतं चोपदेशः)

दुर्योधनं च कर्णं च धृतराष्ट्रं महाजनाः ।
ददध्वं राज्यमर्धं तान्-ऐक्येनैतदुपादिशन् ।। 54

◎ **Advice :** *The senior people of the kingdom advised Dhritarashtra and Duryodhan to return Pandavas their half of the kingdom to them and keep your half for yourself.*

(भीष्म उवाच)

धृतराष्ट्रं नृपं भीष्म उवाच शृणु मे वचः ।
दुर्योधनस्य कर्णस्य शकुनेर्मा वचः शृणु ।। 55

◎ **Bhīshma :** *Bhīshma said, O King! please listen to me. Do not entertain Duryodhan, Karna and Shakuni.*

त्रयस्ते युवका धूर्ता अस्ति वृद्धो नृपो भवान् ।
नीतिमार्गे स्वयं स्थित्वा दर्शनीयः पथः स तान् ।। 56

◎ **And :** *All three of them are young juveniles. O Dhritarashtra! you are a senior man. Think with your own good sense and show everyone the right path.*

आह दुर्योधनं भीष्मो वैरेण कुरुतादलम् ।
छलेनानेन कीर्तिस्ते गतास्ति खलु पश्यतात् ।। 57

◎ **Reprimand :** *Bhīshma then reprimanded, O Duryodhan! enough with the enmity. Stay on the right course of Dharma and save yourself. The Pandavas are your brothers. Why are your steps in wrong direction.*

यत्किमप्यभवत्पूर्वम्-अलं वैरेण तैः सह ।
तेषां हि भद्रता युष्मान्-अरक्षत्कौरवान्सदा ।। 58

◎ **And :** *Let the bygone be byegone. Stop fighting with them. Remember, it is their goodness that has saved you so far.*

यावत्तवास्ति राज्यं भोः-तावद्युधिष्ठिरस्य च ।

वस्तुतस्त्वां खलं दुष्टं सिंहासनं न शोभते ।। 59

◎ **And :** *This kingdom is only so much yours as much it is theirs. In fact, you are not even qualified to sit on the throne.*

न त्यजसि कुमार्गं चेत्-फलं कटु भविष्यति ।

अधोगतिं च नीत्वा त्वां कुलं कृत्स्नं च धक्ष्यति ।। 60

◎ **In addition :** *If you do not leave the wrong path, the fruit will be bitter. O Duryodhan! you will get killed yourself and you will ruin your family.*

तावदेव हि नुः कीर्तिः-यावत्कर्म शुभं भवेत् ।

तस्मादस्त्यशुभं यस्मिन्-कर्म तन्नहि साध्नुयात् ।। 61

◎ **Remember! :** *Man is alive only as long as his name is good. He who has earned a bad name, is as good as dead.*

(द्रोण उवाच)

द्रोणो भीष्मं च स्वीकृत्योवाच दुर्योधनं ततः ।

अस्माकं परमां नित्यां पालयतां परम्पराम् ।। 62

◎ **Drona :** *Supporting Bhīshma, Dronacharya said, O Duryodhan! please follow the tradition of our sacred family and its righteous path.*

राज्यार्धं देहि तेषां त्वं राज्यमर्धं च भुङ्क्ष्व स्वम् ।

सुकृतस्य फलं मिष्टम्-आस्वादस्व च कौरव ।। 63

◎ **And :** *O Kaurava! give their half to them and keep your half. It will give you a sweet fruit of the wise action.*

(धृतं कर्ण उवाच)

ततः कर्णोऽब्रवीदन्धं ममैव वचने हितम् ।

एते गुरुजनाः सर्वे पाण्डुपक्षसमर्थकाः ।। 64

◎ **Karna :** *Karna said, O Dhritarashtra! all gurus appear to be dear to us and they profess to be your honest servants, but look! their true faith is with the Pandavas.*

अभक्ता गुरवः सर्वे शृणुताद्वचनं मम ।

वयं हि भवतो दासा वयमेव सहायकाः ।। 65

◎ **And :** *Please do not listen to their advices. We are your true helpers. Please listen to what Shakuni and I say.*

(धृतं विदुर उवाच)

विदुर आह राजानं बन्धो शृणु वचो मम ।

कौरवास्ते यथा पुत्राः-तथैव पाण्डवाः सुताः ।। 66

◎ **Vidur :** *Vidur said to Dhritarashtra, O Brother! please listen to my beneficial counsel. Pandavas are your children as much as the Kauravas are.*

कर्णशकुनिदुर्योधा मूर्खा मूढाश्च दुर्जनाः ।

विपरीता मतिस्तेषां नास्ति सा हितदायिका ।। 67

◎ **And :** *Karna, Shakuni and Duryodhan are misguided by jealousy, deceit and anger. Listening to them will be your biggest mistake.*

(सञ्जय उवाच)

उवाच सञ्जयः स्वामिन्-कुरु कर्म तदेव त्वम् ।

जनैर्यत्सुकृतं ज्ञातं, कुकर्म परिवर्जयेत् ।। 68

◎ **Sanjay :** *Sanjay said to Dhritarashtra, O Master! please listen to me. Please stay away from the sin of deceit. It will give you good merit.*

लिखितं येन दुर्भाग्यं स्वललाटे कुकर्मभिः ।

ऋजुमार्गं शुभं त्यक्त्वा वाममार्गं स गच्छति ।। 69

◎ **Misfortune :** *And he said, when a straight path is ahead, only he takes a crooked path who has written misfortune in his luck.*

लब्ध्वाऽपि कृष्णसङ्गं वै शकुनिं हि वृणोति सः ।

दुर्जना बान्धवास्तस्य यो न वाञ्छति सज्जनान् ।। 70

◎ **And :** *When the mercy of Shrī Krishna is available at hand, only he seeks Shakuni's friendship who is related to scoundrels.*

स्वामिन्गदति सद्धर्मः कपटं कर्म वर्जयेत् ।

दुराचारं महापापं सर्वजनविनाशकम् ।। 71

◎ **Therefore :** *O King! Dharma (righteousness) says, abandon adharma (unrighteousness), because he who joins hands with sin, he kills himself and takes down others with him.*

(शकुनिं सनत्सुजात उवाच)

आह सनत्सुजातश्च शकुनिं वचनं शृणु ।

स्वं तु कुलमनश्यस्त्वम्-एतेषां मा विनाशय ।। 72

◎ **Sanatsujat :** *Sage Sanatsujat said, O Shakuni! you have destroyed your own family, why don't you leave alone this family from your deceits.*

दम्भो दर्पो मदो गर्वः-छद्म द्यूतं छलं बलम् ।
अत्याचारश्च कापट्यं कौरव स्तेयमुच्यते ।। 73

◎ **Because :** *O Dhritarashtra! deceit, hypocrisy, forgery and force are considered as theft.*

(सुभाषिते)

श्वः कार्यं कुरुतादद्य दीर्घसूत्री विनश्यति ।
यस्य नास्ति भयं कालात्-कथं राज्यं करिष्यति ।। 74

◎ **Two adages :** *Do it today what you can do tomorrow, the procrastinator ruins himself. He who does not read the need of today, how will he be able to rule tomorrow?*

पयः पीत्वाऽपि मर्त्यः स रक्तं यस्य विषं गतम् ।
लब्ध्वाऽपि स्वर्गराज्यं स मृत्युसंसारमिच्छति ।। 75

◎ **And :** *He who grows poison in his mind, will not survive even after drinking amrit (divine nectar). He can not step into heaven, who walks fearlessly towards hell.*

(दुर्योधं विदुर उवाच)

उवाच विदुरो ज्ञानी दुर्योधन वचः शृणु ।
ईर्ष्यां मा कुरु पार्थाय युधिष्ठिराय त्वं सदा ।। 76

◎ **Vidur :** *Uncle Vidur said, O Duryodhan! please listen to me. Yudhishthir is an incarnation of Truth and Dharma (righteousness). And, you already know that, truth always wins.*

स्वयं कृष्णः सखा तस्य त्वमरिं मन्यसे हरिम् ।
अस्मिन्स्थितौ कथं पार्थं योत्स्यसे त्वं युधिष्ठिरम् ।। 77

◎ **And :** *Yudhishthir is a friend of Krishna, but you act like Krishna's enemy. How anyone can save you from your suicide? In this situation, how can you win?*

शान्तिर्दद्याद्यदा सिद्धिम्-अशान्तिं तु वृणोति सः ।
आत्मघाते रुचिर्यस्य बुद्धिस्तस्य निरर्थका ।। 78

◎ **Thus :** *When peace gives success, only he acts with violence whose good sense does not work and who has liking for suicide.*

सन्ध्या हितं नु ज्ञात्वाऽपि युद्धं कर्तुं स चेष्टते ।
कुलध्वंसस्य बीजं यो नाशस्तस्य सुनिश्चितः ।। 79

◎ **Also :** *Even after knowing that peace gives success, he who wants to make war, is a seed for the ruin of the family. His own destruction is certain.*

(अपि च)

यस्मिन्मार्गे भवेत्सिद्धिः-मार्गमन्यं स गच्छति ।

अधर्मस्य वशे यस्तु धर्मस्तस्मिन्हि निर्बलः ।। 80

◎ **And :** *When the aim is attainable through a right path, only he follows the wrong path who is taken over by adharma. For him, Dharma (righteousness) is meaningless.*

सर्व ऊचुर्यदा शान्तिं हिंसामेव स वाञ्छति ।
आत्मघाते सुखं यस्य सर्वघाती स उच्यते ।। 81

◎ **And :** *When all wise people are suggesting peaceful means, only he follows the path of war who desires self destruction. He is a suicidal person.*

यदा सन्तस्तु शिक्षन्ते कर्णौ सुप्तौ करोति यः ।
शुभशब्दे घृणा तस्य सुखशान्त्योर्भयस्तथा ।। 82

◎ **And :** *When the saints are teaching beneficial things, only he keeps his ears closed who desires evil. He rejects wisdom.*

सुरसङ्गं च त्यक्त्वा यो सदाऽसुरवदाचरेत् ।
अहङ्कारो महापापो हिंसाचारः स उच्यते ।। 83

◎ **And :** *When the association of Gods is available, only he keeps company with the demons, who is egoistic, sinful and atrocious.*

(और भी)

क्रोधपृक्तं मनो यस्य सद्वाचायाः पराङ्मुखम् ।
रोचते यं न सत्कर्म मन्त्रणा तं न रोचते ।। 84

◎ **Also :** *He whose mind is filled with anger and he who has turned away from reality, he detests aphorisms of true words.*

शिरसि प्रेङ्खते खड्गे दुर्मेधसा स तिष्ठति ।
पापफलैर्हि तृप्तः स पुण्यफलं च नेच्छति ।। 85

◎ **And :** *When a sword is hanging over the head, only he sleeps unworried who has sins piled up over his head and who does not desire good merits.*

सख्यं शक्त्वाऽपि सम्भाव्यं क्रोधाग्नौ स ज्वलिष्यति ।
यस्य कायस्तमोयुक्तः-विषं पातुं न भेष्यति ।। 86

◎ **And :** *When a cool mind does the job, he burns in the fire of hatred who has tamas guna (ignorance). He is not afraid of drinking poison.*

प्राप्य गङ्गापयः पातुं विषं पातुं स निर्भयः ।
पुण्यं न लिखितं भाग्ये पापे मृत्युः सुनिश्चितः ।। 87

◎ **And :** *When the holy water from Ganges is available for drinking, only he likes to die with poison of a gutter who has written misfortune in his luck. He dies helplessly in the fire of sins.*

साधुसङ्गं परित्यज्य तस्मै दुष्टजना वराः ।
विघ्नचिह्नं न यो वेत्ति हितं न प्रतिपद्यते ।। 88

◎ **And :** *When the friendship of sages and saints is available, only he makes partnership with evil people who can not see the imminent danger.*

विवृते स्वर्गद्वारेऽपि रसातलं स गच्छति ।
लयकाले वृथा बुद्धिः सुमतेर्मूर्ध्नि तिष्ठति ।। 89

◎ **And :** *When the door to heaven is open, only he wants to enter the door to hell who thinks adversely at the crucial time. Right thoughts do not enter his mind.*

(श्रीकृष्णसञ्जययोः संवादः)

सञ्जयमाह श्रीकृष्णः शान्तिमार्गं वदामि त्वाम् ।
शान्तिं तामहमिच्छामि सम्मानं या च दास्यति ।। 90

◎ **Shrī Krishna :** *Shrī Krishna said, O Sanjay! I am telling you the way of peace. In any compromise, peace must come with honour.*

प्रभो वदसि सत्यं त्वम्–उवाच सञ्जयस्ततः ।
अशान्तिदायकं निन्द्यं पुण्ये पापस्य शासनम् ।। 91

◎ **Sanjay :** *Sanjay said, O Lord Krishna! you are right. The rule of vice over virtue is reprehensible like the poison of a snake.*

(दुर्योधनं शकुनेर्मन्त्री कणिक उवाच)

कणिकेन स प्रोद्दीप्तो मूढो दुर्योधनस्ततः ।
छलं बलं किमर्थं ते प्रयोगं न करोषि चेत् ।। 92

◎ **Kanik :** *Shakuni's minister Kanik said, O Duryodhan! how good is your stratagem and brutal power if you do not use it now for your own benefit? Do not relax.*

शल्यं सूक्ष्मं तनोर्ज्ञात्वा नोत्सारणं हि दोषवत् ।
पूतिर्भूत्वा तनुं व्याप्य तद्विषस्य हि कारणम् ।। 93

◎ **And :** *Leaving a sliver in the body is a mistake. If left in the body, thinking it is benign, it develops into a harmful septic.*

अग्नेः सूक्ष्मः कणश्चापि दावाग्नेर्मूलमुच्यते ।
शत्रुपक्षे दया तद्वद्–आत्मघातस्य कारणम् ।। 94

◎ **And :** *A tiny spark left alone develops into a conflagration. Showing mercy on an enemy is a suicidal act.*

दर्शयित्वा बलं शत्रुं गूहयित्वा छलं तथा ।

ध्येयसिद्धिं समाधातुं राज्यं सम्पादितं कुरु ।। 95

◎ **And :** *Assuming disguise and deceit, we have to fight to achieve our aim.*

बलेन पाण्डवा वध्याः शठेन ह्यथवा सखे ।
नोचेत्स जीवितो भीमो राज्याय योत्स्यते तु श्वः ।। 96

◎ **And :** *We have to kill the Pandavas by trickery or by war, otherwise Bhīma will march on us.*

अर्जुनादपि भीतिर्नो बलं तस्य भयङ्करम् ।
भीमस्तु रक्षकस्तस्य तस्माद्वध्यो वृकोदरः ।। 97

◎ **And :** *Arjun is also our powerful enemy, but Bhīma is his protector. Therefore, we have to kill Bhīma first.*

(कर्णदुर्योधनयोः संवादः)

कर्णो दुर्योधनं शीघ्रं प्राबोधयच्च दारुणम् ।
अर्धं चतुर्थराज्यं वा बन्धो जातु न देहि तान् ।। 98

◎ **Karna :** *Karna said, O Duryodhan! do not give half. Do not given even quarter kingdom to Yudhishthir.*

कुकर्म स्यादधर्मो वा दद्या भूं वा धनं न तम् ।
युधिष्ठिरं विनायुद्धं त्वं दुर्योधन भारतम् ।। 99

◎ **And :** *May it be Dharma (righteousness), may it be adharma (unrighteousness), don't give any land to Yudhishthir, without war.*

(युधिष्ठिर उवाच)

अर्धराज्याधिकारो नो युद्धं नेच्छामि बान्धवाः! ।
दुःखेन पाण्डवानाह कुन्तीपुत्रो युधिष्ठिरः ।। 100

◎ **Yudhishthir :** *Yudhishthir said, O Brothers! half of the kingdom is our right. We will swallow our pride and live without war.*

अर्धं नेच्छति दातुं चेद्-दद्याद्ग्रामान्स पञ्च नः ।
दुर्योधनो विना युद्धं, युद्धे सर्वं हि नश्यति ।। 101

◎ **And :** *With a heavy heart, he then said, let's make a compromise. If they do not want to give us half of the kingdom, let us ask them for at least five villages.*

6. Duryodhana's Ignorance
अज्ञानिनो दुर्योधनस्य कथा

गाथछन्दः

ऽ। ऽ, ।। ऽ, ऽ ऽ – ऽ ऽ ऽ, ।। ऽ, । ऽ

रत्नाकरी गीता

दुर्योधन उवाच

नास्ति योग्यविचारी यो, धर्मे नास्ति च भावना ।
रागक्रोधघृणायुक्तो, निर्लज्जो हि सदा सुखी ।। 1

धर्मकर्मणि यं श्रद्धा, व्यर्थं तस्य हि जीवनम् ।
तस्य नास्ति सुखं सिद्धिः, निर्लज्जो हि सदा सुखी ।। 2

◎ **Duryodhan's ignorance :** *Duryodhan said, he who is ignorant, he who does not think properly, he who does not understand Dharma (righteousness), he who is full of anger, greed and hatred, that shameless person is always happy. He who acts with righteousness, his life is meaningless. He neither succeeds nor he gets happiness. A shameless person is always happy.*

(दुर्योधन उवाच)

श्रुत्वा तु धर्मराजं तम्-आह दुर्योधनस्तदा ।
राज्यं ममास्ति कृत्स्नं भोः पञ्चग्रामान्न प्राप्स्यसे ।। 102

◎ **Duryodhan's reply :** *Duryodhan then said to Yudhishthir, I will not give to you five villages. This entire kingdom is mine.*

सूक्ष्माऽणिर्भिद्यते यावत्-सूचेर्भूमिं युधिष्ठिर ।
तावदपि न दास्यामि भूमिकणं कदाऽपि त्वाम् ।। 103

◎ **Duryodhan's reply :** *O Yudhishthir! as much earth the tip of a needle pierces, even that much land I shall not give you without a battle. I will win the war and I will kill all Pandavas. I will not be defeated.*

हनिष्यामो वयं सर्वान्-नाशयिष्यामि पाण्डवान् ।
त्वं वा कोऽपि न शक्नोति रोद्धुमस्मान्युधिष्ठिर ।। 104

◎ **And :** *We Kauravas will destroy all Pandavas. O Yudhishthir! neither or anyone else can stop us now.*

योत्स्यसे वा न वा बन्धो मरणं निश्चितं तव ।
सूचनां स्पष्टशब्देभ्यः पूर्वमेव ददामि त्वाम् ।। 105

◎ **And :** *O Brother! whether you fight or not, your death is certain. Then later on they should not complain that I did not warn you. Therefore, this is a notice to you in clear words.*

(दुर्योधस्य कुमतिः)

अथ दुर्योधनो मूढो धर्मं वचनमब्रवीत् ।
शृणु ज्ञानं परं गुह्यं मम मुखाद्युधिष्ठिर ।। 106

◎ **Duryodhan's folly :** *Here is how Duryodhan exhibited his ignorance. He said, O Yudhishthir! now hear from my mouth the supreme secret to success :*

"अल्पं प्राप्य च तृप्तो यो न स प्राप्नोति वैभवम् ।

दया चिन्ता क्षमा शान्तिः-दास्यन्ति न यशस्सुखे ॥ 107

◉ **Blah blah!** : He who is happy with whatever he has, he will never become wealthy. He who has mercy, forgiveness, peace and fear, he can not earn honor. He will be a failure and he will die hungry.

"मोदे सुखे च मत्तो यः प्रमादे च रतः सदा ।
ईर्ष्या क्रोधस्तमो यस्य, दुःखानि न कदाऽपि तम् ॥ 108

◉ **And** : He who is drowned in enjoyment, pleasures, luxury, ego and intoxication, he attains everlasting happiness.

"धर्मकर्माणि मूर्खाणां सर्वे चैव मनोरथाः ।
हठी दुराग्रही धृष्टः पुरस्सरति सर्वदा ॥ 109

◉ **And** : Dharma (righteousness) and karma (duty) are all notions devised by fools. Those who are stubborn, daring and zealous, they always progress.

"ज्ञानमेतन्मया प्रोक्तं स्मरणीयं च प्रेरकम् ।
खेदं भयं च हानिं च शोकं दुःखं च हन्ति तत् ॥ 110

◉ **And** : My teachings are inspirational and worthy of keeping in mind. They remove grief, fear, loss, pain and sadness.

"मानं धनं च गर्वं च सुखं यशो हठं मदम् ।
छलं बलं हितं हर्षम्-अहङ्कारं च दास्यति ॥ 111

◉ **And** : This knowledge is powerful and useful. It gives name and fame. It gives you self-pride, strength, joy and ego.

"चिन्ताङ्करोति सर्वेभ्यो दुःखी सदा नरो हि सः ।
निर्दयो निर्भयः स्वार्थी निर्लज्जो हि सदा सुखी" ॥ 112

◉ **But** : But, he who has pity for others, he tortures himself. A cruel, merciless, selfish and shameless person is always happy.

(धृतं गान्धार्युवाच)

दुर्योधनस्य ज्ञानस्य कौरवेषु स्तुतिर्बहुः ।
एकाक्षः पतिरन्धेषु वायसोऽवकरे सदा ॥ 113

◉ **Gandhari** : Gandhari, wife of Dhritarashtra, said, O Swami! Duryodhan is respected highly by wicked people, like a squint eyed person is a king among the blind people. A crow always prefers sitting on the heap of garbage.

पुत्रप्रेम्णा महाराज पापं पुत्रस्य शंससि ।
गान्धार्याहास्य पापस्य भवानेव हि कारणम् ॥ 114

◎ **And :** *O Maharaj! why you keep praising evil actions of your son Duryodhan. O Swami! In fact, you are the root cause of this sin.*

(अतो धृतराष्ट्रो नाटकं करोति)

नाहं राज्याधिकार्यासं राजपुत्रोऽपि त्वं नहि ।

सत्ता सा पाण्डुपुत्राणां सुत नीत्या च देहि तान् ।। 115

◎ **Sham :** *Hearing the scolding from Gandhari, Dhritarashtra ostentatiously said in front of Gandhari, O Duryodhan! neither I had a right to become a king nor you are fit to be a king. Give Pandavas their half kingdom. This is righteousness.*

कुरुकुलस्य त्रातारो बान्धवाः खलु पाण्डवाः ।

पूर्णं वा राज्यमर्धं वा देहि तांस्त्वं विना युधम् ।। 116

◎ **And :** *The Pandavas are the protectors of Kuru dynasty, give them the whole kingdom or at least half of it, without a war.*

(परन्तु)

द्विधावाची द्विधाजिह्वी मिथ्या पाण्डवरक्षकः ।

मधु वामे च जिह्वाग्रे दक्षिणे तु हलाहलम् ।। 117

◎ **And :** *The fork-tongued snake Dhritarashtra was pretending to be Pandavas' well wisher, but in reality he was their enemy. On one tongue he displays sweet amrit (divine nectar) while on the other tongue he has deadly poison.*

नृपः स नाटकं कुर्वन्–दुःखेषु वत पाण्डवाः ।

यद्यपि स प्रजापालः प्रजायाः खलु घातकः ।। 118

◎ **And :** *The crooked king was playing sham drama here while the Pandavas were suffering there. He was supposed to be protector of the subjects, but he was their real destroyer.*

रत्नाकरी गीता
चतुर्थस्तरंगः

7. The advices given to the Kauravas
उपादिष्टानां कौरवाणां कथा

(सुतं गान्धार्युवाच)

दुर्योधनं च गान्धारी वचनमब्रवीदिदम् ।

सुत शृणूपदेशं मे नूनं हि शकुनेर्वरम् ।। 119

◎ **Gandhari :** *Gandhari said, O My son Duryodhan! please listen to me, unless you believe in Shakuni more than you believe in me.*

(सूक्तिः)

अलं स्वप्नेन राज्यस्य राज्यमेवं न लभ्यते ।

युद्धाऽपि च जयं तस्मात्-निश्चितं नास्ति पुत्रक ।। 120

◎ **And :** *You will not earn kingdom just by dreaming about it. Also, O Son! even if you fight for the kingdom, not necessarily you will win the war.*

निश्चयो यदि ते युद्धे युध्यस्व शत्रुनात्मकान् ।

देहे तिष्ठन्ति ते गुप्ता भ्रामयन्ये मतिं तव ।। 121

◎ **But :** *However, if you really want to fight, please fight the enemies that are hiding in your own body and are deluding you.*

जित्वा क्रोधं मदं कामम्-अहङ्कारं च वासनाम् ।

सुखं राज्यं धनं मानं यशः प्राप्नोषि कौरव ।। 122

◎ **And :** *Please vanquish your ego, anger, intoxication, passion, deceit, desire, which are hiding in your body and mind. O Kaurava! then you will attain the kingdom, wealth, success and respect.*

इच्छसि यदि राज्यं त्वं भूमौ स्वर्गात्मकं सुत ।

सम्पदं देहि तेभ्यस्तान्-राज्यमर्धं गृहाण त्वम् ।। 123

◎ **Thus :** *If you desire a heavenly kingdom on this earth, O Son! please give their kingdom to them and enjoy what is yours.*

अतीतं विस्मृतं कृत्वा जनन्या वचनं शृणु ।

सङ्गे हितं हि सर्वेषाम्-असङ्गे क्षीयते कुलम् ।। 124

◎ **And :** *Please forget the past and listen to the words of your mother. The benefit is in peace. In war you will be ruined along with your family.*

(सुतं कुन्त्युवाच)

कुन्ती युधिष्ठिरं ब्रूते, स्वर्गे गच्छन्ति धार्मिकाः ।

अधर्मचारिणां वासो निश्चितो नरके सदा ।। 125

◎ **Kunti :** *Kunti said, O Yudhishthir! O Dharma! always do your duty. Righteous people attain heaven and the unrighteous go to hell.*

(सूक्तिः)

कालो वा कारणं राजा कलियुगस्य कारकः ।

जानीहि त्वं विना शङ्कां, "नृपः कालस्य कारणम्" ।। 126

◎ **Dictum :** *Those who have a dilemma, "whether king is the reason for the good or bad time," O Son! know it for sure that, "the king is the reason for good and bad times."*

तस्मादस्य नृपान्धस्य कुनीतिः कलिकारिका ।

अन्धनीतिं पदच्युत्य नीतेर्युगं पुनः कुरु ।। 127

◎ **Therefore :** *O Yudhishthira! therefore, please put an end to this blindness of the Kauravas and establish the age of peace and righteousness again.*

रणे त्वं कौरवाञ्जित्वा सम्प्रति हस्तिनापुरे ।

सद्भावं रामराज्यं च स्थापिते कुरु पाण्डव ।। 128

◎ **And :** *Please defeat the Kauravas in the war and rule with incantation, shrewdness, retribution or guile, as necessary to bring peace.*

(युधिष्ठिरं द्रुपद उवाच)

उवाच द्रुपदो धर्मं शान्तिं नेच्छति कौरवः ।

आकर्णत्युपदेशान्स कर्णस्य शकुनेः सदा ।। 129

◎ **Drupad :** *King Drupad said, O Yudhishthir! Dhritarashtra has rejected all overtures for peace. He has taken up the path of war.*

अन्धस्तिष्ठति मौनेन पुत्रस्य सहते वचः ।

भीष्मादयोऽर्थदासाश्च करिष्यन्ति यथा धृतः ।। 130

◎ **And :** *The blind king listens to Shakuni and Karna only. Bhīshma, Drona and Kripacharya keep quiet in front of the King. The gurus will blindly follow Dhritarashtra, saying we are the paid servants of the blind king.*

(धृतं दुर्योधं च सात्यकिरुवाच)

अभणद्धृतराष्ट्रं च दुर्योधं सात्यकिस्ततः ।

अर्धं हि युवयोरस्ति तद्वत्तेषां च कौरवौ! ।। 131

◎ **Satyaki :** *Satyaki said, O Kauravas! please give Pandavas their half.*

नोचेद्युद्धा रणे सर्वे यूयं तत्र मरिष्यथ ।

अलं दुराग्रहेणातः सन्धिः श्रेष्ठा मतिर्मम ।। 132

◎ **Otherwise :** *If you go for war, you will be destroyed along with your family. Please keep aside your obstinacy and see where your good is.*

(दुर्योधमर्जुन उवाच)

पार्थ उवाच दुर्योधं शृणु मे वचनं सखे ।

सदाऽहं चिन्तयामि यत्-करोषि त्वं छलं कथम् ।। 133

◎ **Arjun :** *Arjun said, O Duryodhan! please listen to what I say. I always think, why you do deceit all the time.*

जना वदन्ति त्वां "दुष्टो, दुरात्मा दुर्दमः खलः ।
अधर्मी कुमतिः पापी दुर्बुद्धिर्घातकस्तथा" ।। 134

◎ **And :** *People call you a sinner, crazy, unjust, wicked, cruel, immoral, violent, deceitful, destructive, depraved, corrupt and villain.*

अहङ्कारं तु स्वं त्यक्त्वा शृणु सत्यं वचः सखे ।
वदन्ति गुरवः सर्वे श्रेष्ठानि वचनानि त्वाम् ।। 135

◎ **And :** *O Dear brother! the wise men are telling you to behave, but your vices are coming in the way of peace.*

श्रुत्वा तानुपदेशांस्त्वं चेच्छान्तिं स्वीकरोषि त्वम् ।
मन्यन्ते त्वां नृपं सर्वे बान्धवाः कुरुपाण्डवाः ।। 136

◎ **And :** *Please listen to what they say. If you listen to them and come on the path of peace, we will make you king and we will work together with honour.*

(धृतं भीम उवाच)

उवाच धृतराष्ट्रं स भीमसेनो महावपुः ।
कलियुगं त्वयाऽऽनीतं, पुत्रश्च कुलघातकः ।। 137

◎ **Bhīma :** *Bhīma said to Dhritarashtra, O King! you are born to end the Dwapar-yuga (age of righteousness) and to bring the Kali-yuga (age of ruin). You brought an evil son, the destroyer of the family.*

अष्टादश पुराऽतीताः कुलविनाशका यथा ।
कलियुगे भवानस्ति कुरुकुलस्य नाशकः ।। 138

◎ **And :** *Since the old times, eighteen such evil sons were born. You brought the next one.*

कलियुगं कृतं येन युगकर्ता नृपो भवान् ।
उद्विग्नाश्च जना भ्रान्ता, "राजा किं कलिकारकः" ।। 139

◎ **And :** *People are confused, who brought this Kali-yuga, but it is none other than you.*

(तस्मात्)

माता कुन्ती पुरोवाच, "राजा कालस्य कारणम्" ।
कुलध्वंसस्य मार्गेण मृत्युमिच्छन्ति कौरवाः ।। 140

◎ **Therefore :** *Mother Kunti has told us rightly, king is the cause for the bad time.*

(नकुल उवच)

ततः स नकुलो ब्रूते कृताञ्जलिः स पाण्डवः ।

धृतश्च धार्तराष्ट्रश्च सत्कुर्यातां स्पृहा मम ।। 141

◎ **Nakul :** *Nakul said, I hope Dhritarashtra will listen to the gurus and the wise people.*

(सहदेव उवाच)

अहो वत महापापं सहदेव उवाच ह ।

दुःशासनेन द्रौपद्या लज्जा भग्ना सभान्तरे ।। 142

◎ **Sahadev :** *Sahadev said, Duhshasana dishonored Draupadi in front of the assembly. I will teach him a lesson if he comes for a war.*

(कृष्णं द्रौपद्युवाच)

(सूक्तिः)

पापिनः सहनं पापं ज्ञातं शास्त्रेषु पातकम् ।

पापिनः सहते पापं पापं स कुरुते स्वयम् ।। 143

◎ **Draupadi :** *Draupadi said, O Krishna! the scriptures say, it is sin to sympathize with a sinner. He who associates with a sinner, is a sinner himself.*

हत्वाऽहन्यं हि यत्पापं शास्त्रेषु विदितं हरे ।

हन्यं तदेव चाहत्वा कृष्णमुवाच द्रौपदी ।। 144

◎ **And :** *Draupadi said, O Krishna! the sin that is mentioned in the scriptures for a person who kills a righteous person, one gets the same sin by not killing a sinful person.*

(धृतं परशुराम उवाच)

ततः परशुरामश्च धृतमुवाच शान्तये ।

पार्थकृष्णौ न युद्धार्हौ नरनारायणौ हि तौ ।। 145

◎ **Parshuram :** *Parshuram Bhargava said, O Dhritarashtra! when there is benefit in peace, when Nārāyana Shrī Krishna is with us, why fight?*

यथा च सञ्जयेनोक्तं धृतराष्ट्र प्रभो पुरा ।

अजेयौ कृष्णपार्थौ द्वौ युद्धार्हौ तौ न जातु भोः ।। 146

◎ **And :** *Sanjay has already warned you, where there is Krishna and Partha, victory is there, for sure.*

(दुर्योधं कण्वमुनिरुवाच)

कण्वो दुर्योधनं ब्रूते कृतं गर्वेण कौरव ।

पाण्डुपक्षेऽपि भूयिष्ठा वीराः सन्ति महाबलाः ।। 147

◎ **Kanva :** *Kanva muni said, O Duryodhan! please drop your ego. There are more powerful warriors with the Pandavas than you have.*

अहङ्कारोऽस्ति व्यर्थस्ते दुर्जेया: खलु पाण्डवा: ।
शान्तिरपरिहार्याऽस्ति शृणु त्वं वचनं मम ।। 148

◎ **And :** *Your pride and deceit will not bear good fruit against the Pandavas. You have no better choice than accepting peace with Pandavas.*

(दुर्योधं नारद उवाच)

तत उवाच दुर्योधं नारद: कुरुनन्दन! ।
कुरु शान्तिं हठं त्यक्त्वा युद्धे हानिर्भविष्यति ।। 149

◎ **Narad muni :** *Narad muni said, O Duryodhan! please act according to the consensus. O Kaurava! leave your stubbornness aside and listen to me. O Dear! stop your enmity and remove your delusion. Please accept peace.*

कुरु कर्म सुबुद्ध्या त्वं मनो निग्रहितं कुरु ।
अन्तकाले जडा बुद्धि: पुराणानि वदन्ति च ।। 150

◎ **And :** *Please act with wisdom. Get hold of your evil mind. When the end comes near, one gets wrong thinking. Please do not do such thing.*

(दुर्योधं श्रीकृष्ण उवाच)

कृष्णो दुर्योधनं ब्रूते शृणुतात्कुरुनन्दन ।
शृणोषि चेद्वचस्त्वं मे वन्दिष्यन्ति प्रजाजना: ।। 151

◎ **Shrī Krishna :** *Shrī Krishna said, O Kurunandana (Son of Kuru) Duryodhan! please heed to my advice. If you do listen to me, everyone will salute you.*

(हे नरेश!)

अहो नरेश शीघ्रं त्वं निद्राया जागृतो भव ।
गुरून्बन्धून्सुतान्पौत्रान्-नाशात्संरक्ष कौरव ।। 152

◎ **O Naresh! :** *Then Krishna said, O Naresh (king)! please wake up from your slumber in time and save your loved ones from annihilation in the war.*

(हे राजन!)

भद्राणामसदिष्ट्वा च नाश: कुलस्य निश्चित: ।
यथा दण्ड: कुठारस्य काष्ठ: काष्ठस्य घातक: ।। 153

◎ **O Rajan! :** *O King! by thinking bad about good people, you will be walking on the path of ruin of your own family. Don't be the handle of an axe that helps destruction of its own race.*

(हे परन्तप!)

मदे मनो न नन्दित्वा गर्वं त्यज परन्तप ।
भूर्मा त्वं कुलघाती वै कुरुवंशः सनातनः ।। 154

◎ **O Parantap :** *O Parantap (Scorcher of the bad people)! please do not entertain yourself in intoxication. Leave your empty pride. Please do not become destroyer of your own family. The Kuru family is ancient.*

(हे प्रजानाथ!)

स्नेहेन हि प्रजानाथ नाम नित्यं करिष्यसि ।
यौवराज्यपदं तुभ्यं दास्यन्ति पाण्डवाः सुखम् ।। 155

(फिर कहा, हे प्रजानाथ!)

प्रजानाथ! तुम सही ध्यान से, काम अगर लो इतमिनान से ।
यौवराज्य पद तुमको देंगे, पांडव तुमको नमन करेंगे ।। **854**/5200

◎ **O Prajanath! :** *O Prajanath! you will then make your name good. Your brothers will give you kingship and they will salute you.*

स्वेच्छया राज्यमर्धं त्वं पाण्डवेभ्यो ददातु भोः ।
धनं मानं च कीर्तिं च भुङ्क्ष्वाल्लक्ष्मीकृपां ततः ।। 156

◎ **And :** *Please give their half of the kingdom to them with your own hands and enjoy the other half that is coming to you. Please do not reject this Lakshmi's boon that is coming to you.*

(हे भूपते!)

सन्धिं शान्तिं सुखं कर्तुं समयः साम्प्रतं खलु ।
आह्वयति शुभं कर्तुं धर्मपुत्रो युधिष्ठिरः ।। 157

◎ **O Bhu-pati! :** *O Bhupati! making peace now is your duty. War is not required. Yudhishthir is calling you to make peace. War with him will give you infinite pains.*

(हे नरेश्वर!)

विद्वांसो ज्ञानिनः सर्वे सद्वदन्ति नरेश्वर ।
माऽश्रौषीर्विपरीतानि शकुनेर्वचनानि त्वम् ।। 158

◎ **O Nareshwar! :** *O Nareshwar (king)! all wise men are calling you to make peace. Shakuni is taking you on the path of war. Please do not listen to him.*

(हे भरतश्रेष्ठ!)

(सुभाषितम्)

अरोचकं नु सद्वाक्यं नाकर्णं खलु पातकम् ।
मधुरमपि वाक्यं च दुर्जनस्य हि घातकम् ।। 159

◎ **O Bharat-Shreshtha!** : *O Bharat-shreshtha (Superior in the Bharat dynasty)! it is better to listen to the bitter words of a wise man. It is dangerous to listen to the sweet words of a dishonest man, which will give you a sin.*

(हे दुर्योधन!)

शान्त्या सर्वं हि प्राप्नोषि युद्धस्य किं प्रयोजनम् ।
शान्तिमार्गं च स्वीकृत्य रणे गन्तुं निरर्थकम् ।। 161

◎ **O Duryodhan!** : *And, O Duryodhan! with peace everything is possible, there is no need to fight. Accept the peace. Going to battlefield is meaningless.*

सुभाषितम्

स्तुतिं कुर्वन्ति ये नित्यं त एव तव वैरिण: ।
दर्शयन्ति तु दोषान्ये त एव हितकारिण: ।। 162

◎ **A maxim** : *Those who always praise your misbehavior are your real enemies. Those who show you your faults are your true well wishers.*

(प्रबोधनम्)

नीतिमार्गेण गन्तुं त्वां जना: सर्वे वदन्ति भो: ।
योत्स्यसे चेदत: पश्चाद्-दोष: सर्वस्तवैव हि ।। 163

◎ **Last warning** : *Finally, Shrī Krishna warned, O Duryodhan! there is much to gain with peace. This is my opinion and everybody's suggestion to you. Now, after this, if you choose to go for war, you will be solely responsible for the outcome and the consequence.*

8. Story of the Righteous War
धर्मयुद्धकथा

(श्रीकृष्णं दुर्योधन उवाच)

भीष्मो द्रोण: कृप: कर्णो रणे यत्र जनार्दन ।
भेष्यन्ति देवतास्तत्र योत्स्यन्ते पाण्डवा: कथम् ।। 164

◎ **Duryodhan** : *In reply to Shrī Krishna's advice, Duryodhan said, O Janardan! I have Bhīshma, Drona, Kripacharya and Karna on my side. Even the gods are afraid to fight against them, how then the Pandavas will fight with me.*

ध्रुवो मे विजय: कृष्ण सन्धिस्तस्मान्निरर्थका ।
युद्धा सर्वं हि प्राप्स्येऽहं शान्तिं कृत्वा कुतो हितम् ।। 165

◎ **And** : *In the war my victory is certain, then why should I do any compromise?*

(अत:)

नीतिं त्यक्त्वा नृपान्धेन दत्तहस्तश्च पुत्रक: ।

दुर्योधनश्च कर्णेन शकुनिना पुरस्कृत: ।। 166

◉ **Therefore :** *For this reason, Dhritarashtra supported Duryodhan in his fight against the Pandavas. Duryodhan had full support from Shakuni and Karna in his desire for a war against the Pandavas.*

(अपि च)

धार्तराष्ट्रस्य कर्णे च शकुनौ च दृढा मति: ।
अनीतौ धृतराष्ट्रस्य स्नेहभावो विशेषत: ।। 167

◉ **Also :** *Dhritarashtra had full faith in Shakuni and Karna. The king had special liking for injustice.*

(तस्मात्, श्रीकृष्ण:)

साम दाम यदा तेन कृते व्यर्थे महाजना:! ।
दण्डनीतिर्मुकुन्देन पाण्डवाननुमोदिता ।। 168

◉ **Therefore, Krishna :** *When all attempts for a peaceful compromise failed, Krishna gave permission to Yudhishthir to accept the war Kauravas wanted.*

अपि चाज्ञापयत्सर्वान्-दण्डनीतिमुपासितुम् ।
नीतियुद्धस्य सूत्राणाम्-अनुष्ठानमुपादिशत् ।। 169

◉ **And :** *While allowing them to go for war, Shrī Krishna ordered them to strictly observe the rules of a righteous war.*

(सामान्य-नीतियुद्धयोर्भेद:)

युद्धे चलति सामान्ये सर्वं न तु पराजय: ।
क्षात्रधर्मस्य रक्षायै क्षात्राय किं जयाजयौ ।। 170

◉ **The Rules :** *Shrī Krishna said, in a regular war everything is acceptable other than defeat. But, in a righteous war neither there is victory nor there is defeat, nor there is enemy, not there is friend. The war is fought strictly as a duty.*

नीतिबद्धा वयं सर्वे मर्तुं मारयितुं तथा ।
एषा नीति: सतो धर्म: क्षात्रस्य क्षात्रकर्म च ।। 171

◉ **And :** *This ethics is called Niti (morality) or Dharma (righteousness). It is a karma (duty) for an ethical warrior. It is fought with a mind of equanimity. In such war, life and death are equal.*

(नीतियुद्धस्य नियमा:)

नीतिसूत्राणि श्रीकृष्ण: सकलान्स्पष्टमब्रवीत् ।
उवाच नियमानेतान्-पालयन्तु हि सैनिका: ।। 172

◉ **Rules of righteous war :** *Krishna said, now listen carefully the rules for a righteous war. Everyone is bound by these rules. These rules are different than a regular war.*

सूर्योदयाच्च सूर्यास्तं युद्धाय वैधिको भवेत् ।
सूर्यास्तादुदयः कालो युद्धाय वर्जितो भवेत् ।। 173

◎ **And :** *In a righteous war a warrior is allowed to fight only from the sun rise to sun set.*

सन्ध्याकाले भवेयुश्च प्रेम्णा कौरवपाण्डवाः ।
बन्धुभावेन सर्वे हि सम्मिलेयुः परस्परम् ।। 174

◎ **And :** *After sun set to the sun rise, the Pandavas and Kauravas must mix together with brotherly love.*

घोषयित्वाऽऽह्वयेयुर्हि बलमिच्छां च योग्यताम् ।
न च हन्यादसज्जं च क्लान्तं भीतं बहिर्गतम् ।। 175

◎ **And :** *One may attack only after warning the opponent and telling him your strength and level of skill and then fight with an equal opponent. One may not strike a warrior who is weaker, tired, afraid or one who has left the battlefield.*

आहतं शरणाधीनं न कोऽपि सैनिकस्तुदेत् ।
भग्नं स्यादायुधं यस्य योद्धव्यो न स सैनिकः ।। 176

◎ **And :** *One may not strike a soldier who is wounded, who has surrendered or whose weapon is broken or fell from his hand.*

न च पलायिनो हत्या न घातो रणत्यागिनः ।
मृतदेहतिरस्कारो विखण्डनं च पातकम् ।। 177

◎ **And :** *A warrior may not strike one who has turned his back or who is dead. Dismembering or disrespecting a dead body is a sin.*

प्रबुद्धः शब्दयुद्धे यः शब्दयुद्धं स साध्नुयात् ।
रथी रथिभिरश्वोऽश्वैः–गजो गजैः पदः पदैः ।। 178

◎ **And :** *One who is expert in the war of words may fight with a pundit only. A charioteer may fight with a charioteer, a horse rider with a horse rider, an elephant rider with an elephant rider, a foot soldier with a foot soldier and so on.*

सविषं निभृतं शस्त्रम्–अवैधं नीतिविग्रहे ।
अग्निं क्षिप्त्वा समूहा च हत्या क्षात्रं न शोभते ।। 179

◎ **And :** *One may not cause a mass murder by firing a Weapon of Mass Destruction or a fire missile.*

धर्मक्षेत्रे समं सर्वं लाभालाभौ जयाजयौ ।
एवमाज्ञाऽस्ति शास्त्राणां पालयेयुर्दृढं भटाः ।। 180

◎ **And :** *In a righteous war one must fight keeping victory and defeat, loss and gain same in his mind. Everyone must observe these rules. This is an order.*

आज्ञां प्राप्य च युद्धाय दलौ द्वौ रणमागतौ ।
कौरवा वाममार्गेण दक्षिणेन च पाण्डवा: ॥ 181

◎ **Thus :** *Taking the orders from Shrī Krishna, both armies entered the battlefield of Kurukshetra, Pandavas from the right side and Kauravas from the left.*

रत्नाकरी गीता
पञ्चमस्तरंग:

9. Story of the Sacred Battlefield
धर्मक्षेत्रकथा

(धर्मक्षेत्रम्)

सिक्ता पवित्रनीरेण सरस्वत्या: पुरातना ।
यज्ञानां कुरुभूमिर्या धर्मभूमीति विश्रुता ॥ 182

◎ **Dharma-kshetra :** *The land that is irrigated with the holy water of the river Sarasvati and which was renowned in the world because of the great kings of Kuru dynasty, became well known as Dharma-kshetra.*

योद्धारो देशदेशेभ्य: कुरुक्षेत्रे समागता: ।
अश्वारूढा गजारूढा: पत्तयश्च महारथा: ॥ 183

◎ **There :** *Warriors from various lands are assembled on the battlefield of Kurukshetra. They came by horses, elephants, chariots and by foot.*

(कौरवा:)

आगत्य वाममार्गेण रणभूमौ च कौरवा: ।
पङ्क्तिष्वरचयंस्तत्र शिबिरं पटवेश्मनाम् ॥ 184

◎ **The Kauravas :** *Coming from the left side on the battlefield, the Kauravas occupied the west side of Kuru-kshetra. They pitched their tents of canvas, row by row, with ample noise and commotion.*

घोरं द्वंद्वं हि कर्तुं ते कौरवा योद्धुमुत्सुका: ।
व्यूहांस्तु रचयित्वा च चक्रु: सर्वे महारवम् ॥ 185

◎ **And :** *In order to wage a terrible war, they arranged phalanx and were eager to fight.*

एकादशचमूवाहा नियुक्ता: कौरवा भटा: ।
मुख्यसेनापतिर्भीष्म: सर्वै: परमपूजित: ॥ 186

◎ **Bhīshma :** *There were eleven armies with eleven commanders in the Kaurava army, with Bhīshma as the commander-in-chief, who was most senior and most respected person.*

द्रोणो जयद्रथः शल्यः शकुनिर्वाह्निकः कृपः ।

अश्वत्थामा च कम्बोजः सौमदतिः सुदक्षिणः ।। 187

◎ **Others :** *Other ten commanders under Bhīshma were : Dronacharya, Kripacharya, Ashvatthama, Jayadrath, Shalya, Sudakshin, Kamboj, Wanhik, Somadatti and Shakuni.*

(पाण्डवचमू)

रणे दक्षिणमार्गेण धर्मबद्धाः समागताः ।

श्रद्धायुक्ता महावीरा नीतियुक्ताश्च पाण्डवाः ।। 188

◎ **The Pandavas :** *The Pandavas entered the battlefield from the right side and put their tents up on the East side of Kurukshetra. They were bound by the pre-fixed rules and regulations as ordered by Shrī Krishna. They came with faith and determination to abide by the rules of a righteous war.*

तत्सप्ताक्षौहिणं सैन्यं धृष्टद्युम्नेन रक्षितम् ।

पाण्डवानामनीकं च भक्षकं हि कुकर्मिणाम् ।। 189

सेना उनकी सात अक्षणी, कुकर्मियों के गात भक्षिणी ।

सात पांडवी सेनाओं पर, धृष्टद्युम्न थे सेनापति वर ।। **887**/5200

◎ **And :** *Dhrishtadyumna was the commander-in-chief of the Pandava armies. The Pandava army was the destroyer of evil.*

षट्सेनापतयस्तस्य विराटश्च धनुर्धरः ।

शिखण्डी द्रुपदो भीमः-चेकितानश्च सात्यकिः ।। 190

◎ **And :** *Below him, other six commanders of the other six armies were : Drupad, Satyaki, Bhīma, Shikhandi, Chekitan and Virat.*

अन्ये च बहवो वीराः पाण्डुपक्षे महाबलाः ।

अवस्थिता रणे धीरा नियुक्ता यत्र यत्र ये ।। 191

◎ **And :** *There were Bhima, Arjuna and many other great warriors, all standing steady at their assigned locations.*

(सेनयोरुभयोर्मध्ये)

नीतिज्ञः पाण्डुपक्षस्य सेनानृपो युधिष्ठिरः ।

नृपः कौरवपक्षस्य दुर्योधनो महाखलः ।। 192

◎ **In both armies :** *The chief of this army was Yudhishthir and the chief of that army was Duryodhan. Yudhishthir was also known as Dharma-raja (king of righteousness) or Dharma (the righteousness), for he was most righteous person in the kingdom. Duryodhan had earned bad names for his wicked deeds.*

(गुरवः)

यद्यपि गुरवः सर्वे युद्धे कौरवपक्षिणः ।

समीपं पाण्डुपक्षस्य द्रोणाचार्यस्य केणिका ।। 193

◎ **The Gurus :** *Even though the gurus Bhīshma, Kripa and Drona loved and respected the Pandavas very much for their righteous nature, they all sided with the Kauravas on the battlefield, as they regarded themselves to be the paid servants of Dhritarashtra.* ***The gurus considered themselves to be more of paid the servants than the upholders of righteousness.***

(तदा)

योद्धुं सज्जे दले द्वेऽपि सम्मुखे च परस्परम् ।

सङ्केतस्य प्रतीक्षायां निश्चले च स्थिते रणे ।। 194

◎ **That time :** *The preparations were all done. The two opposing armies were standing steady face to face on the battlefield, awaiting for the signal to begin the war.*

युद्धारम्भं तदा कर्तुं शङ्खो भीष्मेन ध्मापितः ।

रणे भीष्मो हि सर्वेषु वृद्धतमः पितामहः ।। 195

◎ **Bhīshma :** *In order to give signal to the Kauravas, Bhīshma blew his conch shell. Bhīshma was the oldest man on the battlefield.*

सिंहवत्तारशब्देन भीष्मेण गर्जना कृता ।

सङ्केतः स महाघोरो जागृता येन कौरवाः ।। 196

◎ **And :** *In order to inspire Duryodhan, Bhīshma roared loudly like a lion. Hearing the roar, Kauravas got ready.*

(ततः)

कृष्णेन ध्मापितः शङ्खः कम्बुस्ततोऽर्जुनेन च ।

पाण्डवास्ते ध्वनी श्रुत्वा मुदिता मङ्गले शुभे ।। 197

◎ **Then :** *From Pandavas' side, Krishna blew his conch shell and then Arjun blew his conch shell. Hearing those two divine sounds, the joyful Pandavas became ready to march.*

समये शस्त्रपाते च पार्थो धृत्वा धनुः करे ।

अपश्यत्सुहृदः सर्वान्-योद्धुं तत्र समागतान् ।। 198

◎ **Arjun :** *Now, as the clash of weapons was about to happen, Arjun picked up his bow and looked at the people standing in front of him to shoot his first arrow;*

दृष्ट्वा तु बान्धवान्सर्वान्-पार्थः प्रियजनान्खलु ।

कृष्णं ब्रूते "न योत्स्येऽहं मां हनिष्यन्ति यद्यपि" ।। 199

◎ **At that moment :** *At that moment, looking at the loved ones in front of him, he said, "I shall not fight with them, even if they will kill me on the battlefield."*

निर्बलो धैर्यहीनः स पार्थो विमूढमानसः ।

धनुर्विसृज्य निःशस्त्रः रथमध्य उपाविशत् ।। 200

◎ **And :** *Arjun, being confused, deluded and power shattered, he put his bow down and sat down in the middle part of the chariot.*

खिन्नो विषादयुक्तः स हतबुद्धिः कपिध्वजः ।

व्याकुलो मोहितः पार्थो धर्मकर्म च व्यस्मरत् ।। 201

◎ **Delusion:** *The nervous and dejected, Arjun forgot his duty as a warrior standing on the battlefield.*

अधर्मं धर्मवन्मत्वा ज्ञात्वा स्वं पण्डितं तथा ।

दत्तवानुपदेशान्स केशवाय निरर्थकान् ।। 202

◎ **Thus :** *Thus, in delusion, getting mixed up in Dharma (righteousness) and adharma (unrighteousness), he thought himself to be a pundit and began giving meaningless advice to Shrī Krishna.*

(ततः)

दृष्ट्वा तु कातरं पार्थम्-अश्रुपूर्णाकुलेक्षणम् ।

प्रेम्णा च शान्तचित्तेन श्रीभगवानुवाच तम् ।। 203

◎ **Therefore :** *Hearing Arjun's surprising words, Krishna said lovingly with a smiling face to that deluded Arjun;*

(अपि च)

क्षात्रधर्मस्य बीजञ्च कर्मयोगनिरूपणम् ।

भक्तियोगं च संन्यासं विश्वरूपस्य दर्शनम् ।। 204

◎ **Krishna :** *Krishna said, O Arjun! please remember your duty as a warrior on the battlefield. He explained him the Karma-yoga (action without the desire for its fruit), Jnana-yoga (knowledge that you are not the doer) and the Buddhi-yoga (yoga of equanimity).*

(तस्मात्)

श्रुत्वा हि कृष्णवाक्यानि मनसो मूढतागतः ।

धर्मस्य ज्ञानज्योतिश्च तस्य प्रज्वलिता हृदि ।। 205

◎ **Arjun :** *Having heard those words of wisdom, Arjun remembered his duty as a warrior on the battlefield. His delusion disappeared and light of enlightenment lit in his mind.*

रणयागत्य किं कार्यं ज्ञातं पार्थेन तद्यदा ।

युद्धं स स्व्यकरोत्पार्थः कृत्वा जयाजयौ समौ ।। 206

◎ **And :** *He realized what is his duty as a warrior on the battlefield. He became ready to fight a righteous war with equanimity of mind.*

रत्नाकरी गीता
षष्ठस्तरंगः

10. Story of the Great War of Mahabharata
महायुद्धकथा

(महायुद्धस्य प्रथमे दिने)

दृष्ट्वा सैन्यं बृहत्तेषां भीताः किञ्चिच्च पाण्डवाः ।
कौरवाश्च जयं प्राप्ता युद्धस्य प्रथमे दिने ।। 207

◎ **On the first day :** *On the first day of the war, the Kauravas won. Pandava army was awed with the army of the Kauravas that was two times bigger than theirs.*

पाण्डवानां दृढा नीतिः-धर्मराजे तथापि हि ।
गोप्तारौ कृष्णपार्थौ यान्-तेषां हि विजयो ध्रुवः ।। 208

◎ **But :** *But, they had unshaken faith on the ethical power of their leader Yudhishthir. And, as Krishna and Arjun were on their side, they were sure of their moral victory in the righteous war.*

(द्वितीये दिने)

द्वितीये दिवसे भीष्मो द्रौपदेयं पराजयत् ।
द्रोणस्तु धृष्टद्युम्नेन रुद्धो भीष्मोऽर्जुनेन च ।। 209

◎ **On the second day :** *On the second day, Abhimanyu fought with Bhīshma. Arjun stopped advance of Bhīshma. Dhrishtadyumna obstructed Dronacharya.*

(तृतीये दिने)

तृतीये दिवसे कृष्णः पाण्डवानादिशत्पुनः ।
यथा चाज्ञापितः पार्थो धार्तराष्ट्रानताडयत् ।। 210

◎ **On the third day :** *On the third day, Krishna encouraged Pandavas. Arjun and Abhimanyu fought fiercely. Kauravas were pale in front of them.*

(चतुर्थे दिने)

चतुर्थे दिवसे भीमो दुर्योधनमताडयत् ।
भूरि कौरवसैन्यं च व्यनशच्च पराजयत् ।। 211

◎ **On the fourth day :** *On the fourth day, Bhīma attacked Drona. He destroyed a large part of the Kaurava army.*

दृष्ट्वा कौरवहानिं तां भीष्म उवाच कौरवम् ।
शान्तिरेव पथस्तुभ्यं धर्मराजोऽपराजितः ।। 212

◉ **And :** *Seeing the loss to the army on that day, Bhīshma suggested Duryodhan to make peace with Pandavas. He said, O Kaurava! your victory is not possible. Hearing it, Duryodhan scolded Bhīshma in bitter words. He said, "do your job."*

अमनुत न भीष्मं स न सोऽजानाद्धितं च स्वम् ।
ब्रूते दुर्योधनो भीष्मं हनिष्यामि हि पाण्डवान् ।। 213

◉ **And :** *Not obeying Bhīshma and not knowing his own good, he said, I will kill all Pandavas. My victory is sure.*

(पञ्चमे दिने)
अर्जुनमाक्रमद्-द्रोणो युद्धस्य पञ्चमे दिने ।
पराजित: स पार्थेन रणादुपरतस्तत: ।। 214

◉ **On the fifth day :** *On the fifth day, Drona attacked Arjun, but Arjun defeated Drona and drove him out of the battlefield.*

(षष्ठमे दिने)
पार्थ: कौरवमक्षेणोद्-युद्धस्य षष्ठमे दिने ।
दुर्योधनेन रुष्टा तु भीष्मोऽवमानित: पुन: ।। 215

◉ **On the sixth day :** *On the sixth day, Arjun beat Duryodhan and wounded him severely. Irritated thus, Duryodhan again scolded Bhīshma.*

(सप्तमे दिने)
अभर्त्सयत भीष्मं स युद्धस्य सप्तमे दिने ।
द्रोणश्च कुत्सितस्तेन कृष्णपार्थौ च निन्दितौ ।। 216

◉ **On the seventh day :** *On the seventh day also Duryodhan rebuked Bhīshma and Drona in harsh words. He also called bad names to Shrī Krishna and Arjun.*

आहतास्ताडिता भूरि पार्थेन कौरवा: पुन: ।
क्रुद्धो दुर्योधनस्तस्माद्-अगर्हत गुरून्पुन: ।। 217

◉ **And :** *Then Arjun beat the Kaurava army and wounded Duryodhan. Duryodhan again scolded the gurus.*

(अष्टमे दिने)
कौरवास्ताडिता भूय: पार्थेन चाष्टमे दिने ।
दुर्योधनेन दुष्टेन भूरि भीष्मोऽपमानित: ।। 218

◉ **On the eighth day :** *On the eighth day also Arjun hurt Kaurava army badly. Disappointed Duryodhan thus, scolded the Gurus again.*

श्रुत्वा कटु वचस्तस्य भीष्म उवाच तं शठम् ।

श्रृणु नृप प्रतिज्ञां मे श्वो हनिष्यामि पाण्डवान् ।। 219

◎ **Bhīshma :** *Hearing the constant harsh insults from Duryodhan, Bhīshma vowed that tomorrow he will crush Pandavas.*

यथा यस्य भवेत्सङ्गो भाग्यं तस्य तथा हि वै ।
दुर्योधनस्य सङ्गो यं दुर्दैवं तस्य निश्चितम् ।। 220

◎ ***And :*** *As you keep the company so you get the treatment. For keeping the bad company of Duryodhan, Bhīshma received humiliating treatment.*

(नवमे दिने)

अनशत्पाण्डवान्भीष्मो युद्धस्य नवमे दिने ।
ताडिताः पाण्डवाः सर्वे दूरे तस्मात्पलायिताः ।। 221

◎ **On the ninth day :** *On the ninth day, Bhīshma beat Pandava army severely. The Pandavas got scared and retreated back.*

(तदा)

कृष्ण उवाच स्नेहेन मा बिभिहि युधिष्ठिर ।
शिखण्डी योत्स्यते भीष्मं, भीष्मं स एव जेष्यति ।। 222

◎ **Krishna :** *Krishna then told the Pandavas not to worry. Shikhandi will fight with Bhīshma tomorrow and win.*

(दशमे दिने)

अयुध्यत शिखण्डी स कृष्णेन ज्ञापितो यथा ।
तं न प्रत्यकरोद्भीष्मो भूत्वाऽपीषुभिराहतः ।। 223

◎ **On the tenth day :** *On the tenth day, Shikhandi showered arrows on Bhīshma. Bhīshma did not defend himself.*

अपतच्छरशय्यायां श्रीभीष्मो दशमे दिने ।
वीरा विरमिताः सर्वे सेनयोरुभयोरपि ।। 224

◎ **At the end :** *At the end Bhīshma fell on the bed of arrows, but he did not break his promise.*

(इदानीम्)

भीष्मपतनवार्तां तां श्रुत्वाऽऽह धृतराष्ट्र उ ।
मन्ये दुर्योधनस्यापि समीपे मरणं खलु ।। 225

◎ **Now :** *Now, hearing the sensational news of Bhīshma's fall, Dhritarashtra got scared. He thought, now Duryodhan's end also looks near.*

आश्चर्यचकितो भूत्वा नृप उवाच सञ्जयम् ।
दशदिनेषु किं वृत्तं ब्रूहि तन्मे सुनिश्चितम् ।। 226

◎ **And :** *Shocked thus, Dhritarashtra called Sanjay and asked him to tell the complete account of what took place so far, in the last ten days.*

ततः फलतो महायुद्धस्य दशमे दिने <u>यो धृतराष्ट्रसञ्जययोः संवादो जातः स व्यासशब्दैः</u>
श्रीमद्भगवद्गीता नाम्ना प्रसिद्धः ।

◎ **And :** *The dialogue that took place on the tenth day of the war, between Dhritarashtra and Sanjay, about the divine dialogue between Shrī Krishna and Arjun, written in the poetic words of Vyasa, is known as Shrimad-Bhagavad-Gita.*

रत्नाकरी गीता

सप्तमस्तरंगः

श्रीमद्-भगवद्-गीतायाः प्रथमोऽध्यायः ।

विषादयोगः ।

11. Story of Arjun's Despondency

अर्जुनविषादकथा

अथ श्रीमद्भगवद्गीता - <u>प्रथमोऽध्यायः</u> ।

(रत्नाकर उवाच)

अन्धश्रीर्मन्दबुद्धिश्च मलिनो मनसा तथा ।
उवाच कौरवो मूढो दुःखेन सञ्जयं नृपः ।। 227

◎ **Ratnakar :** *Ratnakar says, blind at mind and eyes, wicked at heart, the deluded king Dhritarashtra agonizingly said to Sanjay :*

(धृतराष्ट्र उवाच)

धर्मभूमिः कुरुक्षेत्रं विश्वे ज्ञातं हि पावनम् ।
सर्वे समागतास्तत्र युद्धं कर्तुं तु धार्मिकम् ।। 228

◎ **The Battlefield :** *The Dharma Bhumi (land known for righteous deeds) of Kurukshetra, which is a well known sacred land in the world, there warriors are assembled for a righteous war.*

पाण्डवाः पञ्च वीरास्ते सुताश्च शत मामकाः ।
तत्राकुर्वत किं किं ते ब्रूहि तन्मे सविस्तरम् ।। 229

◎ **Dhritarashtra :** *O Sanjay! five Pandavas and one hundred sons of mine, all brave warriors, what did they do there?*

सञ्जय उवाच ।

(पाण्डवसेना)

पाण्डवानां बलं दृष्ट्वा व्यूहबद्धं परन्तप[2] ।

द्रोणाचार्यमुपागत्य दुर्योधनोऽब्रवीदिति ।। 230

◎ **The Pandavas :** *O Parantap (Scorcher of the bad people) Dhritarashtra! seeing the army arranged in phalanx, Duryodhan went to guru Dronacharya and said :*

चमूमेतां गुरो पश्य व्यूहयुक्तां महत्तमाम् ।

धृष्टद्युम्नोऽकरोद्धीमान्-शिष्यस्ते द्रुपदात्मजः ।। 231

◎ **The army :** *O Guru! behold this great army of the Pandavas, commandeered by your intelligent disciple Dhrishtadyumna, the son of king Drupad.*

सेनामस्यां महावीरौ भीमार्जुनौ रणाङ्गणे ।

विराटसात्यकी शूरौ द्रुपदश्च महारथः ।। 232

◎ **And :** *In this army there are brave men and powerful archers such as Bhima, Arjuna, king Virata, brave Drupad, Satyaki;*

चेकितानः शिखण्डी च काशिराजो महाबली ।

पुरुजिद्धृष्टकेतुश्च कुन्तिभोजः शिबीनृपः ।। 233

◎ **And :** *And powerful king of Kashi, King of Shibi, Shikhandi, Purujit, Kuntibhoj, Dhrishtaketu, Chekitan;*

युधामन्युर्महेष्वास उत्तमौजाः पराक्रमी ।

सौभद्रेयोऽभिमन्युश्च द्रौपदेयाश्च पञ्च ते ।। 234

◎ **And :** *The great archer Yudhamanyu, brave Uttamauja, Subhadra's son Abhimanyu and five great sons of Draupadi.*

एते पाण्डवनेतारो मयोक्ता भवतः कृते ।

अस्माकमपि नेतॄंश्च हे गुरुद्रोण मे शृणु ।। 235

◎ **And :** *O Guru Drona! I have mentioned the names of these Pandava leaders for your information. Now hear the names of the leaders of our army too.*

(कौरवसैन्यम्)

द्रोणाचार्य भवान्नत्र तत्र भीष्मः कृपस्तथा ।

अश्वत्थामा च कर्णश्च विकर्णः सोमदत्तजः ।। 236

---

[2] परन्तप = पर √तप् + खच्, मुम् = परान् शत्रून तापयति यः सः धृतराष्ट्रः (महाभारते अर्जुनः कृष्णश्च) ।

◎ **The Kauravas :** *O Dronacharya! you are stationed here, near the Pandava-army. Bhīshma, Kripacharya, Ashvatthama, Karna, Vikarna and the son of Somadatta are there, stationed in my army.*

अन्ये च बहवो वीरा मह्यं प्राणार्पिताः खलु ।
युक्ता विविधशस्त्रैस्ते युद्धे च कुशला हि ये ।। 237

◎ **And :** *And there are many skillful warriors who are equipped with various weapons and ready to fight and lay down their lives for my sake.*

(युद्धसज्जता)

सप्तैवाक्षौहिणं सैन्यम्-एतद्भीमेन रक्षितम् ।
एकादशौक्षिणी सेना मे तद्भीष्मेन गोपिता ।। 238

◎ **Preparation :** *These seven divisions of the army of the Pandavas are protected by Bhīma. Those eleven divisions of our army are protected by Bhīshma.*

नियुक्तिर्यस्य यत्रास्ति दृढस्तिष्ठेद्धि तत्र सः ।
भीष्मत्राणाय सर्वे हि यतध्वं सर्वथा भटाः ।। 239

◎ **And :** *May everyone stand firmly where he is appointed. Let us all warriors protect Bhīshma.*

स एव रक्षकोऽस्माकम्-अस्माकं स हि तारकः ।
तस्य रक्षां हितं बुद्ध्वा लक्ष्यं तं करवामहै ।। 240

◎ **Because :** *Bhīshma is our protector, he is our savior. Let us make his protection our main priority.*

दुर्योधं मुदितं कर्तुं भीष्मोऽगर्जच्च सिंहवत् ।
शङ्खं दध्मौ च प्रोच्चैः स जागृयुर्येन कौरवाः ।। 241

◎ **And then :** *And then, in order to inspire Duryodhan, Bhīshma roared loudly like a lion and blew his conch shell so that all Kauravas may get prepared.*

ध्वनिं तां कर्कशां श्रुत्वा शङ्खस्य कर्णभेदिकाम् ।
कौरवाश्चोदिताः सर्वे बभूवुस्तत्परा द्रुतम् ।। 242

◎ **And :** *Hearing those deafening sounds, the Kauravas became ready to fight.*

शङ्खाश्च पणवा भेर्यो डिण्डिमा गोमुखास्तथा ।
प्रदध्मुस्तारशब्देन स रवः सङ्कुलोऽभवत् ।। 243

◎ **Then :** *Then. all of a sudden, the conch shells, trumpets, kettle drums, war horns and bugles blared forth all together. Their noise become tumultuous.*

(तत्र)

अग्रे पाण्डुदले तत्र नन्दिघोषः कपिध्वजः ।
अश्वाश्च स्यन्दने श्वेताः सारथिर्यस्य माधवः ।। 244

◎ **Arjun :** *And then, at the front of Pandava army was standing Arjun's Nandighosh chariot, equipped with white horses and a standard of Hanuman. Arjun's chariot was driven by Madhava (Husband of Lakshmi) Shrī Krishna.*

स्थितौ बृहद्रथे तस्मिन्–नरनारायणौ ततः ।

प्रबुद्धान्पाण्डवान्कर्तुं शङ्खौ दिव्यौ प्रदध्मतुः ।। 245

◎ **Krishna :** *Seated in that grand chariot were Nara-Nārāyana Arjun-Shrī Krishna. They blew their celestial conch shells in order to inspire the Pandavas.*

पाञ्चजन्यो मुकुन्देन पार्थेन देवदत्त उ ।

पौण्ड्रो नाम्नो महाशङ्खः प्रोच्चैर्भीमेन ध्मापितः ।। 246

◎ **Conch shells :** *Mukunda Shrī Krishna blew the divine conch shell called Panchajanya and Parth Arjun blew his conch shell called Devadatta. Bhīma blew his giant conch shell called Paundra.*

नकुलसहदेवाभ्यां सुघोषमणिपुष्पकौ ।

अनन्तविजयः शङ्खो युधिष्ठिरेण प्रभृति ।। 247

◎ **And :** *Nakul and Sahadeva blew their conch shells called Sughosh and Manipushpak. Yudhishthir blew his conch shell called Anantavijay.*

योधवीरास्ततः सर्वे बभूवुराशु तत्पराः ।

स्वं स्वं शङ्खं ततो धृत्वा दध्मुस्ते विविधैः स्वरैः ।। 248

◎ **Also :** *Hearing those divine sounds, the Pandava warriors quickly became ready and they blew their conch shells in various sounds in reply.*

काशिराजो धनुर्धारी शिखण्डी च महारथी ।

धृष्टद्युम्नश्चमूनाथो विराटो नृपकेसरी ।। 249

◎ **Warriors :** *The great bowman king of Kashi, the great charioteer Shikhandi, the army commander Dhrishtadyumna and King Virata, the lion among men;*

द्रुपदोऽतिरथी ज्ञातः सात्यकिर्रणविक्रमी ।

उत्तमौजा महावीरो युधामन्युश्च नायकः ।। 250

◎ **And :** *And the great charioteer King Drupad, is hero Satyaki, the very brave Uttamauja, the leader Yudhamanyu;*

सौभद्रेयोऽभिमन्युश्च द्रौपदेयाश्च सैनिकाः ।

शङ्खान्पृथग्विधान्ध्मात्वा चक्रुः कर्कशगर्जनम् ।। 251

◎ **And :** *And Subhadra's son Abhimanyu, Draupadi's five brave children and other army leaders blew their conch shells and made a roaring sound.*

तीव्रेण तेन शब्देन निनादिते धरा नभः ।

तथैव धार्तराष्ट्राणां क्रूराणि हृदयानि च ।। 252

◎ **Thus :** *With that piercing sound everything from the earth to the sky reverberated and it shattered the hearts of the Kauravas.*

नभोधरे यदा शान्ते पुनर्भूते शनैः शनैः ।
तदनु कुरुपुत्राणां चित्तं स्थिरं च पूर्ववत् ।। 253

◎ **Then :** *When the earth and the sky became quiet slowly and the hearts of the Kauravas calmed down as before;*

(अर्जुनविरति:)

स्थिरांस्तान्कौरवान्दृष्ट्वा रणे तस्मिन्यदा पुनः ।
उत्थितः सशरः पार्थो युद्धं कर्तुं हि धार्मिकम् ।। 254

◎ **And :** *When the sounds of the conch shells dissipated and the surrounding ambiance became quiet, Arjun picked his bow and arrow to initiate the righteous war.*

उवाच स हृषीकेशम्—अर्जुनः शृणु केशव ।
सेनयोरुभयोर्मध्ये हरे स्थापय स्यन्दनम् ।। 255

◎ **Arjun :** *He said, O Hrishikesh! please place our chariot between the two facing armies.*

अर्जुन उवाच ।
(अर्जुन उवाच)
तत्पर्यन्तं निरीक्षेऽहं योद्धव्यं कैर्मया सह ।
योद्धुकामश्च कः कः स मर्तुमस्त्युद्यतो रणे ।। 256

◎ **Arjun's request :** *Arjuna said, O Krishna! meanwhile let me observe those whom I have to fight and those who came to die on this battlefield.*

योत्स्यमानाश्च के सन्ति धर्मयुद्धे समागताः ।
दुर्योधनस्य दुष्टस्य दुर्मतेश्च हिताय के ।। 257

◎ **And :** *Which warriors I have to fight in this righteous war. Who have come to help the wicked Duryodhan.*

सञ्जय उवाच ।
पार्थस्य तद्वचः श्रुत्वा माधवेन परन्तप ।
अनीकयोर्द्वयोर्मध्ये स्थापितः स बृहद्रथः ।। 258

◎ **Sanjay :** *Sanjay then said to Dhritarashtra, O King! having heard the words of Arjun, Madhava (Husband of Lakshmi) drove the chariot and placed it between the two opposing armies on the battlefield.*

सर्वेषां च समक्षं हि तमुवाच जनार्दनः ।
"पश्य सर्वान्कुरून्पार्थ युद्धं कर्तुं समागतान्" ॥ 259

◉ **Krishna**: *Having placed the chariot between two opposing armies, in front of all warriors Janardan (Krishna, the remover of the evil people) said, O Arjun! behold all the Kauravas and Pandavas who have assembled here for the war.*

आज्ञया च तया तेन चम्वोर्मध्ये तयोस्तदा ।
विद्यमानाश्च पार्थेन दृष्टाः सम्बन्धिनो भटाः ॥ 260

◉ **Arjun**: *Hearing the instruction from Shrī Krishna, Arjun saw Bhīshma, Drona, Kripacharya and his dear ones standing in both the armies.*

उभयसैन्ययोर्मध्ये भीष्मद्रोणादयस्तथा ।
दृष्टाः सम्बन्धिनः स्निग्धाः पुत्राः पौत्राश्च बान्धवाः ।
आचार्या मातुलाः श्यालाः श्वसुराः पितरस्तथा ॥ 261

◉ **And**: *And he saw his brothers, children, grandchildren, uncles, in-laws, grandfathers and other relatives in both the armies;*

गुरून्बन्धूंश्च सर्वान्स समक्षं समुपस्थितान् ।
कारुण्येनान्वितः क्रन्दन्-उवाच कुरुनन्दनः ॥ 262

◉ **Then**: *Having seen the gurus and all brothers in front of him, he was overwhelmed with grief. He thus cried on the battlefield and said:*

अर्जुन उवाच ।
धर्मक्षेत्रे स्थितांस्तत्र क्षत्रियान्योद्धुमागतान् ।
दृष्ट्वा वै सुहृदः सर्वान्-दुःखेनोवाच सोऽर्जुनः ॥ 263

◉ **He said**: *Having seen these relatives on the battlefield ready for a war, I am taken over by grief.*

मम गात्राणि सीदन्ति शुष्यति कृष्ण मे मुखम् ।
देहे च रोमहर्षोऽस्ति पीडायुक्तं वपुर्बहु ॥ 264

◉ **And**: *My body is trembling. My mouth is parched. I have goose bumps on my skin. My body is aching;*

शक्तिहीनौ गतौ पादौ त्वग्मे च परिदह्यते ।
हस्तात्स्खलति गाण्डीवं मनश्च मम भ्राम्यति ॥ 265

◉ **And**: *My legs have become weak. My skin is horripilating. My bow is slipping from my hands and my mind is confused.*

तथा स व्याकुलः पार्थः क्षात्रधर्मं हि व्यस्मरत् ।
तस्मात्पण्डितमात्मानं मत्वा चक्रे स वल्गनाम् ॥ 266

◎ **And thus :** *And thus lamenting, Arjun forgot his duty as a warrior on a battlefield in a righteous war. He thought himself to be a pundit and began lecturing Shrī Krishna with a meaningless chatter.*

रत्नाकरी गीता
अष्टमस्तरंगः

12. Story of Arjun's meaningless chatter
अर्जुनवल्गनाः

अर्जुन उवाच ।

"विपरीतानि चिह्नानि पश्याम्यहं नु माधव ।

अस्मिन्न दृश्यते मह्यं लाभः कोऽपि जनार्दन ।। 267

◎ **And :** *Arjun said, "O Madhav (Husband of lakshmi)! I see bad omens. O Janardan (Remover of the evil people)! I do not see any benefit from this righteous war."*

(पुनः प्रजल्पः)

"नाहं विजयमिच्छामि न च राज्यं न वा सुखम् ।

राज्यभोगे सुखं किं मे जीविते किं प्रयोजनम् ।। 268

◎ **And :** *And he said, "I do not desire victory, nor the kingdom, nor happiness. What good is the kingship and what good is being alive?*

"येषां कृते सुखं राज्यम्-इच्छामो मनसा वयम् ।

तयेवात्रोद्यताः सर्वे त्यक्त्वा प्राणान्धनानि च ।। 269

◎ **And :** "*Those for whom we dreamed kingdom, pleasures and comforts of kingship, they all are standing here for the battle, giving up their lives and livelihood.*

"विद्यमानाः सुताः पौत्राः पितृबन्धुपितामहाः ।

श्वसुरा मातुलाः श्याला गुरवः सुहृदस्तथा ।। 270

◎ **And :** "*Standing on the battlefield are my children, grandchildren, fatherly people, grandfathers, in-laws, uncles, gurus and well wishers, in both the armies.*

"प्राप्तुं त्रैलोक्यराज्यं च हन्तुं नेच्छामि मामकान् ।

हतोऽहं तैर्हि यद्वाऽपि न वा राज्यं मिलेद्यदि ।। 271

◎ **And :** "*I shall not desire to kill them even for attainment of the kingdom of the three worlds. Therefore, I would rather be killed without attaining any kingdom.*

"कर्तुं न जातु शक्ष्येऽहं प्राप्तुमपीन्द्रवैभवम् ।
कथं तत्तु करिष्येऽहं भूमिराज्याय केशव ।। **272**

◎ **And :** "*What I do not want to do even for gaining the kingdom of Indra, O Keshav! how may I do it for this kingdom on the earth?*

"अतो हत्वा शुभं किं वा कौरवान्मधुसूदन ।
प्राप्स्यामहे वयं पापं हत्वा युद्धेऽपि पापिनः ।। **273**

◎ **Therefore :** "*Thus, O Madhusudan (slayer of the demon Madhu)! what good is it in killing Kaurava brothers? O Krishna! we may incur sin by killing these evil people.*

"एतान्दुष्टान्वयं हत्वा भवेम सुखिनः कथम् ।
तस्मादेषा वृथा हत्या कर्तुमस्मान्न शोभते ।। **274**

◎ **And :** "*How can we be happy killing these evil brothers? Therefore, killing these insane people would not look good upon us.*

"कुलघाते च को दोषो मित्रघाते च पातकम् ।
एतदेते न पश्यन्ति किङ्कर्तव्यविमूढिनः ।। **275**

◎ **And :** "*Even if these foolish Kauravas do not understand how much sin is there in treachery to their own people and subversion against their own family;*

"विमूढमानसाः सर्वे एते च लोभिनस्तथा ।
अधर्माद्भटते पापं नश्यति च कुलं ततः ।। **276**

◎ **And :** "*These Kauravas are confused and deluded with greed and unrighteousness. They do not think that adharma (unrighteousness) gives sin and ruins their own family.*

"कुलक्षयाच्च नश्यन्ति कुलधर्माः सनातनाः ।
धर्मनाशात्कुलं कृत्स्नं नश्यत्येव न संशयः ।। **277**

◎ **And :** "*From the ruin of the family, the ancient traditions get ruined and from the ruin of the traditions the whole family gets destroyed, no doubt.*

"ततः स्त्रियः कुलीनाश्च पतन्ति धर्मनाशनात् ।
पतिताभ्यश्च नारीभ्यो भवति सङ्करः कुले ।। **278**

◎ **And :** "*And from that, downfall of the royal ladies occurs and from the corrupted ladies admixture in the family takes place.*

"नरके सङ्करादस्मात्-कुलघाती कुलं तथा ।
स्खलन्ति पितरस्तेषां लुम्पन्ति श्राद्धभावनाः ।। **279**

◎ **And :** *"And then the family destroyer and his family both go to hell and thus being deprived of the post-death rituals, their ancestor meet downfall.*

"कुले च सङ्करो भूत्वा लाञ्छनै: कुलघातिन: ।
पतन्ति कुलधर्माश्च जातिधर्मा: पुरातना: ।। 280

◎ **And :** *"And by causing admixture in the family, the ladies of the family become corrupt and ancient Jati (caste based on birth) traditions are corrupted.*

(अर्थात्)

"दोषेण सङ्करस्यास्य कुलस्य कुलघातिन: ।
नश्यन्ति जातिधर्माश्च तथा धर्मा: सनातना: ।। 281

◎ **In other words, Arjuna says :** *"With the fault of causing admixture, the ladies of the family become corrupt and the ancient Jati (caste) traditions get destroyed.*

"धर्मा अधोगता येषां वर्णसङ्करकारणात् ।
निवासो नरके तेषां भवतीत्यनुशुश्रव ।। 282

◎ **And :** *"With the admixture, those people whose traditions are destroyed, they abide in hell for ever, so we have heard.*

"कर्तुमिदं महत्पापं किमर्थमुद्यता वयम् ।
राज्यस्य सुखलोभेन कुलघाते रता: कथम् ।। 283

◎ **And :** *"This being the case, why are we engaged in the destruction of these evil Kauravas for the pleasures of kingship?"*

(अज्ञानप्रदर्शनपश्चात्)

"रणे माम्यदि हन्येयु: कौरवा: शस्त्रधारिण: ।
क्षेमतरमहं मन्ये शस्त्रहीनं कृताञ्जलिम्" ।। 284

◎ **Then :** *Having exhibited the deluded state of his mind, Arjun then said, "it will be better if they kill me while I am unarmed with my hands folded."*

रणमध्यान्तरे पार्थ एवमुक्त्वा स केशवम् । ।
विमूढमानस: खिन्न: क्रन्दनुपाविशद्रथे" ।। 285

◎ **Sanjay :** *O Dhritarashtra! having said this much to Shrī Krishna, the deluded Arjun cried. He put his bow down and sat in the middle part of the chariot.*

श्रीमद्-भगवद्-गीताया द्वितीयोऽध्यायः ।
सांख्ययोगः ।

रत्नाकरी गीता
नवमस्तरंगः

13. The Sankhya Yoga
साङ्ख्यनिरूपणम्

<u>श्रीमद्भगवद्गीता द्वितीयोऽध्यायः</u> ।

संजय उवाच ।

एतादृशे क्षणे सूक्ष्मे श्रुत्वा पार्थस्य वल्गनाम् ।
योगेश्वरो भ्रमं हर्तुं पार्थमुवाच मायया ।। 286

◉ **Sanjay** : *O Dhritarashtra! hearing Arjun's deluded chatter at that critical juncture, Shrī Krishna lovingly said :*

श्रीभगवानुवाच ।

व्याकुलः कातरो भूत्वा शोकयुक्तो रणे च त्वम् ।
एवं दीनः कथं पार्थ रोदकः परिदेवकः ।। 287

◉ **Shri Krishna** : *O Arjun! at such crucial moment, how a warrior like you can get dejected and sit crying overwhelmed with excessive grief on the battlefield?*

अनुचिते स्थले काले नीचा बुद्धिः कथं त्वयि ।
दास्यति न च कीर्तिं सा न या श्रेष्ठं च शोभते ।। 288

◉ **And** : *How this base thinking came to your mind at this wrong time and at this wrong place? It neither gives a good name nor it is heavenly.*

नास्त्येतस्यां किमप्यर्थः-त्यज दुर्बलतां सखे ।
त्यक्त्वा हृदयदौर्बल्यं सन्नद्धो भव भारत ।। 289

◉ **And** : *O Arjun! this cowardice does not befit you as a warrior standing on a battlefield. Shake off your timidity and stand up to perform your duty with courage.*

अर्जुन उवाच ।

(अर्जुनस्य पुनः प्रजल्पः)

योगेश्वरस्य तच्छ्रुत्वा कौन्तेयो वचनं ततः ।
पार्थः कृष्णं पुनर्ब्रूते ज्ञात्वाऽऽत्मानं स पण्डितम् ।। 290

◎ **Arjun :** *Even after hearing Krishna's words, Arjun again posed like a pundit and said :*

कथं शरान्नु क्षेप्स्यामि मुरारे भीष्मद्रोणयोः ।
पावनौ तौ गुरू द्वौ हि कथय मां जनार्दन ।। 291

◎ **He said :** *O Janardan (Remover of the evil people)! how may I shoot arrows at Bhīshma and Drona? O Murari! they are my holy gurus.*

(नीतियुद्धस्य भेदं अर्जुनो विस्मृतवान्)

हत्या पूज्यगुरूणां तु भिक्षाया अपि पामरा ।
रक्तसिक्तांस्ततो भोगान्–भोक्ष्यामि खलु केशव ।। 292

◎ **And :** *Killing the holy gurus, to attain victory in the war, is inferior than begging alms for living. O Keshava! by killing the gurus, I will have to live on the food that is tainted with their blood.*

जयपराजयोर्नास्ति नीतियुद्धे तु चिन्तनम् ।
तथाऽपि भ्रमयुक्तः स क्षात्रधर्मं हि व्यस्मरत् ।। 293

◎ **But :** *But Arjun forgot, that in a righteous war there is no question of victory and defeat for a warrior.*

(तथैव पार्थ उवाच)

एतदपि न जानीमः किमस्मभ्यं शुभं भवेत् ।
जेष्यन्ति वा जयेयुर्नो जेष्यामो वा जयेम तान् ।। 294

◎ **And :** *And he said, O Krishna! we don't even know what is better for us, if they will win over us or if we will win them.*

नास्ति जेतुं जिगीषा नो हत्वा यान्यदुनन्दन ।
अवस्थिता भटास्ते हि युद्धाय पुरतो रणे ।। 295

◎ **And :** *And, O Yadunandan (Son of Yadu) Shrī Krishna! by killing whom we do not even wish to live, those are the warriors standing in front of us for a war.*

(स्वगतम्)

अचेष्टन् ते गृहे तत्र हन्तुमस्मान्वने तथा ।
तत्र नैच्छमहं योद्धुं नेच्छाम्यत्रापि तैः सह ।। 296

◎ **In his mind :** *Arjun is thinking in his mind, they tried to kill us at home and in the forest also for last twelve years, even there I did not wish to kill them and now also I do not wish to fight with them on the battlefield.*

तत्रात्र वा वयं स्याम योद्धुमिच्छन्ति ते सदा ।

इतो गच्छेम कुत्रापि प्रत्यागम्यं पुनो मया ।। 297

◎ **And :** *May we be at home or on the battlefield or anywhere else, all they want is to annihilate us. Wherever we may go from here, we will have to come here again for a war, for sure.*

योद्धुमत्रागताः सर्वे गुरवो बान्धवास्तथा ।
शस्त्रयुक्ता रता योद्धुं मर्तुं मारयितुं तथा ।। 298

◎ **And :** *All gurus and relatives equipped with weapons are assembled here for killing us or getting killed in the war.*

त्यक्त्वा धनानि प्राणाँश्च हन्तुमस्मान्यथा तथा ।
येनकेनप्रकारेण जनाः सर्वे युयुत्सवः ।। 299

◎ **And :** *Renouncing their riches and lives they all have come here eager to kill us by any means possible.*

अचेष्टामहि सर्वं च सन्ध्या युद्धं निवर्तितुम् ।
विनश्य सन्धिमार्गान्-ते योद्धुमेव समागताः ।। 300

◎ **And :** *We have made every attempt to bring them to peace and avert the war, but rejecting every suggestion of compromise they chose this war.*

हन्तुमस्मान्दृढाः सर्वे योद्धुमिच्छेम वा न वा ।
नाहं युध्येय तर्हि ते समुच्छेत्स्यन्ति पाण्डवान् ।। 301

◎ **And :** *Even if we do not want to fight, they are bent up on fighting and annihilating all Pandavas.*

मयि सति कथं कृष्णैतज्जातु शक्यते प्रभो ।
वाञ्छामो तु वयं शान्तिं योद्धुमिच्छन्ति कौरवाः ।। 302

◎ **And :** *When I am present on the battlefield, this will not be possible for them in my presence. We are willing or not, Kauravas want to fight.*

योद्धुं यद्यपि नेच्छामः कौरवास्तु युयुत्सवः ।
वद गच्छाम्यहं कुत्र नागन्तव्यं यतो रणे ।। 303

◎ **And :** *We are not willing to fight, but Kauravas are eager for a battle. In this case, even if we leave the battlefield and go anywhere, we will have to again return back here for a war for sure.*

अर्जुन उवाच ।
(अर्जुनः प्रश्नान् पृच्छति)

अधर्मः कश्च धर्मोऽपि कोऽस्मिन्स्थितौ नु ब्रूहि माम् ।
किं नु पापं च पुण्यं किं करणीयं च कर्म किम् ।। 304

◎ **Therefore :** *Therefore, O Krishna! please tell me in this situation what is righteous and what is unrighteous? What action will be a sin and what will not be a sin? What we ought to do and what we ought not do?*

रणयागत्य किं कार्यम्-अकार्यं किं च केशव ।
लाभालाभौ च कस्मिन्मे कृष्ण ब्रूहि सुनिश्चितम् ।। 305

◎ **And :** *Now that I am on the battlefield, what I ought to do and what I ought not do? What is right and what is wrong?*

अवशं मे मनो जातं भ्रमिता मे मतिस्तथा ।
शाधि शिष्यं प्रपन्नं मां धर्माधर्मौ च कौ हरे ।। 306

◎ **And :** *I am confused about right and wrong. My mind is deluded. I am a disciple at your feet, please show me the right path for certain.*

(पुनः प्रजल्पः)

असपत्नं च सम्पन्नं राज्यं भूमौ मिलेद्यदि ।
इन्द्रासनं च प्राप्याहं भवेयं द्युपतिस्तथा ।। 307

◎ **More chatter :** *Then Arjun continued with his chatter saying, even if I gain Indra's affluent kingdom and become a king of the heaven;*

राज्यं त्रिभुवनस्यापि लब्धं निष्कण्टकं मया ।
नाहं मन्ये विषादो मे गच्छेद्गात्रस्य शोषकः ।। 308

◎ **And :** *Or even if I gain thornless and trouble free kingdom of the three worlds, I don't think this bone-drying pain of mine will ever go away.*

सञ्जय उवाच ।
इदमुक्त्वा हृषीकेशं विषण्णः स तदा रणे ।
भणित्वा च "न योत्स्येऽहं" तूष्णीं बभूव भारतः ।। 309

◎ **Sanjay :** *Having chattered in front of Shrī Krishna, that dejected Arjun said, "I shall not fight," and he sat down quietly.*

(तदा)

आकर्ण्य वचनं तत्स विलक्षणं हि माधवः ।
स्नेहेनोवाच पार्थं तं विस्मितः केशवस्ततः ।। 310

◎ **Krishna :** *Hearing those surprising words of Arjun, Shrī Krishna lovingly and smilingly said to Arjun;*

श्रीभगवानुवाच ।
विषादो नोचितो येषां तेषां शोकं करोषि त्वम् ।
बाह्यतः पण्डितो भूत्वा ज्ञानप्रदर्शनं च माम् ।। 311

नैतत्स्थानं न कालोऽपि जल्पितुं न च क्रन्दितुम् ।

ज्ञानेनानुपयुक्तेन हितं लेशो न लभ्यते ।। 312

◎ **And :** *Battlefield is neither a place for meaningless chatter nor for crying. There is no benefit in either of them. Do your duty.*

जीविताँश्च मृताँश्चैव नानुशोचन्ति पण्डिताः ।

जीविताजीवितौ देहौ विद्वद्भ्यस्तु समावुभौ ।। 313

◎ **And :** *Wise people do not lament so much for those who are departed and those who are not gone. For them, life and death are two normal natural events.*

(किमुचितम्)

नाहं नासं न त्वं नासीः–न नासनित्तरे जनाः ।

नच नाहं भविष्यामि न त्वं नैते जनाः पुनः ।। 314

◎ **And :** *Neither you were not there in the past, nor I was not there, nor these people were not ever there in the past. Neither you will not be there in the future, nor I will not be there nor these people and the things will not be there ever in the future.*

(अर्थात्)

अहमासं त्वमासीश्चासनेते सकला जनाः ।

भविष्यसि भविष्यामि भविष्यन्तीतरे सदा ।। 315

◎ **In other words :** *In other words, you were always there in the past, I was there and these people were there always in the past. Also, you will always be there in the future, I will be there and these people and the things will also be always there in the future.*

(अपि च)

प्राप्नुमश्च वयं बाल्यं तारुण्यं च जरां यथा ।

देही भुनक्ति देहे स तत्र धीरो न भ्राम्यति ।। 316

◎ **Also :** *And, as we experience the childhood, youth and old age, so does the atma witnesses these three states of the body, the wise person does not get deluded with these events.*

ते सुखदुःखदाः स्पर्शाः शैत्यौष्मयोश्च दायकाः ।

आगच्छन्ति च गच्छन्ति सहनीया हि पार्थ ते ।। 317

◎ **And :** *Those pains and pleasures which give external sensations are temporary. They come and go. They need to be endured with indifference, O Arjun!*

सुखदुःखे समे दृष्ट्वा दृढस्तिष्ठति यो नरः ।

यत्किञ्चिदेव लब्ध्वाऽपि पयोवत्[3] तं नरं पयः[4] ।। 318

---

[3] पयः = दुग्ध अमृत ।

◎ **And :** *He who is not baffled by these sensations, for that person anything that comes to him is like amrit (divine nectar)*

शीतोष्णेषु च स्पर्शेषु निर्बद्धो यो नरः सदा ।

समः स सुखदुःखेषु धीरोऽमृतादवञ्चितः ।। 319

◎ **And :** *He who is not attached to these sensations of pleasure and pain and he who is indifferent to happiness and sorrow, he enjoys amrit (divine nectar) in this life.*

अनस्तित्वं न जात्वासीत्-नास्ति न च भविष्यति ।

नासीन्न जातु चास्तित्वम्-अस्ति नित्यं भविष्यति ।। 320

◎ **Existence :** *Non-existence did not ever exist, never exists and will never exist. Existence never not-existed, never not-exists and will never not-exist.*

तच्च सदसतः सत्यं सद्भिर्ज्ञातमशेषतः ।

अनस्तित्वं न जात्वस्त्यस्तित्वमेवास्ति शाश्वतम् ।। 321

◎ **And :** *The reality of the existence and non-existence has been understood by the wise men. They say, non-existence is a myth, because everything always existed and will exist. Existence is eternal truth.*

आत्मा सनातनो ज्ञातो ज्ञानिभिरमरस्तथा ।

द्विविधाऽऽत्मानमेवं तं स्पष्टं पश्यति बुद्धिमान् ।। 322

◎ **Atma :** *Atma is eternal and immortal. The wise people know atma with these two attributes.*

(आत्मनः अमरत्वम्)

विद्धि तमक्षरं यस्माद्-इदं कृत्स्नं हि निस्सृतम् ।

विनाशः शाश्वतस्यास्य कर्तुं केनाप्यसम्भवः ।। 323

◎ **And :** *Know that atma is indestructible. It is Brahma, from which the Universe* ***evolves****. Nobody can cause its destruction.*

अस्मादनश्वरात्सृष्टा देहाः सर्वे हि नश्वराः ।

एवं बुद्ध्वा त्वमात्मानं, योधनीयं त्वया सखे ।। 324

◎ **And :** *The bodies borne by this immortal atma are perishable. Knowing this truth, you ought to fight the righteous war.*

एनं हतं च हन्तारं मन्यते यो निरापदम् ।

एतत्स न विजानाति नात्मा हन्ति न हन्यते ।। 325

◎ **And :** *He who thinks this harmless atma to be slayer or slain, he does not know that the atma neither kills nor dies ever.*

---

[4] पयः = जल ।

न भविता न भूत्वाऽयं म्रियते न च जायते ।
अमर: शाश्वतो नित्यो देहनाशे न नश्यति ।। 326

◉ **And** : *Atma neither takes birth nor it dies. This eternal and immortal atma does not perish, only the body perishes.*

एवमात्मानमेनं योऽवगच्छत्यविनाशिनम् ।
आत्मन: कथञ्चिद्वाऽपि न स हन्ता न घातक: ।। 327

◉ **Thus** : *He who knows this eternal atma this way, neither he kills the atma nor the atma is his killer.*

त्यक्त्वा त्याज्यं, यथा वस्त्रं धारयति नवं नर: ।
त्यक्त्वा त्याज्यं, नवं देहं देही स धरते तथा ।। 328

◉ **As** : *As a person discards a discardable cloth and wears another one, so does the atma discards the discardable body and bears another body.*

छिद्यते नायुधैरात्मा नाग्निना दह्यते कदा ।
न क्लिद्यते जलेनैष न शुष्यति च वायुना ।। 329

◉ **Atma** : *Atma can not be cut by any weapon, nor can be burnt by fire, nor can be dried by wind, nor could be soaked by water.*

आत्मा

क आत्मा परमात्मा को, जन्म किं मरणं च किम् ।
प्राग्जन्म का गति: कृष्ण, गति: का मरणोत्तरा ।।

♪ रे- ग-मप- धपम-गम प-, नि-ध प- मगरे- म ग- ।
ग-ग-ग म- पम-, ग-रे-! गग- रे- गमग-रेसा- ।।

आत्मा देहे तथा ज्ञेयो यथा बिम्बं हि दर्पणे ।
चुम्बके चुम्बकत्वं च यन्त्रे विद्युत्प्रवाहवत् ।।

गुरुत्वाकर्षणं भूमौ द्रवत्वं च जले यथा ।
सात्त्विकेषु सदाचार उपाधिर्व्यवसायिनाम् ।।

ब्रह्मैव परमात्मा स ईश्वर: परमेश्वर: ।
ईश: प्रभुर्जगद्धर्ता येन सृष्टमिदं जगत् ।।

देही ब्रह्मैव देहस्थ: चिदात्मा पुरुषस्तथा ।
आत्मा स एव क्षेत्रज्ञो जीव: प्राणश्च चेतना ।।

देहेन देहिनो योगो भूतस्य जन्म कथ्यते ।
वियोगो देहिनस्तस्मात्-उच्यते मरणं तथा ।।

मृत्योरेकस्य भूतस्य जायते जन्म नूतनम् ।
देहाद्देहं सदा देही नूनं भ्रम्यति चक्रवत् ।।

मृत्युर्नास्ति विना जन्म विना मृत्युं न जन्म च ।
जन्ममृत्यू पृथक् ना हि द्वंद्वमेकं मतं बुधैः ।।

जन्ममरणयोर्द्वंद्वं पृष्ठद्वयस्य नाणकम् ।
रहस्यमात्मनः स्पष्टं यो जानाति स पण्डितः ।।

◎ **Birth and death :** *Arjun said, O Lord Krishna! what is atma and what is Paramatma. What is birth and what is death. What happens before the birth and what happens after the death? Lord Krishna said, Atma is like a reflection in the mirror, magnetism in the magnate, electric current in the circuit, gravitation in the earth, liquidity in the water, righteousness in the righteous, a the sun in the sky. Brahma is the Parmeshvara, Ishvara, Isha or Prabhu, from whom everything is evolves. The atma is Brahma associated with body. It is also called Dehi, Chidatma, Purusha, Kshetrajna, Jiva, Prana or Chetana. The union of atma with body is called the birth. Its disassociation from the body is called earthy death. Birth and death are just the two relative names for the same event, like the two sides of a coin. Because, death of a being takes place only to give birth of another being. Atma moves from body to enter another body. Without birth there is no death and without death there is no birth. Nothing comes out of nothing. Birth and death are not separate two actions but two names given to one and the same duality. It is like the two sides of a coin. He who knows this secret is a wise person.*

अज्वाल्योऽयमवध्योऽयम्-अक्लेद्योऽशोष्य एव च ।
अनादिः सर्वगामी च स्थिरो नित्यः सनातनः ।। 330

◎ **And :** *This non-flammable, non-cleavable, non-dryable, non-wettable atma is beginningless, omnipresent, eternal, stable and ancient.*

एवमेनममर्त्यं तम्-अचिन्त्यमविनाशिनम् ।
अव्यक्तमक्षरं ज्ञात्वा दुःखमेवं निरर्थकम् ।। 331

◎ **And :** *Knowing the immortal, eternal, unfathomable, indestructible atma, crying for it is meaningless.*

भूते च वर्तमाने च नित्य आत्मा भविष्यति ।
अनन्तोऽयमिदं ज्ञात्वा नास्मैशोचितुमर्हसि ।। 332

◎ **And :** *The atma is eternal. It was in the past and it will be in the future. Knowing this endless atma, you ought not cry.*

जन्ममृत्युयुतं वाऽपि देहिनं मन्यसे यदि ।
तथाऽपि तु महाबाहो त्वयि शोको न शोभते ।। 333

◎ **And :** *And even if you think atma to be born or atma has death, O Arjun! still there is no reason to cry for it.*

(जन्ममरणयोः चक्रम्)

निश्चित उदितस्यास्तो म्लानो विकसितस्य च ।

आगताः प्रतिगच्छन्ति प्रत्यागच्छन्ति ये गताः ।। 334

◎ **Birth and death :** *The sun that rises will set for sure and the sun that has set will rise for sure. The rise and setting of the sun are not two separate events, but one and the same. It appears to be rising to one people, while **the same sun** apperars to be setting to other people. These are not two suns, nor these are two different events. The sun rises and sets daily, without moving itself. It is always there where it is. It is the earth that spins (भ्रम). Similarly, the atma neither goes nor comes, it is always there where it is. It only changes states, "visible to non-visible (व्यक्त–अव्यक्त)." It is our confusion (भ्रम). The one who is born will depart and the one who has departed will take birth again for sure.*

जीवितो म्रियते नूनं मृतश्च जायते ध्रुवम् ।

विवशे विषये तस्माद्–दुःखमेवं निरर्थकम् ।। 335

◎ **And :** *The living being dies and it then again takes birth in some form or other. In this matter, which is beyond our control, it is meaningless to cry.*

भूतान्यव्यक्तमूलानि व्यक्तमध्यानि ते ततः ।

अव्यक्तानि च भूयस्ते तेषु दुःखमिदं कथम् ।। 336

◎ **Beings :** *The beings are un-manifest at first, then they become manifest in their intermediate transitional stage, then at the death they again become un-manifest. Then what is the point in crying in that matter?*

आदिरगोचरस्तेषां मध्यस्तु गोचरः खलु ।

अन्तोऽप्यगोचरः पार्थ तर्हि दुःखं कथं त्वयि ।। 337

◎ **And :** *The first state of everyone is un-manifest, the second state (at birth) is manifest and the third state (at death) is un-manifest which is actually the same as the first state. O Arjun! then what for is the lamentation?*

जन्ममरणयोर्मध्ये मध्यावस्थैव गोचरा ।

मध्या तु क्षणिकाऽवस्था मूलावस्था हि शाश्वता ।। 338

◎ **And :** *The state between the birth and death is the manifest state. This manifest state is impermanent. The un-manifest state is original state and it is eternal.*

गोचरागोचराः सर्वे भूयो भूयो हि प्राणिनः ।

आगच्छन्ति च गच्छन्ति नभसि तारका यथा ।। 339

◎ **Thus :** *Thus the beings become manifest and unmanifest again and again. They appear **as if** they come and they go, like the stars in the sky.*

अस्तं गतो यथा सूर्योऽदृष्टोऽव्यक्तोऽप्यविकृतः ।
तथा दिवंगतो देही निर्विकारो हि पूर्ववत् ।। 340

◎ **As :** *As the sun that has set is invisible to us, but is still existing in its original form. So is the departed soul non-personified, but it is still as it was in its original form.*

यथा जले तरङ्गोस्त्यलङ्कारेषु च काञ्चनम् ।
तथा देहे स देही च सर्वे ब्रुवन्ति पण्डिताः ।। 341

◎ **Also :** *Also, as the wave on the water or the gold in an ornament, so is the atma in the body, that is what the wise people say.*

सिन्धुर्हिमालयो मेघः-तिस्रोऽवस्था जलस्य हि ।
जन्म मृत्युश्च मध्यं च सर्वमेकं हि चक्रवत् ।। 342

◎ **And :** *And, as the water in the ocean, ice on the Himalaya or the vapor in the clouds are just three states of the cycle of the same water, so are the personified and non-personified states of the beings.*

(आत्मनः विस्मयाकुलता)

आत्मानं पश्यति कश्चिद्-विस्मयकारकं यथा ।
आश्चर्येण तथा कश्चित्-करोति वर्णनं महत् ।। 343

◎ **And :** *Someone thinks atma is as if a wonderful thing, someone talks about atma in greatly flowery words;*

आकर्णयति कश्चिच्च वर्णनं तं रहस्यवत् ।
श्रुत्वाऽपि महिमानं तु नैनं जानन्ति केचन ।। 344

◎ **And :** *Someone hears its description as if it is a secret. Hearing its greatness also, no one knows atma properly.*

स्थितः सर्वेषु देहेष्ववध्यो देही सनातनः ।
तस्माद्धि सर्वलोकेभ्यः शोको नास्ति यथोचितः ।। 345

◎ **And :** *Dwelling in everyone's body, this ancient atma is indestructible. Therefore, there is no reason to cry for it.*

बुद्ध्वा सम्यक्स्वधर्मं तु चिन्ताया नास्ति कारणम् ।
श्रेयो हि धर्मयुद्धात्किम्-अन्यत्क्षात्रस्य विद्यते ।। 346

◎ **Therefore :** *Having understood what you ought to do on the battlefield, there is no reason to worry. For a warrior what is more righteous than a righteous war?*

भवेद्भाग्यवशाद्द्वारं स्वर्गस्यापावृतं यदा ।
संयोगं धर्मयुद्धस्य क्षत्रियो लभते तदा ।। 347

◎ **And :** *Only when by a lucky chance the door to heaven opens, only then an opportunity for such a righteous war comes to a warrior.*

परन्तु धर्मयुद्धात्त्वं भवसि चेत्पराङ्मुखः ।
हित्वा कीर्तिं च धर्मं च पार्थ पापमवाप्स्यसि ।। 348

◎ **Now :** *Now, even after hearing this, if you turn away from your righteous duty, O Arjun! you will incur sin and infamy.*

अव्ययामपकीर्तिं ते गास्यन्ति तव वैरिणः ।
सज्जनेभ्योऽपकीर्तिस्तु मृत्योरधस्तरा हि सा ।। 349

◎ **And then :** *And then, your enemies will sing the songs of your disgrace for ever. For a righteous person, earning a bad name is worse than the death.*

रणात्पलायितं भीरुं मंस्यन्ते त्वां भटाः सखे ।
तुच्छेषु गणयिष्यन्ते यैर्गौरवान्वितोऽसि त्वम् ।। 350

◎ **And :** *All warriors will say, Arjun ran away from the battlefield out of fear. Those who have a great esteem for you, even they will spit on your face.*

त्वां ते कापुरुषं मत्वा निन्दिष्यन्ति तवारयः ।
महाबाहो समर्थं त्वां ततो गर्ह्यतरं नु किम् ।। 351

◎ **And :** *Your enemies will think that you are an un-manly person and they will criticize you. Then, O Brave Arjun! what will be more insulting than that.*

कुत्रापीतोऽगमिष्यस्त्वं योद्धव्या एव तत्र ते ।
तर्हि किमर्थमत्रैव योद्धुं प्रतिकरोषि त्वम् ।। 352

◎ **And :** *And, does not matter where you go from here, you will have to return back here for a war any way, then why are you refusing to fight right now when there is no escape or alternative?*

हतः प्राप्स्यसि स्वर्गं त्वं जित्वा भूमिं च भोक्ष्यसे ।
अनेन हेतुना योद्धुं पूर्णसज्जो भवार्जुन ।। 353

◎ **And :** *O Arjun! being killed in a righteous war, you will attain heaven and being victorious you will attain kingship here. Therefore, get ready for a righteous war.*

◎ **Equanimity :** *Treating pleasure and pain equal, you will not incur sin in a righteous war, O Arjun! being slain in the righteous war, you will attain heaven. O Brave man! being victorious, you will be a hero on the earth.*

(समबुद्धिः)

लाभं हानिं सुखं दुःखं समौ कृत्वा जयाजयौ ।
यशोऽयशः समे धृत्वा युद्धे पापं न वर्तते ।। 354

◎ **And :** *Making profit and loss same, joy and sorrow same, victory and defeat same, there is no sin in war. This is Sankhya yoga of equanimity.*

त्यक्त्वा सुखं च दुःखं च पुरस्ताच्चल पाण्डव ।
नीतिबद्धं च धर्म्यं च युद्धं कर्तव्यमर्जुन ।। 355

◎ **And :** *Leaving aside the pain and pleasure, march forward. O Arjun! right now, fighting a righteous war is your duty and only choice.*

साङ्ख्यत्वेन यदुक्तं त्वां कर्मयोगेन तच्छृणु ।
कर्मयोगं पथं कृत्वा कर्मबन्धाद्विमोक्ष्यसे ।। 356

◎ **And :** *So far whatever you have heard, was by the way of Sankhya yoga (of equanimity), O Arjun! now listen to it by the way of Karma yoga (duty withour the desire for its fruit), by which you will free yourself form the bondage of karma.*

रत्नाकरी गीता
दशमस्तरंगः

14. The Buddhi Yoga
निष्कामबुद्धेर्निरूपणम्

श्रीभगवानुवाच ।
अत्र बाधा न काप्यस्ति क्षयोऽपि न च कर्मणः ।
अल्पमेवास्य योगस्य दुःखं हरति सर्वथा ।। 357

◎ **Shri Krishna :** *In this discipline, there is no hindrance and there is no loss of effort. Even a little practice of this yoga, avoids great obstacles in life.*

(पञ्चयोगव्याख्या)

साङ्ख्ययोगो हि संन्यासो ज्ञानयोगस्तथा च सः ।
बुद्धियोगः समा बुद्धिः कर्मयोगो विनेप्सया ।। 358

◎ **The five yogas :** *Sankhya yoga is Sanyasa yoga. It is Buddhi yoga. It is also the Karma yoga, without desire for the fruit. Buddhi yoga is of equanimity of mind and Karma yoga is duty performed without desire for a fruit.*

(कतिपय व्याख्याः)

कृतं किमपि कर्तव्यं तनुषा मनसा तथा ।
कर्तृभावस्य त्यागो हि साङ्ख्ययोगः स्मृतो बुधैः ।। 359

◎ **Sankhya** : *When a person performs his duty with body and mind, but does not claim the authorship for his duty, the __sacrifice__ of the authorship is called __Sankhya__ yoga or __Sanyasa__ yoga (yoga of sacrifice) by the wise people.*

न च कर्मफलस्यापि न त्याग: कर्मणस्तथा ।
कर्तृत्वस्यैव त्यागस्तु संन्यास: परिकीर्तित: ।। 360

◎ **And** : *Neither the renouncement of the fruit nor the renunciation of the karma (duty), but only the renunciation of the "authorship of the karma" is Sanyasa or Sankhya.*

◎ **The Deluded** : *He who is full of ego and who does not understand the Sankhya yoga, he says that I am the doer of the deeds. Such ignorant person is called a Mudh-buddhi.*

(बुद्धियोग: कर्मयोग: समबुद्धिश्च)

निर्वासना क्रिया काऽपि मनसा क्रियते यदा ।
निष्कामना समा बुद्धि:-निष्कामबुद्धिरुच्यते ।। 361

◎ **Nish-kam** : *When one performs a duty with mind and body, without any desire for its fruit, that selfless act of equanimity is called Nishkam-buddhi (nish = not) + (kama = kamana = desire for the fruit).*

बुद्धियोग: समत्वस्य स्वल्पतो योग उच्यते ।
कृत: स वाञ्छया हीनो निष्कामकर्मयोग उत् ।। 362

◎ **Buddhi yoga** : *The Buddhi yoga of equanimity is called yoga in short. The same deed if performed without desire for its fruit, it is called Nishkam-karma-yoga or Karma-yoga.*

(बुद्धियोग:)

बुद्धियोगे स्थिरा बुद्धि: स्मृता सा व्यवसायिका ।
समा निष्कामबुद्धिश्च मता सा निश्चयात्मिका ।। 363

◎ **Buddhi yoga** : *The thinking that is fixed on Buddhi-yoga, is called Vyavasayika Buddhi. It is also called Sama-buddhi, Nishkama-buddhi and Nischyatmika-buddhi.*

अव्यभिचारिणी बुद्धि:-निष्कामस्य हि योगिन: ।
बहुशाखा मता बुद्धि: सकामस्य नरस्य तु ।। 364

◎ **And** : *The focus of the thinking of the followers of Karma yoga is one pointed, while the thinking of those who work with the desire of fruit of karma (duty), is diverted multifold.*

रतो यो वेदवादेषु भ्रान्त: स कर्मकारणै: ।
वदति मोहकै: शब्दै:-नास्ति किमप्यत: परम् ।। 365

◎ **And** : *Those who are engaged in arguing on the words of the Vedas and are deluded with the karma, they declare in flowery words, there is nothing else beyond this.*

स्वर्गपरायणास्ते च भोगिनश्च विलासिन: ।

कथयन्ति विशेषं ते जन्मदं फलदं विधिम् ।। 366

◎ **And :** *Those people are full of desires. Attaining heaven is their ultimate goal. They suggest special rites that will result in rebirth.*

एताञ्शब्दाननुश्रुत्य जना भोगविलासिनः ।

न शक्नुवन्ति कर्तुं तु स्वमतिं निश्चयात्मिकाम् ।। 367

◎ **And :** *Hearing their fascinating words, the people who are attached to pleasure, they can not fix their mind on one aim and they are perplexed.*

विषयस्तस्य वादस्य गुणत्रयसमर्थकः ।

गुणेषु त्वं च द्वन्द्वेषु तटस्थो नु भवार्जुन ।। 368

◎ **And :** *The object of their discussion is influenced by the three gunas (the three attributes). O Arjun! you be indifferent to the influence of the gunas.*

(ब्रह्मज्ञाम्)

यावज्जलप्लुते काले भवेत्कूपप्रयोजनम् ।

तावदन्येषु ज्ञानेषु भवति ब्रह्मज्ञानिनः ।। 369

◎ **Knowledge of Brahma :** *As much importance is there to the pool of water when the earth is flooded, that much is the importance to the argument on the words of the Vedas for a person who has knowledge of Brahma (the Veda, the Supreme).*

कार्यमात्राधिकारस्ते न स कर्मफले कदा ।

न कर्मफलहेतुस्त्वं न हि चाकर्मको भव ।। 370

◎ **And :** *Doing your duty is your right, you have no right over its fruit. Do not be motivated by the result of your deed. Do not shrink away from your duty.*

(योगः)

निर्ममो बुद्धियोगेन कुरु निष्कामकर्म त्वम् ।

सिद्ध्यसिद्धी समे ज्ञात्वा समत्वं योग उच्यते ।। 371

◎ **And :** *Being unattached to the feeling of possession, be equipped with the Buddhi yoga (yoga of equanimity) and perform your duty with the spirit of Karma yoga (yoga of duty without desire for its fruit). Such equanimity of the selfless mind is called yoga.*

मुक्ताफलं विनायाञ्छां, याचित्वा तु न भिक्षणम् ।

निष्कामकर्म कर्तव्यं त्वया पार्थ सदैव हि ।। 372

◎ **And :** *Without wishing for a fruit, one may get the wish-granting-jewel. One may not get alms even by begging. O Arjun! you ought to do your duty always without desire for its fruit.*

(अर्जुनस्य पुन: कतिपय प्रश्ना:)

निष्कर्म किञ्च किं कर्म किमकर्म विकर्म किम् ।
को निष्काम: सकामश्च व्याख्यास्तेषां नु ख्याहि माम् ॥ 373

◉ **Arjun's many questions** : Arjun said, O Krishna! what is Karma and what is Akarma. What is Nishkarma and what is Vikarma. What is Sakama and what is Nishkama?

धर्माधर्मौ च कौ कृष्ण कौ धर्मौ स्वपरौ तथा ।
अकार्यं किञ्च कार्यं किं सर्वं मे वदतात्प्रभो ॥ 374

◉ **And** : What is Dharma and what is Adharma. What is Sva-dharma and what is Para-dharma. What is Karya and what is Akarya?

योनि: का भवनं किञ्च भोग: किं करणं च किम् ।
कानि फलानि सर्वेषाम्-एतेषां वदताद्धरे ॥ 375

◉ **And** : What is Yoni and what is Bhagyam (destiny). O Krishna! what fruit one gets for his actions (karma)?

कर्मफलं च किं तस्मात्-कानि के प्राप्नुवन्ति च ।
फलं प्राप्स्यति क: स्वादु कटूनि च मिलन्ति कम् ॥ 376

◉ **And** : What is Karma-fala. Who gets the sweet fruits and who gets the bitter fruits of the karma?

को जानाति फलं किं कं मिलतीह परत्र च ।
करोति निर्णयं चास्य कृष्ण कुत्र च क: कदा ॥ 377

◉ **And** : Who knows and who decides as to who gets what fruit in this life or in the next life?

योगोऽस्ति कश्च योगी को भोगो भोगी च कौ सखे ।
त्यागस्त्यागी च कौ कृष्ण व्याख्या: श्रावय मां गुरो ॥ 378

◉ **And** : And, what is Yoga and what is Bhoga? who is a Yogi and who is a Bhogi? What is Tyaga and who is a Tyagi (Ascetic)? O Guru! please give me the definitions.

(उत्तराणि – अकर्म कर्म कामश्च)

फलस्य कामना कामो विषयवासना तथा ।
कृतिर्यस्या: फलं शीघ्रं श्वो वा मिलति कर्म तत् ॥ 379

◉ **Answers** : The deed of which the doer will get fruit at present time or in the future, is Karma. The desire for the fruit of a karma is Kāma. Desire for passions is also Kāma.

किमपि करणं कर्म न करणं च कर्म हि ।
कर्म चाकर्म यं स्पष्टं तथ्यं तमेव दृश्यते ।। 380

◎ **Karma :** *"**Doing**" any**<u>thing</u>** is Karma, therefore, "**doing**" no**<u>thing</u>** is also a karma. He who sees this clearly, only he knows what karma truly is.*

विना कर्म न जीवन्ति क्षणमेकं नरा इह ।
शून्यत्वं कर्मणस्तस्मात्-किञ्चिदपि न विद्यते ।। 381

◎ **And :** *A person does not live for even a moment "without doing" absolutely anything. Without karma nothing exists or sruvives. Therefore, there is no such thing as absence of karma.*

(कर्म च अकर्म च)

कृता कृतिर्मता कर्माकृता कृतिरकर्म च ।
यतः काऽपि कृतिः कर्माकृतिरपि च कर्म हि ।। 382

◎ **And :** *<u>Doing</u> whatever action is a karma, therefore, action of not <u>doing</u> anything is also a karma. "Doning" is also karma, Not "doing" is also karma.*

(निष्कामकर्म च सकामकर्म च)

फलस्य हेतवे कर्म कृतं सकाम उच्यते ।
विना फलेच्छया कर्म निष्कामः कथ्यते बुधैः ।। 383

◎ **Sakam and Nishkam :** *Any Karma (duty) performed for the desire of its fruit is called sakam-karma. The same Karma (duty) performed without the desire for its fruit is called nishkam-karma.*

विषयवासनां धृत्वा फलेच्छया च यत्कृतम् ।
निकृष्टं हेतुयुक्तं तत्-सकामं कर्म संज्ञितम् ।। 384

◎ **And :** *Whatever is done with passion and desire for its fruit in mind, is the degraded Sakam-karma.*

(विहितकर्म)

शरीरपोषणायैव यत्कृतं नियतं स्मृतम् ।
तदेव धार्मिकं नित्यं सविधं विहितं मतम् ।। 385

◎ **Niyat Karma :** *The deed that is done for the maintenance of the body and daily life is Niyat-karma. The same is also called Dharmic karma, Nitya karma, Savidh karma and Vihit karma.*

(सुकर्म विकर्म कुकर्म च)

सुकर्म सुकृतं कार्यं, विकर्म विकृता कृतिः ।
कुकर्म दुष्कृतं कृत्यम्-अकर्म चापि कर्म हि ।। 386

◎ **Sukarma :** *A good deed is called Sukarma. A deed done with a negative objective is Vikarma. A deed done with evil objective is Kukarma. <u>Doing something which is the Dvandva (duality) of some other work is akarma of that work</u>. Akarma is also a karma.*

(कर्मफलम्)

स्यादिष्टं स्यादनिष्टं वा स्याद्गोचरमगोचरम् ।

नास्ति कुत्रापि कर्मैवं यस्य नास्ति फलं खलु ।। 387

◎ **Fruit :** *The fruit of a karma may be desirable or it may be undesirable. It may be visible or it may be invisible. One may get it presently or in the future. But, there is no deed for which there is no fruit. Fruit is not optional or accidental, it is sure.*

कृत्वाऽपि कर्मवन्नास्ति तन्निष्कर्म मतं बुधैः ।

कर्मणोऽस्ति फलं यद्वत्-निष्कर्मणोऽपि निष्फलम् ।। 388

◎ **Nishkarma :** *Doing a karma that is as good as not doing it, is called Nishkarma. As a karma always has a fruit, the fruit of nishkarma is nishfala.*

(धर्मः)

यस्मिन्क्षणे स्थले कार्यं करणीयं च येन यत् ।

तस्मिन्काले च स्थाने च धर्मस्तस्य स एव हि ।। 389

◎ **Dharma :** *The righteous act that ought to be performed by a right person at right time at right place is the Dharma of that person, at that time and at that place. For other person or at wrong time or at wrong place, the same karma may be unrighteous act or an Adharma.*

एष[5] न सम्प्रदायोऽस्ति सदाचारस्य वर्त्म हि ।

करणीयश्च कर्तव्यः कार्यः सत्कर्म भद्रता ।। 390

◎ **And :** *Dharma is not a religion. It is a righteous path. It is duty. It ought to be done. It is a virtue. It is ethics. It is morality.*

(अधर्मश्च कर्म च कर्मफलं च)

योग्ये स्थाने च काले च कृतं तद्धार्मिकं मतम् ।

अनुचिते स्थले काले तदेवाधार्मिकं भवेत् ।। 391

◎ **Adharma :** *A deed that is unrighteous, or that is performed by wrong person, at wrong moment, at wrong place or with wrong motive, is adharma.*

(सूक्तिः)

किं त्वयाऽऽनीतमस्तीह किमितस्त्वञ्च नेष्यसि ।

कर्मफलानि पूर्वाणि भुङ्क्षे च भोक्ष्यसे सदा ।। 392

◎ **A Proverb :** *What have you brought with you and what will you take with you? The fruits of your past deeds came with you and the fruits of your present deeds will go with you.*

---

[5] एषः = एष धर्मः ।

सञ्चितानि त्वया यानि पापपुण्यानि जीवने ।
तेषामेव फलान्यत्र भोक्ष्यसे जन्मजन्मनि ।। 393

◎ **Bank balance :** *The merit points you deposited with good deeds in your account in all your previous lives, you are enjoying them in this life. What you do in this life will last you in your coming lives.*

सुकृतानि च कर्माणि दास्यन्ते मधुराणि त्वाम् ।
दुकृतानि तु कर्माणि कटूनि च फलानि भोः ।। 394

◎ **And :** *Your good deeds give you merit points and your bad deeds give you sin points. The merit points give you sweet fruits and the sin points give you bitter fruits.*

(धर्मः अधर्मः स्वधर्मः परधर्मः त्यागः त्यागी च)

कर्तव्यं करणं धर्मो न करणमधर्म उत् ।
स्वधर्मः स्वगुणैर्युक्तः परधर्मः परार्थकः ।। 395

◎ **Dharma :** *Doing your duty is Dharma. Not doing it is Adharma. Acting according to your inborn nature is Svadharma. Work suitable for other's nature is Paradharma. Paradharma serves other's purpose.*

फलत्यागो न निष्कामः-त्याज्या वाञ्छा फलस्य हि ।
वैकल्पिका फलापेक्षा फलं तु निश्चितं भवेत् ।। 396

◎ **Renunciation :** *Renunciation of Karma is not a Nishkama. Renunciation of the fruit of karma is not a Renunciation. Renunciation of the desire for a fruit of karma is Nishkama. Renunciation of the desire for the fruit is optional, but the fruit itself is not optional. It is mandatory. One must accept the consequence of his actions.*

(त्यागः)

नित्यं कर्म मतं कार्यं तन्नियमितमाचरेत् ।
फलस्याशाञ्च सङ्गञ्च त्यजनं 'त्याग' उच्यते ।। 397

◎ **And :** *Work required to stay alive and carry on daily life is **Nitya karma**. Nitya karma must be done without renunciation. Renunciation of the **desire** for the fruit of karma is Tyaga. Renunciation of Nitya karma is not a tyaga.*

(योगी च भोगी च)

यं सुखेषु न सङ्गोस्ति न क्लेशः क्लिष्टकर्मसु ।
स सङ्गं च फलाशां च त्यक्तस्त्यागी प्रकीर्तितः ।। 398

◎ **Yogi :** *He who is not attached to happiness and to easy tasks, he who renounces desire and he who does not have attachment to the fruit, is an ascetic.*

(नियोगी च वियोगी च)

सकामकारको 'भोगी' 'योगी' निष्कामपालकः ।
निग्रही यो 'नियोगी' स 'वियोगी' परिव्राजकः ।। 399

◎ **And :** *He who is attached to sakam-karma is a Bhogi. He who is devoted to nishkam-karma is a Yogi. He who has self control is a Niyogi. He who has renounced possessions is Viyogi, he is also called a Sanyasi.*

(यथा कर्म तथा फलम्)

कश्चित्स्वपिति निश्चिन्तः कश्चिज्जागर्ति वा निशौ ।
कस्यचिदुज्ज्वलं भाग्यं कश्चिद्दुर्भाग्यपीडितः ।। 400

◎ **And :** *As you sow so you reap. Someone sleeps worry free. Someone is insomniac because of the worries. Someone's fate is bright, someone is riddled with bad luck.*

कस्यचिज्जीवने सौख्यं कश्चिद्दुःखेन विह्वलः ।
वपते पापबीजं यः पुण्यं तेन न प्राप्यते ।। 401

◎ **And :** *Someone's life is filled with happiness, someone's life is filled with sorrow. He who sows the seeds of sin, does not reap merits.*

कृतं सत्कर्मभिः पुण्यं यान्ति सुखानि तं नरम् ।
दुष्कृतैरर्जितं पापं हन्ति दुःखानि तं जडम् ।। 402

◎ **And :** *He who earns merits through his righteous deeds, he attains happiness. The fool who earns sin with his evil actions earns pains in his life.*

मधुरामधुरं वाऽपि साम्प्रतं वा भविष्यति ।
चक्रं कर्मफलस्यैवं जगति शाश्वतं स्मृतम् ।। 403

◎ **And :** *The fruit of karma may be sweet or bitter. It may come presently or it may come in the future. This mechanism is eternal in the world.*

श्रीभगवानुवाच ।

(बुद्धियोगाचरणम्)

निष्कामबुद्धियोगः स सकामाद्धि विशिष्यते ।
तस्मात्त्वं कामनां त्यक्त्वा कर्मयोगं समाचर ।। 404

◎ **And :** *Nishkam karma is superior than the sakam karma, therefore, O Arjun! you be a nishkam-karma-yogi.*

पापे पुण्ये तटस्थो हि बुद्धियोगाद्धनञ्जय ।
अस्मिन्योगयधिष्ठानं 'कौशल्यं कर्मणः' स्मृतम् ।। 405

◎ **And :** *Be indifferent to sin and merits and observe buddhi yoga (yoga of equanimity), staying engaged in this yoga is the skill of doing righteous karma.*

(समबुद्धे: योगी)

त्यक्त्वा कर्मफलाशां हि ज्ञानिन: समबुद्धय: ।
जन्मबन्धाद्विनिर्मुक्ता भुञ्जन्तिपदमुत्तमम् ।। 606

◎ **And :** *Renouncing the desire for fruit of karma, the yogis of equanimity attain release from bondage and attain supreme state.*

अतीतं सा यदा गच्छेद्-बुद्धिस्ते मोहकर्दमम् ।
विरक्त: श्रुतशब्देभ्य: शान्तिं त्वं किल प्राप्स्यसि ।। 407

◎ **And :** *When your thinking goes beyond the mire of delusion, then being detached from what you have heard elsewhere, you will attain peace of mind;*

विविधै: कारणैर्भ्रान्ता बुद्धिर्यदा शमिष्यति ।
सिद्धिञ्च प्राप्य शुद्धिञ्च योगमाप्स्यसि त्वं तदा ।। 408

◎ **And :** *When your mind disturbed by various reasons, attains tranquility this way, then you will attain purity and success in yoga.*

(अर्जुन: पुन: पृष्टवान्)

उत्तराणि हरे: श्रुत्वा पार्थ: स विस्मयावृत: ।
कुतूहलेन कृष्णञ्च नवान्प्रश्नांश्च पृष्टवान् ।। 409

◎ **More questions :** *Hearing Krishna's answers to his questions, Arjun became further curious to ask more questions.*

अर्जुन उवाच ।
(अर्जुन: पुन: पृच्छति)

स्थिरमति: प्रशान्तश्च स्थितप्रज्ञ: क उच्यते ।
शीलं च वर्तनं तस्य माधव कीदृशं भवेत् ।। 410

◎ **Question :** *Who is called a Sthitaprajna of tranquil and stable mind? How is his nature and behavior, O Krishna!*

श्रीभगवानुवाच ।
यो मनोवासनां त्यक्त्वा मनोनिग्रहमाचरेत् ।
आत्मनि पूर्णतृप्त: स स्थितप्रज्ञस्तदोच्यते ।। 411

◎ **Answer :** *He who has set aside his desires and controlled his mind, that self satisfied person is called Sthitaprajna.*

(मुनि: क:)

न भेद: सुखदु:खेषु रागक्रोधविवर्जित: ।

शान्तचित्तः स्थितप्रज्ञो योगी स हि मुनिर्मतः ।। 412

◎ **Muni :** *He who is indifferent to sorrow and happiness. He who is free from attachment and anger. That yogi of peaceful mind is called a Muni.*

(स्थिरमतिः)

आकर्षति न स्नेहो यं न लिम्पन्ति सुखानि च ।

शोकहर्षौ गतौ यस्य स्थिरमतिर्विशिष्यते ।। 413

◎ **And :** *He whom the attachments do not attract. He whom happiness does not bind. He who is indifferent to joy and sadness. That person of steady mind excels.*

(वासनाऽतीतः)

सङ्कुञ्चति स गात्राणि सर्वशः कच्छपो यथा ।

इन्द्रियाणीन्द्रियार्थेभ्यः स्थितप्रज्ञः प्रकर्षति ।। 414

◎ **Sthitaprajna :** *As the turtle withdraws his limbs from all sides at proper time, so does the Sthitaprajna withdraws his organs into himself, away from the passions.*

विषयत्यागमात्रेण सङ्गस्तस्मान्न गच्छति ।

निवर्तते तदा सङ्गो हृदि भक्तिर्यदा भवेत् ।। 415

◎ **And :** *Attachment to the passions does not go away merely by staying away from their objects. The attachment goes away when one has faith at his heart.*

यतन्तं योगिनं चापि सङ्क्षुभ्नन्तीन्द्रियाणि तम् ।

नियतान्यपि गात्राणि मोहयन्ति मनो बलात् ।। 416

◎ **And :** *The organs of the disciplined yogi also disturb him. Even the controlled organs delude the yogi forcefully.*

य इन्द्रियाणि संयम्य मनसा मयि मत्परः ।

इन्द्रियाणां वशी नित्यः स्थिरमतिः स तत्परः ।। 417

◎ **And :** *Having controlled his organs, he who is devoted to me with his mind, that self controlled person is of stable mind.*

मनसि विषयो यो यः सङ्गस्तस्माद्धि जायते ।

सङ्गाद्धि जायते कामः कामात्क्रोधश्च जायते ।। 418

◎ **And :** *The object that dwells in mind, attachment develops for that object. With attachment grows passion and when the passion is not satisfied, grows anger.*

क्रोधात्तस्मान्मनोभ्रान्तिः-भ्रमात्स्मृतिश्च भ्राम्यति ।

भ्रष्टस्मृत्या जडाबुद्धिः-भ्रष्टबुद्धिर्विनश्यति ।। 419

◎ **And :** *With anger grows delusion and from delusion grows confusion in mind. With confused mind* thinking gets distorted and with distorted mind, one becomes destroyed.

(निग्रहः)

रागं द्वेषं च बध्नाति देहे यो निग्रही नरः ।
विषयेऽपि ततः स्थित्वा शान्तचित्तो दृढः सदा ।। 420

◎ **Therefore :** Therefore, he who keeps attachment and anger under his control, he removes his pains. With such peaceful mind the thinking become tranquil.

एति शान्तिर्यदा चित्ते दुःखानामन्त उच्यते ।
प्रशान्ते तादृशे चित्ते बुद्धिः सदा हि शाम्यति ।। 421

◎ **And :** And when such peace comes to heart, the sorrow comes to an end. With such peaceful heart, thinking is always peaceful.

मतिर्नास्ति स्थिरा यस्य तस्य नास्ति च भावना ।
न भावनां विना शान्तिः-तस्य नास्ति सुखं ततः ।। 422

◎ **And :** He whose mind is not stable, he does not have sound thinking. Without sound thinking, there is no peace of mind. Without peace of mind, there is no happiness.

विषयेषु रता यस्य मतिर्नरस्य सर्वदा ।
मतिर्भ्राम्यति सा तस्य नौर्वायुना यथाऽम्भसि ।। 423

◎ **And :** He whose mind is always thinking of passions, his thinking is unstable like the boat on the water, that rocks with the wind.

(स्थितप्रज्ञः)

निरासक्तानि गात्राणि विषयेषु मतिस्तथा ।
संज्ञा तस्य स्थितप्रज्ञ इति वदन्ति पण्डिताः ।। 424

◎ **Sthitaprajna :** He whose organs and mind is not attached to passions, he is called Sthitaprajna by the wise men.

सन्ति सुप्ता जना यस्मिन्-तस्मिञ्जाग्रति योगिनः ।
यस्मिन्संसारिणो लग्ना मौनं तिष्ठन्ति योगिनः ।। 425

◎ **And :** The state of which people are unaware, the yogi is aware of that state. The things in which people are engaged, the yogi abstains those things.

नदीनाञ्च प्रवेशेभ्यः सिन्धुः शान्तो यथा सदा ।
भोगान्भुक्त्वाऽपि गम्भीरः स शान्तिमधिगच्छति ।। 426

◎ **And :** As the ocean is undisturbed while the rivers are pouring water into it, so is yogi undisturbed while the worldly affairs are flooding his ambiance.

मनुष्यः कामकामी यो विषयवासनायुतः ।

अशान्तं मानसं तस्य सरितासलिलं यथा ।। 427

◎ **But :** But, a person who is attached to passions and desires, his mind is as wavering as the rippling water of a river which follows the slope.

विषयवासनां त्यक्त्वा सर्वदा यः सदाचरेत् ।
निर्ममश्चानहङ्कारी शान्तिमाप्नोति नैष्ठिकीम् ।। 428

◎ **And :** Free from passions and desires, the yogi who is selfless and without ego, he attains eternal peace. This is the Brahmi (Supreme) State.

एतां ब्राह्मीं गतिं प्राप्य नरः पार्थ न मुह्यति ।
अन्तकालेऽपि तां प्राप्य ब्रह्ममोक्षं स गच्छति ।। 429

◎ **Brahmi state :** Attaining this Brahmi (supreme) state even at last breath, a person does not get deluded and he attains eternal peace and liberation.

श्रीमद्-भगवद्-गीतायास्तृतीयोऽध्यायः ।
कर्मयोगः ।

रत्नाकरी गीता
एकादशस्तरंगः

15. The Karma Yoga
कर्मयोगनिरूपणम्

श्रीमद्भगवद्गीता तृतीयोऽध्यायः ।
अर्जुन उवाच ।
कर्मन्यासस्य बुद्धेश्च श्रुत्वा पार्थो वचो हरेः ।
द्विधामतिः सशङ्कश्च पृष्टवान्प्रश्नमच्युतम् ।। 430

◎ **Arjun :** Hearing Krishna's words on Karma yoga (yoga of righteous action without desire for its fruit) and Buddhi yoga (yoga of equanimity), Arjun became doubtful and confused. Thus he said :

ज्यायसी कर्मणो बुद्धिः-मतं ते यदि केशव ।
नियोजयसि घोरे मां कथं त्वं तर्हि कर्मणि ।। 431

◎ **Question :** O Krishna! if you think buddhi yoga (yoga of equanimity) is superior than Karma yoga (duty without desire for fruit), then why are you engaging me in this cruel act of this righteous war?

द्वन्द्वभावमये वाक्ये भ्रामयतो हरे नु माम् ।
निश्चितं तर्हि मामेकं हितदं ब्रूहि माधव ।। 432

◎ **And :** *O Krishna! your conflicting words are confusing me. Therefore, please tell me just one thing that will be good for me.*

सन्देहं मे बहिष्कर्तुं दूरीकर्तुं च मे भ्रमम् ।
श्रुत्वा पार्थस्य शब्दं तम्-उवाच यदुनन्दनः ।। 433

◎ **And :** *Arjuna said, O Shri Krishna! for removing my dilemma and doubt, no one is better than you. Hearing Arjun's words, Krishna said :*

श्रीभगवानुवाच ।

(श्रीकृष्णः समाधनं करोति)

मया प्रोक्तौ पुरा पार्थ मार्गौ भिन्नौ समान्तरौ ।
मार्गो ज्ञानस्य साङ्ख्यानां निष्कामकर्म योगिनाम् ।। 434

◎ **Krishna :** *Krishna said, O Arjun! I had told Vivasvan two paths of yoga. Both give the same result. The first is the path of Jnana for the followers of Sankhya yoga and the second is the path of Nishkam for the followers of Karma yoga.*

(संन्यासमार्गः च योगमार्गः च)

कर्मवर्जो न नैष्कर्म्यं न चैषा सुमतिर्मता ।
न च सिद्धिर्भवेत्त्यागात्-कर्मणो भ्रमकारणात् ।। 435

◎ **Sanyasa and Yoga :** *Avoiding your duty is not a Nishkam, nor it is a right thinking, nor one achieves success in yoga by renouncing karma.*

(कर्मशून्यता नास्ति)

गुणादेशेन कुर्वन्ति सर्वेऽपि विवशाः सदा ।
विना कर्म न जीवन्ति कदापीह नु प्राणिनः ।। 436

◎ **Doing nothing :** *There is no such thing as doing nothing. No being lives without doing anything. All beings act according to their gunas (attributes/nature).*

(मिथ्याचरी नरः)

कर्मेन्द्रियाणि संयम्य स्वैरज्ञानेन्द्रियैश्च यः ।
सर्वदा विषये लग्नो मिथ्याचारः स कथ्यते ।। 437

◎ **Mithyachari :** *He whose organs of action are under control, but the sense organs are not under his control, he is called Mithyachari (Pretender).*

निग्रहे मनसा कृत्वा कर्मेन्द्रियाणि कर्मणि ।

त्यक्त्वा कर्मफलाशाञ्च कर्मयोगो हि प्राप्यते ।। 438

◎ **And** : Keeping sense organs and the organs of action under control, he who does his duty without desire for its fruit, he attains Karma yoga.

नियतं कर्म कर्तव्यं कर्म ह्यकर्मणो वरम् ।
मतं विकर्म चाधर्मो विना कर्म न जीवनम् ।। 439

◎ **And** : The duties required for maintenance of life must be performed. Doing your duty is better than not doing it. Not doing the duty is unrighteousness.

(यज्ञकर्म)

यज्ञेतराणि कर्माणि बन्धनकारकाणि भो: ।
सङ्गं त्यक्त्वा भवेत्कर्म पार्थ बन्धनभञ्जकम् ।। 440

◎ **Yajna** : Karmas done without the spirit of austerity cause attachment. Doing deeds in the spirit of austerity removes the bondage of attachment to the karma.

आदियज्ञात्प्रजा: सृष्ट्वा ब्रूते ब्रह्मा प्रजाजनान् ।
कामधेनु: क्रतुर्भूत्वा पूरयेद्वो मनोरथान् ।। 441

◎ **Brahma** : Creating the beings from the primordial yajna (austerity), Brahma said to the subjects, may this yajna be your wish granting cow to fulfill your wishes.

देवा यज्ञेन तुष्येयु:-तुष्टास्तोक्ष्यन्ति ते च व: ।
अन्योन्यं तोषयित्वा नु लाभश्च भवतां भवेत् ।। 442

◎ **And** : May the Gods be pleased with your austerities and may they please you. Thus, mutually both be beneficial to each other.

यज्ञैश्च मुदिता देवा दास्यन्ति व: प्रसादनम् ।
यो न तत्सहभुञ्जीत नर: स्वार्थी स तस्कर: ।। 443

◎ **Gods** : The Gods, pleased with your austerities, will give you boons. He who does not share his earnings with others is a thief.

भुनक्ति यज्ञशेषं य: पापहीनो नरो हि स: ।
ये तु पचन्ति स्वार्थेन पापमश्नन्ति ते तत: ।। 444

◎ **And** : He who partakes the remainder of an austerity is a sinless person. But, he who performs austerity with selfish purpose, he earns sin.

(सृष्टिचक्रम्)

अन्नाज्जीवन्ति भूतानि पर्जन्यादन्नसम्भव: ।
अग्ने: समुद्भवत्यापो यज्ञाग्नि: कर्मकारणात् ।। 445

◎ **Cycle of Nature :** *The beings live on food. The food grows on rains. The rains are caused by the heat of the sun. The fire of austerity is born out of karma.*

कर्म वेदाक्षराद्विद्धि वेदश्च ब्रह्मणो मुखात् ।
सर्वव्यापी स वेदेश: स्थितो यज्ञे निरन्तरम् ।। 446

◎ **And :** *Karma (righteous deed) comes from the words of the Veda. Yajnas arise out of the Veda. The Veda is uttered by Brahma. Thus, Brahma, the Lord of Vedas, is always present in the yajna.*

ईदृशं भवचक्रं यो नानुसरति मानव: ।
अलस: कामुक: पापी व्यर्थं जीवति भूतले ।। 447

◎ **And :** *He who does not abide by the Cycle of Nature thus I set in motion, that passionate and lazy person lives on earth meaninglessly.*

(आत्मतृप्त:)

आत्मतृप्तो भवेत्तुष्ट आत्मा यस्य सदा सुखी ।
आत्मन्येवात्मनो हृष्ट:-तस्मै कृत्स्नं कृतं भवेत् ।। 448

◎ **Self-content :** *The self possessed person who is always content within himself by himself, nothing more remains to be accomplished for him.*

अकृतौ वा कृतौ चापि नास्ति तं काऽपि कामना ।
सर्वभूतेषु तं नास्ति स्वार्थस्य काऽपि वासना ।। 449

◎ **And :** *He has no desire to earn more, nor he has any selfish motive towards any being.*

(करणीयम्)

करणीयमत: कार्यं सङ्गं त्यक्त्वा हि सर्वश: ।
एवं कृत्वा हि कौन्तेय प्राप्स्यसि परमं पदम् ।। 450

◎ **Duty :** *O Arjun! do your duty without desire for its fruit. Doing karma this way, you will attain the supreme state.*

कर्मैरेतैर्गता: सिद्धिं परमां जनकादय: ।
अनुसृत्य महन्तांस्तान्-कार्यं त्वं कर्तुमर्हसि ।। 451

◎ **Janak :** *Doing karmas this way, Janak and others attained success in yoga. Following those great people, you ought to do karma this way.*

जना: कुर्वन्ति कर्माणि कुर्वन्त्यार्या यथा यथा ।
यदादर्शं करोत्यार्य:-तत्कुर्वन्तीतरे जना: ।। 452

◎ **And :** *As the great people do karmas (righteous deeds), so do the other people. As noble person sets standard, other people abide by that standard.*

रत्नाकरी गीता

त्रिलोके नास्ति कुत्रापि यन्न सिद्धीकृतं मया ।
अबद्धस्तर्हि कौन्तेय कार्यं नित्यं करोम्यहम् ॥ 453

◉ **Krishna :** There is nothing in the three worlds that I have not accomplished, even then, O Arjun! I keep doing my duty.

न कुर्यां कर्म पार्थाहं सर्वदा चेदतन्द्रित: ।
जना मामनुवर्तेयु: पथिका मम वर्त्मनि ॥ 454

◉ **And :** O Arjun! if I do not do karmas (righteous deeds) non-stop tirelessly, my followers will follow me and will become idle.

चेन्न कुर्यामहं कर्म लोके जायेत सङ्कर: ।
भ्रंसेत च प्रजा तस्माद्-भवेयं हानिकारणम् ॥ 455

◉ **And :** If I do not do karmas (righteous deeds) thus, there will be chaos. It will be harmful to the subjects.

मूढ: करोति कर्माणि मुग्धेन मनसा यथा ।
कुर्याज्ज्ञानी च कर्तव्यम्-असक्तमनसा तथा ॥ 456

◉ **And :** As an ignorant person is devoted to selfish deeds, so should the wise person be devoted to selfless righteous deeds.

अज्ञानं नाह्वयेज्ज्ञानी कामुकानां कुबुद्धिनाम् ।
प्रचोदयेत्स तान्मूढान्-योगयुक्तश्च पण्डित: ॥ 457

◉ **And :** Wise person should not challenge the ignorance of an ignorant. He should set an example of righteous actions in front of him and encourage him to follow his example.

(गुण: कर्तार:)

करोति प्रकृति: सर्वं सर्वस्य सर्वथा सदा ।
एवं सत्यपि कर्ताऽहं विमूढो मन्यते भ्रमात् ॥ 458

◉ **The doer of karma :** Prakriti, with its gunas (the three attributes), is always the doer of everything in every way. In spite of such being the case, the ignorant person falsely claims the authorship of the karma (righteous deed).

यो जानाति यथार्थेन सम्बन्धो गुणकर्मणाम् ।
तेषां च नित्यतां दृष्ट्वा ज्ञानी तेभ्योर्न भ्राम्यति ॥ 459

◉ **But :** But, he who properly understands the relationship between the gunas (the three attributes) and karma (righteous deed), only he knows the truth.

(गुणमाया)

गुणमायां न बुद्ध्वा हि मतिर्यस्य तु कर्मसु ।

न तं विचालयेज्ज्ञानी मूढं मन्दं च कामुकम् ।। 460

◎ **The magic of the Gunas :** *Not knowing the functioning of the gunas (the three attributes), the ignorant person thinks himself to be the doer of the karmas (deeds). A wise person should not try to disturb the thinking of that ignorant person, for he will not understand him.*

(गुणमाया, उपमा-अलंकार:)

मयूर: काश्यते रङ्गै: सूर्य: काशयते दिनम् ।

कोकिला कूजति कूहु: खादति तुरगस्तृणम् ।। 461

◎ **Guna-Karma examples :** *The peacock exhibits colours, the sun shines the day. The black bird chirps sweetly, the deer eats grass. Neither the tiger eats grass nor the horse eats meat. Everyone acts according to his gunas.*

अम्भसि जायते पद्म नभसि चन्द्रमा यथा ।

जले मीनो वने सिंहो मरावुष्ट्रो नृपस्तथा ।। 462

◎ **And :** *The lotus grows in water, the moon shines in the sky, The fish in the pond, lion in the forest, camel in the desert;*

(अत:)

यस्मिन्यस्य यथा तुष्टि:-तस्मिन्तस्य तथा गति: ।

एतत्सूत्रं स जानाति यो विज्ञो गुणकर्मणाम् ।। 463

◎ **Thus :** *Everyone is the king within the domain of his gunas (the three attributes). He who knows this principle, he is the knower of the guna-karma relationship.*

(मत्पर: नर:)

मयि कर्माणि सर्वाणि मनसा निर्मलेन त्वम् ।

अर्पयित्वा हि युध्यस्व लिप्सां त्यक्त्वा च निर्व्यथ: ।। 464

◎ **My devotee :** *O Devotee Arjun! doing all your deeds in my name with pure heart, fight the righteous war without hesitation.*

ईर्ष्यां त्यक्त्वा च सश्रद्ध:-तत्परो मत्परायण: ।

कौन्तय मामनुसृत्य कर्मबन्धात्प्रमुच्यसे ।। 465

◎ **Because :** *Because, he who is devoted to me with complete faith and acts as I said, he is freed from the bondage of karma (deeds).*

मे तु मतमिदं स्पष्टं दुष्टो यो नानुतिष्ठति ।

नष्टबुद्धिर्विमूढ: स न मां जानाति भारत ।। 466

◎ **And :** *And, he who does not act as I said, that evil person of deluded mind does not know me.*

यत्र गुणानुसारेण पण्डितोऽप्यनुवर्तते ।

कथं तत्र करिष्यन्ति निग्रहमितरे जनाः ।। 467

◎ **And :** *Where even the wise men act according to their gunas (the three attributes), how an ordinary man can control himself against the influence of the gunas.*

(रागः द्वेषः च)

विषयेच्छाऽनुसारेणेन्द्रियेषु वासनाक्रुधौ ।
वशे तयोर्न गन्तव्यं घातिन्यौ ते तनावुभे ।। 468

◎ **Attachment :** *As your attachment is for the passions, so are your desires and anger. One should not be victim to the desires and anger, for they are the two enemies that dwell in your body.*

(स्वधर्मः स्वकर्म च)

यद्वा न्यूनो हि नो धर्मः परधर्मान्महत्तरः ।
स्वधर्मे मरणं श्रेयं परधर्मस्तु घातकः ।। 469

◎ **Dharma :** *However imperfect your own Dharma (tradition) may be, it is the best for you. Following other's Dharma, thinking it to be perfect, is a mistake.*

सदोषमपि यत्प्राप्तं तदेव हितकारकम् ।
जन्मजातं स्वधर्मस्य कर्म सत्यं सहायकम् ।। 470

◎ **And :** *Whatever God has given you is beneficial to you, even if you think it to be imperfect. The gift you received from God with your birth, is supreme for you.*

वदेत्स कोऽपि धर्मस्ते सर्वेभ्यो नास्ति पुङ्गवः ।
दत्तो भगवता प्रेम्णा सर्वोत्तमः स एव हि ।। 471

◎ **And :** *May anyone say your Dharma (tradition) is faulty and it is not the best. Tell him, whatever God has given me with love, is best for me.*

पश्येद्धर्मं स्वकार्ये योऽधर्मं च परकर्मणि ।
नरो ज्ञानी स योगी च स स्वधर्मपरायणः ।। 472

◎ **And :** *He who sees Dharma (righteousness) in his own duty and Adharma in other's duty, he is a wise person and he is a yogi. He is devoted to his duty.*

धर्मो यस्मै न कर्तव्यं स्वकार्यं न च धर्मवत् ।
न स ज्ञानी न योगी च कार्याकार्ये न बोधति ।। 473

◎ **And :** *He who does not think his Dharma (tradition) to be his duty, neither he is wise nor he is a yogi. Neither he understands what dharma (righteousness) is nor what yoga is.*

अर्जुन उवाच ।

प्रेरणा कथमायाति तं कर्तुं कर्म पातकम् ।
कारयति विना स्वेच्छां शत्रुवद्य: स क: प्रभो ॥ 474

◎ **Arjun :** *Arjun said, O Lord Krishna! from where does a person get the inspiration to comit sin, as if forcibly, even when he does not desire to do it?*

श्रीभगवानुवाच ।
स हि काम: स क्रोधश्च जन्म तस्य रजोगुणात् ।
शत्रु: स हि महापापी सर्वथा क्षुधित: सदा ॥ 475

◎ **Shri Krishna :** *O Arjun! that inspiration comes from desire, which transforms into anger, which arises out of rajo-guna (ego). Desire is the enemy which is always hungry like a bottomless pit.*

(कामनाम्न: शत्रु:)
धूमेन चावृतो वह्नि:-दर्पणो रजसा यथा ।
उल्बेन छादितो गर्भो ज्ञानं कामेन चावृतम् ॥ 476

◎ **Desire :** *As the fire is covered with smoke, as the mirror is covered with dust, as the embryo is covered with placenta, so is Jnana (wisdom) covered with desires.*

अदृष्ट: स स्थितो देहे कामरूपी रिपुर्महान् ।
वह्निरिव सदाऽतृप्तो ज्ञानं दुष्यति ज्ञानिन: ॥ 477

◎ **And :** *This invincible enem,y in the form of desire, is hiding invisibly in the body. It is insatiable like fire. It burns the wisdom of a wise person.*

इन्द्रियाणि मनो बुद्धि:-अस्य सिंहासनं मतम् ।
राजयित्वा ततो ज्ञानं नरं दासं करोति स: ॥ 478

◎ **And :** *The organs and mind are its seats. The enemy in the form of desire, occupies these seats and rules over the body by making the man its slave.*

एष कामो महावैरी ज्ञानं बुद्धिं च वञ्चति ।
इन्द्रियाणि वशे कृत्वा कुरु नष्टमिमं रिपुम् ॥ 479

◎ **And :** *This desire is a formidable enemy. It deprives you of wisdom and righteous thinking, by controlling your senses and right thinking, O Arjun! defeat and destroy this enemy by controlling your organs.*

इन्द्रियाणि वराण्याहु:-वरं तेभ्यो मतं मन: ।
मनसश्च परा बुद्धि: स परमतमो मत: ॥ 480

◎ **And :** *The mind is superior to other ten organs. The thinking is superior to the mind. The atma is most superior.*

निगृह्य त्वं स्वमात्मानं बुद्धे: परतरश्च य: ।

कामरूपं महाशत्रुं पार्थ दुरासदं जहि ।। 481

◎ **And :** *Having controlled the self, which is superior to thinking, destroy the enemy that is in the form of desire.*

श्रीमद्-भगवद्-गीतायाश्चतुर्थोऽध्यायाय: ।

ज्ञान-कर्म-संन्यासयोग: ।

रत्नाकरी गीता

द्वादशस्तरंग:

16. Story of the Guru-disciple succession

गुरुशिष्यपरम्परानिरूपणम्

रत्नाकर उवाच ।

चक्रे स्वगात्रजान्ब्रह्मैकविंशति प्रजापतीन् ।

तेभ्यश्च भूतले सृष्टा: प्रजा: सर्वा यथा गति: ।। 482

◎ **Prajapati :** *In ancient time Brahma created twenty-one Prajapatis from his body. From the Prajapatis, the progenies of the living beings originated one-by-one during the course of time.*

कश्यप: कर्दमोऽत्रिश्च वसिष्ठश्चाङ्गिरा यम: ।

मरीचिर्विकृतो हेति: स्थाणुर्धर्मो भृगु: क्रतु: ।। 483

◎ **And :** *The twenty one Prajapatis are : Kashyap, Kardam, Yama, Sthanu, Angiras, Vasishtha, Marichi, Vikrit, Heti, Prachetas, Bhrigu, Praheti;*

(मनो: वंश:)

प्राचेता संस्त्रयो दक्ष: पुलस्त: पुलहस्तथा ।

शेषो नेमी प्रहेतिश्च कुमारौ नारदो मनु: ।। 484

◎ **And :** *Pracheta, Samsraya, Daksha, Pulasta, Pulaha, Shesha, Nemi, Praheti, two Ashvini Kumaras and Narad muni.*

सुपुत्रा द्वादशादित्या अदिते: कश्यपस्य च ।

तेषु मनुर्विवस्वान्स प्रसिद्ध: सूर्यसंज्ञया ।। 485

◎ **Manu Vivasvan :** *Kashyap and Aditi's twelve sons were Adityas (sons of Aditi). Among them Manu Vivasvan was known as Sun. The sun of Knowledge.*

संस्थापको हि योगस्य यज्ञस्य च प्रवर्तकः ।
वैवस्वतः सुतस्तस्य सूर्यवंशस्य दीपकः ।। 486

◎ **And :** *He was the founder of the Sun Dynasty of Ayodhya. He was the foremost teacher of the Yoga. He was the sun of knowledge.*

मनुर्वैवस्वतो धर्म्यो राजनीतिप्रचालकः ।
सुतस्तस्य स इक्ष्वाकुः-अयोध्याया नृपो महान् ।। 487

◎ **Ikshvaku :** *His son Vaivasvat was a righteous king of Ayodhya. Vaivasvata's son was Ikshavaku. Ikshavaku was the greatest king of Ayodhya.*

श्रीमद्भगवद्गीता चतुर्थोऽध्यायः

श्रीभगवानुवाच ।

(विवस्वतः आदियोगप्राप्तिः)

मया त्रेतायुगात्पूर्वं दत्तो योगो विवस्वते ।
योगं तमपठन्मूलं वैवस्वान्स विवस्वतः ।। 488

◎ **Yoga :** *I told the yoga to Vivasvan before the commencement of the Treta yuga. Vivasvan told it to his son Vaivasvan.*

योगं विवस्वतः प्राप्तम्-अव्ययं तं सनातनम् ।
वैवस्वान्स च पुत्रायेक्ष्वाकवे स्वयमब्रवीत् ।। 489

◎ **And :** *Manu Vaivasvan told the ancient and eternal yoga to his son Ikshavaku.*

(गरुशिष्यपरम्परा)

इक्ष्वाकुश्चः प्रजायै स मुनिभ्यस्तमपाठयत् ।
गुरवश्च ततो योगं गुरुकुलेष्वपाठयन् ।। 490

◎ **And :** *Ikshavaku taught the yoga to the royal sages, the royal sages taught it to the other sages and saints, The sages taught it to their students in their forest gurukul schools.*

(आदियोगस्य वृद्धिः)

ततस्ते गुरवो योगं तेषां छात्रानपाठयन् ।
गच्छन्परम्परामेवम्-अवर्धत्स युगे युगे ।। 491

◎ **And :** *The students taught that supreme yoga to their students and so on. It thus grew vigorously from generation to generations.*

(आदियोगस्य विस्मृतिः)

महता किन्तु कालेन योगः स भवसागरे ।
जननिरवधानेन शाश्वतो विस्मृतिं गतः ।। 492

◉ **However :** *However, with the passage of long time, the eternal yoga got forgotten by the people because of their negligence.*

(श्रीभगवानुवाच)
(तमेव योगं पुन:)

पुनर्वदामि योगं त्वाम् शाश्वतं तं सनातनम् ।
यत: सखा तथा स्नेही भक्तोऽसि मे त्वमर्जुन ।। 493

◉ **And :** *O Arjun! today I am telling you the same eternal yoga, because you are my friend as well as a dear devotee.*

योगो विवस्वते दत्तो गुह्यो दिव्यश्चिरन्तन: ।
अद्य ददाम्यहं तुभ्यं विश्वकल्याणकारणात् ।। 494

◉ **And :** *The yoga Lord Krishna gave to Manu Vivasvan in the ancient time is being given to Arjun for the benefit of the people in today's world.*

अर्जुन उवाच ।
(अर्जुनस्य पुन: संदेह:)

बुद्ध्वा कालानुसारेण कृष्णवाक्यमसङ्गतम् ।
मूढो मोहं समाहर्तुं पार्थ: कृष्णमुवाच स: ।। 495

◉ **And :** *Thinking Krishna's words to be inconsistant with the time, Arjun said :*

अद्यतनं हि ते जन्म पुराणं तु विवस्वत: ।
कथं विद्याम्यहं कृष्ण तस्मै त्वमददस्तदा ।। 496

◉ **Arjun :** *O Krishna! Vivasvan was born in ancient time and you are born recently, then how may I believe that you told this yoga to Vivasvan then?*

श्रीभगवानुवाच ।
(पुनर्जन्म)

सुष्ठु भणसि त्वं मह्यं स्वाभाविकं च भारत ।
अज्ञानकारणात्पार्थ प्रश्न एष त्वया कृत: ।। 497

◉ **Krishna :** *Krishna said, O Arjun! your doubt is reasonable because you are unaware of the facts.*

जन्मानि पार्थ सर्वेषां व्यतीतानि पुन: पुन: ।
वेद्मि सर्वाणि सर्वेषां न त्वं वेत्सि तवापि भो: ।। 498

◉ **And :** *I have taken many births so have you. I know all the births of everyone, but you don't know even one of yours.*

मायां स्वकामवष्टभ्य भूतले सम्भवामि च ।

परमात्माऽक्षरो भूत्वा भूतानि धारयाम्यहम् ।। 499

◎ **Divinity :** *With my divinity I appear on the earth and as a supreme soul, I bare all the beings of the earth.*

(अवतारस्य उद्देशः)

धर्मं हत्वा दृढोऽधर्मो भवेद्विघ्नो यदा यदा ।

सम्भवामि नरो भूत्वा पार्थ भूमौ तदा तदा ।। 500

◎ **The purpose :** *The purpose of my avatar (incarnation) on the earth is to remove adharma (unrighteousness) and re-establish Dharma, the righteous order on the earth.*

रक्षणाय च भद्राणां संहाराय दुरात्मनाम् ।

उत्थापनाय धर्मस्य सम्भवामि युगे युगे ।। 501

◎ **And :** *I appear on the earth from time to time in order to protect the righteous people and to eradicate the evil.*

रत्नाकरी गीता
त्रयोदशस्तरंगः

17. The Jnana Yoga
ज्ञानयोगनिरूपणम्

श्रीभगवानुवाच ।

(भगवतः प्राप्तिः)

यो जानाति रहस्यं मे दिव्यानां जन्मकर्मणाम् ।

गमनागमनं मुक्त्वा पादौ स लभते मम ।। 502

◎ **Bhagavan :** *He who knows the secreat in my divine deeds, he is freed from the cycle of rebirth and comes to my feet.*

रागं क्रोधं भयं हित्वा भक्तः स मत्परायणः ।

ज्ञानेन तपसा पूतो मद्भावमधिगच्छति ।। 503

◎ **And :** *He who is free from attachment and anger and is devoted to me, that austere person understands me.*

यो भजति यथा मां स उपार्जति फलं तथा ।

अनुसरन्ति पन्थानं ममैव सर्वदा जनाः ।। 504

◎ **And :** *As one worships me, so he receives the fruit. People follow my path in every way.*

स्पृहिणो ये च कुर्वन्ति यस्य देवस्य प्रार्थनाम् ।
प्राप्नुवन्ति जना अत्र कर्मणस्तस्य ते फलम् ।। 505

◎ **And :** *Whichever God people worship, they receive the fruit accordingly.*

(वर्णाश्रम:)

गुणकर्मानुसारेण चतुर्वर्णा मया कृता: ।
तेषां मां विद्धि कर्तारं त्वमकर्तारमव्ययम्[6] ।। 506

◎ **Varna :** *The four* *working classes* *(Varnas) of people are created by me based on the gunas (the three attributes) and the duties. O Arjun! even though I am the creator of the varna system (the system of four clesses of working people), know me to be akarta (not the doer) because the gunas are the doers of everything.*

कर्माणि मां न लिम्पन्ति न मेऽस्ति कर्मणां स्पृहा ।
ज्ञातमेतद्रहस्यं मे तेन मुक्तिरवाप्यते ।। 507

◎ **And :** *Neither I have desire nor attachment with the karmas (deeds). He who knows this secret, attains liberation.*

एतज्ज्ञात्वा हि कर्माणि कृतानि च मुमुक्षुभि: ।
तथैव कुरु कर्माणि यथा यथा कृतानि तै: ।। 508

◎ **And :** *Knowing this secret, the wise men have done the karmas (duties) and attained heaven. O Arjun! do the karmas as they did in the past.*

ज्ञानिनोऽपि सखे भ्रान्ता: कर्म च किमकर्म किम् ।
धर्मं तं ते प्रवक्ष्यामि यज्ज्ञात्वा त्वं विमोक्ष्यसे ।। 509

◎ **And :** *Even the wise men are confused about what karma (doing something) is and what akarma (not doing that thing) is. I shall explain you that wisdom, knowing which you will be free from ignorance.*

(कर्म विकर्म अकर्म ज्ञानी योगी च)

कर्म विकर्म चाकर्म किं कृत्स्नं ज्ञातुमर्हसि ।
जानीहि त्वं गतिं पार्थ कर्मणो गहना हि या ।। 510

◎ **Krishna :** *You must know what karma, akarma and vikarma is. O Arjun! the scope of karma is vast.*

यत: सर्वा: क्रिया: पार्थ कर्माणि भणितानि वै ।
अकर्मण: क्रिया चापि कर्मैव गदिता सदा ।। 511

---

[6] तेषां मां विद्धि कर्तारं त्वमकर्तारमव्ययम् = तेषां कर्तारं मां विद्धि त्वं अकर्तारम् अव्ययम्

◎ **Definations** : *O Arjun! as every deed is called a karma, the deed of not doing it, is also a karma. Therefore, akarma is also a karma.*

कर्मण्यकर्म पश्येद्यो तथाऽकर्मणि कर्म यः ।
स हि ज्ञानी, स योगी च कर्माकर्म च वेत्ति सः ।। 512

◎ **Thus** : *He who sees karma in akarma and akarma in karma, he is a wise person as well as a yogi. He understands what is karma and what akarma is.*

(स्वकार्यम् अकार्यं स्वधर्मः अधर्मः च)

स्वकार्यं वेत्ति धर्मं यो धर्मं कार्यं च मन्यते ।
स हि ज्ञानी च योगी च स्वकर्म धर्मवद्धि तम् ।। 513

◎ **And** : *He who considers his duty as his Dharma and the Dharma as his duty, he is a wise person and he is a yogi. He knows what duty is and what Dharma is.*

उद्यमा निरपेक्षाश्च यस्य सङ्कल्पवर्जिताः ।
पण्डितमिति तं सर्वे वदन्ति योगिनं बुधाः ।। 514

◎ **And** : *He whose undertakings are without any desire for fruit. He who is without expectations. That person is called Pundit by the knower of yoga.*

निःस्पृहो नित्यतृप्तश्च निर्ममश्च निराश्रितः ।
कृत्वाऽपि सर्वकर्माणि सोऽकर्तृवद्धि शोभते ।। 515

◎ **And** : *He who is always non-covetous, contented, selfless and independent, that person appears as if he is not doing anything even when he does everything.*

निराशी च निराधारो वाञ्छां त्यक्त्वा करोति यः ।
कृत्वाऽपि देहमात्रेण निष्पापो वर्तते सदा ।। 516

◎ **And** : *He who is indifferent and self-dependent. He who acts without desire for its fruit. He acts only through body. He is sinless.*

विरक्तो द्वन्द्वभावेभ्यो यत्प्राप्तं तत्सुखावहम् ।
लाभालाभौ समौ बुद्ध्वा निरासक्तः स कर्मसु ।। 517

◎ **And** : *He who is indifferent to the dualities. He who is happy with whatever comes to him. He who treats gain and loss same. He is unattached to the karmas.*

(यज्ञविविधता)

सर्वस्पर्शेषु निस्सङ्गो ज्ञानयोगे सदा स्थितः ।
कृत्वा यागनिमित्तेन कर्म कृत्स्नं प्रलीयते ।। 518

◎ **And :** *He who is unaffected by external sensations. He who is engaged in Jnana yoga (yoga of the knowledge that gunas are the doer, I am not the doer). He who acts in the spirit of austerity. Being a non-doer, his karmas dissolve themselves.*

रत्नाकरी गीता
चतुर्दशस्तरंगः

18. Diversity of the Yajnas
यज्ञविविधतानिरूपणम्

श्रीभगवानुवाच ।

अग्निर्ब्रह्म क्रतुर्ब्रह्म चाहुतिर्ब्रह्म ब्रह्मणि ।

ब्रह्मैव यस्य कर्माणि ब्रह्म स ह्यधिगच्छति ।। 519

◎ **Brahma :** *The fire of yajna (austerity) is Brahma. The yajna is Brahma. The oblation is Brahma. He for whom the karma is Brahma, he attains Brahma.*

केचिद्योगिजना यज्ञं कुर्वन्ति दैवरूपिणम् ।

जुह्वति यज्ञमन्ये च ब्रह्माग्नौ यज्ञपण्डिताः ।। 520

◎ **Yogi :** *For some yogis, the divinity is yajna. Some other learned yogis offer fire of yajna to Brahma.*

संयमाग्नौ च गात्राणि जुह्वति योगिनोऽपरे ।

विषयानिन्द्रियाग्नेस्ते यज्ञे जुह्वति योगिनः ।। 521

◎ **And :** *Some yogis offer their organs in the yajna (austerity) of self control. Some other yogis offer their passions in the yagna of self control.*

नैके योगीजनाः प्राणं यज्ञे तपन्ति कर्मणा ।

मनः संयमितं कृत्वा ज्ञानज्योतिश्च जाग्रति ।। 522

◎ **And :** *Many yogis offer regulation of their breath in the yajna of self control. Some other yogis ignite flame of knowledge by controlling their mind.*

केचिच्च द्रव्यदानेन यज्ञं कुर्वन्ति दानिनः ।

स्वाध्यायप्रेमिणो यज्ञं व्रतैः कुर्वन्ति ज्ञानिनः ।। 523

◎ **And :** *Some yogis offer their possessions in the yagna (austerity) of self control. Other lovers of the scriptures take severe vows as yagna (austerity).*

इतरे योगिनः प्राणम्-अपाने नाम जुह्वति ।

प्राणापानगती रुद्ध्वा प्राणायामे गता रताः ।। 524

◎ **And :** *Some other yogis regulate their in-breath and out-breath as a yoga (austerity).*

कश्चिद्योगी मिताहारी प्राणं प्राणे युनाति च ।

अनघो यागज्ञाता स पापं यज्ञे जुहोति च ।। 525

◎ **And :** *Some moderate eaters unite their breaths. Those pure knower of yajna offer their sins (akarmas) in the fire of yajna (austerity).*

अश्नन्ति यज्ञशेषान्नं ब्रह्म गच्छन्ति ते जनाः ।

अयज्ञा न तरन्तीह तर्हि परत्र ते कथम् ।। 526

◎ **And :** *Those who prtake the left over of a yajna (austerity), they attain Brahma (the Supreme). Those who do not perform yajna or those who are not austere, they do not even fit in this world, then how would they fit in the next one.*

एवं ये विविधा यज्ञाः प्रचलिताः श्रुतेर्मुखात् ।

बुद्ध्वा तान्कर्मणां मूलं परन्तप विमोक्ष्यसे ।। 527

◎ **And :** *Various yajnas (austerities) are classified in this manner in the Vedas. Knowing them to be the roots of karmas, O Arjun! you will be liberated.*

(ज्ञानर्जनम्)

ज्ञानयज्ञः सदा श्रेयो द्रव्ययज्ञात्परन्तप ।

समग्रं कर्म ज्ञाने हि यथार्थेन समाप्यते ।। 528

◎ **And :** *The charity of jnana (wisdom) is always superior to the charity of wealth. Because, all karmas (righteous deeds) in essence culminate into jnana.*

साष्टाङ्गप्रणिपातेन प्रश्नान्पृष्ट्वा च सेवया ।

उपदेक्ष्यन्ति विद्वांसः–तुभ्यं ज्ञानस्य वार्तिकम् ।। 529

◎ **And :** *Sitting at the feet of the mentor and being at his service, if you ask the right questions, he will give you the proper advice. He will impart the right knowledge (wisdom) to you.*

(ज्ञानप्रभावः)

न यास्यसि पुनर्मोहम्–एवं ज्ञात्वा त्वमर्जुन ।

विशुद्धेन विवेकेन तटस्थः सर्वप्राणिषु ।। 530

◎ **And :** *Having earned that wisdom, you will not fall in delusion. O Arjun! you will be indifferent to all beings with your pure heart.*

असि चेत्त्वं महापापः सर्वपापेषु भारत ।

आदाय ज्ञाननावं त्वं भवसिन्धुं तरिष्यसि ।। 531

◎ **And :** *O Arjun! even if you think you are the most sinful person, even then, having earned this wisdom, you will cross over the worldly ocean safely.*

(ज्ञानस्य परमपूज्यता)

यथा हि पावको दीप्तो भस्मसात्कुरुते वनम् ।
अज्ञानं भस्मसात्पार्थ ज्ञानाग्नि: कुरुते तथा ।। 532

◎ **Wisdom :** *Just as the blazing fire burns down a forest to ashes, so does the fire of knowledge burns down the jungle of ignorance.*

साधनं नास्ति कुत्रापि ज्ञानाच्छ्रेष्ठं सहायकम् ।
स्वयं प्राप्नोति तज्ज्ञानं योगी तस्माद्यथा गति: ।। 533

◎ **And :** *There is no better helper than the knowledge. The Jnana yogi attains this knowledge in due course.*

(अज्ञानप्रभाव:)

ज्ञानं विन्दति भक्त: स य: श्रद्धालुश्च संयत: ।
ज्ञानी ज्ञानमिदं प्राप्य शान्तिमृच्छति नैष्ठिकीम् ।। 534

◎ **And :** *This knowledge comes to that sincere devotee who is faithful and self controlled. Having acquired this knowledge, the yogi attains ever lasting peace.*

संशयी नास्तिको मूढो नरो नश्यति निश्चितम् ।
हित्वाऽयं च परं लोकं प्रसादेभ्यश्च वञ्चित: ।। 535

◎ **And :** *A skeptical, atheist and deluded person perishes certainly. He has no place in this world nor in the next world.*

योगशक्त्या त्यजेत्कामं तथा ज्ञानेन संशयम् ।
आत्मपरायणो योगी कर्मपाशैर्न बध्यते ।। 536

◎ **And :** *He who relinquishes desires with yogic power and removes doubt with wisdom, that self dependent person does not get bound by karma.*

ज्ञानशस्त्रेण युक्तस्त्वं मनसा गतसंशय: ।
उत्तिष्ठ पार्थ सन्नद्धो भूत्वा योगाश्रयी सखे ।। 537

◎ **And :** *Equipped with the weapon of wisdom, removing the doubt from your mind, O Arjun! get up and be prepared to abide by yoga.*

श्रीमद्-भगवद्-गीतायाः पञ्चमोऽध्यायः।
कर्म-संन्यासयोगः ।

रत्नाकरी गीता
पञ्चदशस्तरंगः

19. Renunciation of Authorship of Karma
कर्तृपदसंन्यासनिरूपणम्

श्रीमद्भगवद्गीता पञ्चमोऽध्यायः ।

अर्जुन उवाच ।

(अर्जुनस्य पुनस्सन्देहः)

शंससि कर्मन्यासं त्वं कर्मयोगं ततः प्रभो ।
एकमेवैतयोः श्रेयो यत्स्याद्ब्रूहि सुनिश्चितम् ।। 538

◎ **Arjun :** *Arjun said, O Krishna! you say Karma yoga is superior then you say Jnana yoga is superior. Could you please tell me just one that is better for me.*

श्रीभगवानुवाच ।

(योगः संन्यासात् श्रैष्ठः)

ज्ञानमार्गो महाबाहो योगश्च हितकारकः ।
उभयोर्हि समौ लाभौ कर्मयोगो वरो मतः ।। 539

◎ **Krishna :** *Krishna said, O Arjun! the Jnana yoga is certainly beneficial, but Karma yoga is better. You get the same result by following either of the two yogas.*

यद्ध्येयं ज्ञानमार्गस्य बुद्धिमार्गस्य चैव तत् ।
जानाति कर्मयोगं यो चिन्ता विघ्नो न तस्य वै ।। 540

◎ **And :** *The aim of Jnana yoga (see the footnote)*[7] *is same as that of Buddhi yoga. But the Nishkam Karma yoga is the best. He who knows Karma yoga, he has no worry nor any obstacle.*

---

[7] **The Six Yogas of the Gita :** *When you perform a duty without expecting its fruit, you are doing* ***Karma yoga****. When you do the same duty without expecting its authorship, you are doing* ***Jnana yoga****. Knowing that atma is immutable and body is mutable is* ***Sankhya yoga****. Performing a duty with equanimity of mind, being indifferent to loss or gain, is* ***Buddhi yoga****. Doing a duty with faith in the*

(ज्ञानबुद्धिकर्मयोगत्रयम्)

एकं हि मूलरूपेण बिल्वपत्रत्रयं यथा ।
एकश्च ध्येयरूपेण तथा योगपथत्रयम् ॥ 541

◉ **And :** *The aim of the Jnana yoga is same as the Buddhi yoga. Doing the Karma yoga, you earn the benefits of all the three yogas. As the tri-lobed leaf of the Elephant-apple (Bel) tree is actually a single leaf, so the aims of Jnana yoga, Buddhi yoga and Karma yoga are all one and the same yoga.*

(नित्यसंन्यासी)

ज्ञात: स 'नित्यसंन्यासी' द्वेषो वाञ्छा न वा क्षति: ।
द्वन्द्वभावादतीत: स कर्मबन्धात्प्रमुच्यते ॥ 542

◉ **Nitya-sanyasi :** *He is called a Nitya-sanyasi, who is free from jealousy, desires and anger. Being indifferent to the dualities, he is not bound by karma.*

(अपृथक् सांख्ययोगौ)

साङ्ख्ययोगौ पथौ भिन्नौ ब्रूते मूढो न पण्डित: ।
पथमेकतरं गत्वा स प्राप्नोत्युभयो: फलम् ॥ 543

◉ **Sankhya and Karma Yoga :** *The ignorant people say Sankhya yoga and Karma yoga are two different yogas, but not the wise people. Because, the wise people know that following either path, you achieve the fruits of the both yogas.*

स्थानं प्राप्नोति यज्ज्ञानी योगिना लभ्यते च तत् ।
सांख्ययोगौ समौ यस्मै तथ्यं जानाति सर्वथा ॥ 544

◉ **And :** *The place attained by the followers of the Sankhya yoga is attained by the followers of Karma yoga also. He who thinks these two yogas are indifferent, he knows the truth.*

(योगाचरणम्)

सिद्धि: क्लिष्टा विनायोगं संन्यसनस्य ज्ञानिने ।
अक्लिष्टा ब्रह्मसिद्धिश्च कर्मयोगस्य ध्यानिने ॥ 545

◉ **Practice of Yoga :** *Without discipline it is difficult for a yogi to attain success in yoga. It is easier to attain Brahma (the Supreme) for a Karma yogi.*

योगयुक्तं मनो यस्य विशुद्धा च मतिस्तथा ।
भूतमात्रेषु सम्बद्ध: स कर्मसु न बद्धते ॥ 546

◉ **And :** *He whose mind is pure and thinking is cleansed, he who has equanimity for all beings, he is not bound by karma.*

---

name of the Lord is <u>**Bhakti yoga**</u>*. The one pointed practice of attaining the aim is* <u>***Abhyasa yoga***</u>*.*

(कर्तृपदन्यासः साङ्ख्यः)

नहि किञ्चित्करोमीति मया च कर्म कार्यते ।

पश्यति तत्त्वमेवं यो योगं सम्यक्स बोधति ।। 547

◎ **Jnana yogi : *He who thinks that I am not the doer of anything but the things are done by me, (through my gunas) he understands the Jnana yoga*** *properly.*

इत्थं तदनुसारं यः पश्यन्गाच्छन्स्वपन्श्वसन् ।

अश्नन्पिबन्स्पृशञ्जिघ्रन्-सर्वं कुर्वन्स वर्तते ।। 548

◎ **And :** *While seeing, walking, sleeping, breathing, eating, drinking, touching and smelling, he thinks that, " these are done by me bodily through my gunas (three attributes)."*

कुर्वन्स सर्वमेवापि तत्त्वविन्मन्यते सदा ।

करोम्यहं न कर्माणि देहेनैव कृतानि वै ।। 549

◎ **And :** *While doing everything the wise person thinks that everything is done by my body, not by me.*

ब्रह्मार्पणं सदा तस्य निष्कामकर्म वर्तते ।

पापानि तं न लिम्पन्ति नीरजं न जलं यथा ।। 550

◎ **And :** *He whose everything is offered to Brahma (the Supreme) and he who does everything selflessly. To him the sins do not touch, as the water does not touch the lotus leaf.*

(युक्तयोगी च अयुक्तयोगी च)

योगी सर्वाणि कर्माणि केवलैरिन्द्रियैः सदा ।

आत्मनः शुद्धये सर्वं सङ्गं त्यक्त्वा करोति वै ।। 551

◎ **And :** *The yogi does everything by body, without any attachment to karma. He acts for the purification of himself.*

युक्तः स शान्तिमाप्नोति फलाशारहितो यतिः ।

अयुक्तो बध्यते धृत्वा मनसि फलकामनाम् ।। 552

◎ **And :** *The yogi attains peace, by keeping aside desire in the fruit of karma. The person who is not a yogi, he does things for the fruit of his karma.*

जितेन्द्रियस्य साक्षी च देही स देहधारिणः ।

नवद्वारान्विते देहे निवसति सुखेन हि ।। 553

◎ **And :** *The atma of the self-controlled person is just a witness. The atma lives happily in the house called the body which has nine gates.*

(गुणाः कर्तारः)

न करोतीश्वरः कर्म न कर्तृत्वं न वा फलम् ।

कर्माण्येतानि सर्वाणि कारयन्ते गुणैः सदा ।। 554

◎ **Gunas are the doers :** *God does not do your karmas (deeds), nor the doer-ship nor the fruit thereof. The three gunas (the three attributes) of the nature make you do all these things.*

(ज्ञानप्रभावः)

न जातु कारणं देवः कस्यचित्पापपुण्ययोः ।

अज्ञानेनावृता बुद्धिः प्राणिनः पापकारणम् ।। 555

◎ **Wisdom :** *God is not the reason for sin nor for the merit for anyone. The thinking covered with ignorance causes you to commit the sins.*

अज्ञानं निर्गतं यस्य ज्ञानेन तमसात्मकम् ।

प्रदीप्तं तस्य तज्ज्ञानं ददाति तत्त्वदर्शनम् ।। 556

◎ **And :** *He whose darkness of ignorance is removed with the lamp of knowledge, the bright wisdom of that person reveals him the Brahma.*

रत्नाकरी गीता
षोडशस्तरंगः

20. The Divine Wealth
ब्रह्मसम्पन्निरूपणम्

श्रीभगवानुवाच ।

ब्रह्मैव जीवनं यस्य प्रतिभा ब्रह्मरूपिणी ।

ब्रह्मणि यस्य ध्यानञ्च ब्रह्मनिष्ठा च भावना ।। 557

◎ **And :** *He whose life is Brahma. He whose halo is like Brahma. He who meditates on Brahma. He who has faith in Brahma;*

ब्रह्मज्ञानं स प्राप्नोति ब्रह्मयुक्तेन चेतसा ।

ज्ञानेनैतेन निष्पापो भवबन्धाद्विमुच्यते ।। 558

◎ **And :** *With his mind focused on Brahma (the Supreme), he attains Brahma. Thus cleansed with this knowledge and freed from all sins, he is freed from the worldly bondages.*

(बुद्धेः प्रभावः)

विद्याविनयसम्पन्नं द्विजं शूद्रं गजं शुनिम् ।

ज्ञानी समं सदा पश्येत्–नरं नारीं च सर्वथा ।। 559

◎ **And :** *He who is equipped with wisdom and humility, he treats Brahmana, Shudra, elephant, dog, man and woman with equanimity.*

विजितं जन्म तेनेह साम्ये स्थिरेण चेतसा ।
अकलुषे समे तस्य स्थानं ब्रह्मणि सर्वदा ।। 560

◎ **And :** *By keeping equanimity of mind, he has won the purpose of his life in this world. He has earned a place in the pure and spotless Brahma for ever.*

(स्थिरमते: सिद्धिप्राप्ति:)

न च हर्ष: प्रिये यस्य दु:खं खेदो न चाप्रिये ।
स्थिरबुद्धिर्मतो योगी ब्रह्मज्ञाने रत: सदा ।। 561

◎ **Success :** *He who is not excited with something that is pleasant and who is not sad with the things unpleasant. That person of stable mind is always engaged in knowing Brahma (the Supreme).*

बाह्यसुखेषु निर्लिप्त: शान्तियुक्त: स चेतसा ।
ब्रह्मयुक्तो महात्मा स परमं सुखमश्नुते ।। 562

◎ **And :** *He who is unaffected with the external contacts. He whose mind is peaceful, he who is united with Brahma (the Supreme), he enjoys ever lasting peace.*

भोगा मूलं हि दु:खानां बाह्यस्पर्शैर्भवन्ति ते ।
आगच्छन्ति च गच्छन्ति विद्वान्न जुषते तत: ।। 563

◎ **And :** *The pleasures are the root of sorrow that comes through external contacts. These senses come and they go. The wise person does not get indulged in them.*

कामक्रोधोद्भवं वेगं सोढुं शक्नोति यो नर: ।
युक्त: स एव मन्तव्यो, नरश्चिरसुखे हि स: ।। 564

◎ **And :** *The stable minded person who can endure the emotions of passion and anger, he ought to be called a Yukta (equipped with yoga) person. He has everlasting peace.*

अन्तर्ज्योति: स्वधा यस्य योऽन्तस्सुखी च सर्वथा ।
ब्रह्मयुक्तस्तदाकार: प्राप्नोति सद्गतिं तत: ।। 565

◎ **And :** *He whose internal flame is steady. He who has internal happiness. He who is in unison with Brahma (the Supreme), he attains supreme state.*

जनहिते रतो नित्यो द्वन्द्वविरहित: सदा ।
अनघ: समबुद्धिर्यो ब्रह्म तस्यैव वैभवम् ।। 566

◎ **Divine wealth :** *He who is engaged in service to others. He who is indifferent to dualities. He who has equanimity and purity. Brahma (the Supreme) is his divine wealth.*

(नित्यनर:)

क्रोधविरहितो नित्यो शान्तियुक्तश्च संयत: ।
मय्यर्पितं मनो यस्य ब्रह्म तस्यैव वैभवम् ।। 567

◎ **And** : *He who is free from anger. He who is disciplined. He who is peaceful. He who is self-controlled. He who has devoted his mind to me. Brahma (the Supreme) is his divine wealth.*

रागविरहितो नित्य: कामविवर्जितश्च य: ।
ज्ञानार्जितश्च ध्यानी यो ब्रह्म तस्यैव वैभवम् ।। 568

◎ **And** : *He who is free from attachments and passions. He who is wise. He who meditates. Brahma (the Supreme) is his divine wealth.*

(मुक्ते: उपाय:)

बाह्यस्पर्शान्बहिष्कृत्वा चक्षुषी च भ्रुवो: स्थिरे ।
प्राणापानौ समौ धृत्वा नासिकयो: समान्तरौ ।। 569

◎ **And** : *Keeping the external contacts away. Keeping the focus between the two eyebrows. Making the in-breath and the out-breath equal in the two nostrils;*

इन्द्रियाणि मनो बुद्धिं वशे कृत्वा यतिर्मुनि: ।
वीतरागो भयातीत: सिद्धिं याति परायण: ।। 570

◎ **And** : *The yogi should keep his ten organs and mind under his control. He should be fearless and self-controlled. Such yogi attains success.*

यो मां जानाति युक्तात्मा भोक्तारं तपयज्ञयो: ।
धातारं सर्वभूतानां मुक्तिं गच्छति मत्पर: ।। 571

◎ **And** : *The equipped person who knows me, the enjoyer of austerities and meditation and bearer of all beings, he attains liberation.*

वन्दे दामोदरम्

स्थायी

वन्दे दामोदरं मुकुन्दम्, आनन्दकन्दं करुणाकरम् ।
नन्दनन्दनं चित्तरञ्जनं, वन्दे रत्नाकरम् ।।

अंतरा–1

सागरतरणं भवभयहरणं, अविरतस्मरणं चिरसुखकरणम् ।
सदयं हृदयं सच्चिदानन्दं, वन्दे पद्माकरम् ।।

अंतरा–2

मंगलवदनं सुन्दरनयनं, मयूरमुकुटं कमलचरणम् ।
अमलं विमलं शशिरविनेत्रं, वन्दे मुरलीधरम् ।।

अंतरा–3

नन्दकिशोरं राधारमणं, श्याममाधवं हरिहरकृष्णम् ।
परमं पुरुषं विश्वतोमुखं, वन्दे योगेश्वरम् ।।

◎ **Obeisance to Damodar : Sthāyī :** I pray to Shrī Krishna, the Damodara, Mukunda (a jewel), Anandkanda (Joy giver), Karunakara (Giver of Mervy), Nand-nandana (Son of Nanda), Chittaranjana (who pleases the mind), Ratnakar (Ocean of jewels). **Antarā : 1.** I pray to Sagara-tarana (the Boat), Bhava-bhaya-harana (Remover of the worldly fears), Avirata-smarana (Worth always remembering), Chira-sukha-karana (Giver of the everlasting peace), Sadaya-hridaya (Merciful hearted), Sachchidananda (Giver of pece and joy to the heart), Padmakara (Bearer of the lotus). **2.** I pray to Mangala-vadana (Auspicious face), Sundara-nayana (with beautiful eyes), Mayura-mukuta (wearing peacock crown), Kamala-charana (with feet like lotus), Amala (Pure), Vimala (Spotless), Shashi-ravi-netra (with eyes like sun and moom), Murlidhara (Bearer of the flute). **3.** I pray to Nand-kishora (Nanda's lad), Radha-ramana (Joy of Radha), Shyama (with brown complexion), Madhava (Husband of Lakshmi), Harihara (Vishnu), parama-purusha (Supreme Person), Vishvatomukha (Omniscient), Yogeshvara (Lord of the yoga).

श्रीमद्-भगवद्-गीतायाः षष्ठोऽध्यायः ।
आत्म-संयमयोगः ।

रत्नाकरी गीता
सप्तदशस्तरंगः

21. Self Restraint
आत्मसंयमनिरूपणम्

श्रीभगवानुवाच ।
(संन्यासयोगयोः साम्यत्वम्)
आशां फलस्य त्यक्त्वा हि करणं नियतस्य यत् ।
व्याख्या सा कर्मयोगस्य संन्यासस्य च वर्णनम् ।। 572

◎ **Sanyasa-yoga :** *Doing your prescribed duty without the desire for its fruit or its doership/authorship is Sanyasa. It is also Karma yoga.*

अक्रियो निष्क्रियश्चैव निर्यज्ञश्च फलेच्छुकः ।
न स ज्ञानी न योगी च सोऽज्ञानी साङ्ख्ययोगयोः ।। 573

◎ **And :** *He who does not do his duty, who is inactive, who desires fruit for his deeds, he is neither a wise person nor a yogi. He neither knows Jnana yoga, nor Sankhya yoga, nor Karma yoga.*

संन्यास इति यो ज्ञातो योगः स एव भारत ।
विना संन्याससङ्कल्पं कृतो योगो निरर्थकः ।। 574

◎ **And :** *O Arjun! the yoga that is called Sanyasa yoga, is Jnana yoga also. Without the resolve of sacrifice, the yoga is meaningless.*

विलासिता-छन्दः

ऽ ऽ ऽ, ऽ । ।, । । ऽ, ऽ

संन्यासयोगौ

यं सन्यासं वदति स ज्ञानी ।
योगः कार्यः स च समबुद्ध्या ।। 1
कुर्वन्कर्मापि भवति योगः ।
त्यक्त्वा सर्वं न चलति यात्रा ।। 2

◎ **Sanyasa and Yoga :** *What is called as Sanyasa by the wise men, must be performed with equanimity of mind. While carrying on your daily life you can perform yoga. Without doing karma (prescribed duty) the journey of your life will not be successful.*

भुजङ्गप्रयात-छन्दः

। ऽ ऽ, । ऽ ऽ, । ऽ ऽ, । ऽ ऽ

कर्मबुद्धियोगौ

विना कामनां कर्म सर्वञ्च कृत्वा ।
सदा लाभहानी समाने च मत्वा ।। 1
स निष्कामकार्यैर्भवेत्कर्मयोगः ।
स एवास्ति ज्ञातो बुधैर्बुद्धियोगः ।। 2

◎ **Karma and Buddhi Yogas :** *Doing duty without any desire for benefit from it, while being indifferent to loss or gain, is Nishkam Karma yoga (Selfless yoga). Performed with equanimity of mind, it is also called Buddhi yoga (of equanimous thinking) by the wise men.*

(श्रीभगवानुवाच)

(योगसाधनायाः साधनं च कारणं च)

उच्यते साधनं कर्म कर्तुं योगस्य साधनाम् ।

योगिनो योगसिद्धस्य चित्तशान्तिश्च कारणम् ।। 575

◎ **Krishna :** *Karma (righteous deed) is the means to accomplish success in yoga. Peace of mind is the reason for the success of the yogi in performing yoga (of equanimous thinking).*

(योगारूढः योगी)

कर्मसु यो निरासक्तो विषयेभ्यस्तटस्थता ।

सङ्कल्पेभ्यो विमुक्तो यो 'योगारूढः' स उच्यते ।। 576

(योगारूढ़ योगी)

◎ **Accomplished yogi :** *The yogi who is not attached to his karmas and who is indifferent to passions, he who is freed from vows, is an "accomplished" yogi.*

उद्धरेत्स्वयमात्मानं न चात्मानं स्वयं हतात् ।

मनुष्व मित्रमात्मानं नोचेदात्मा भवद्रिपुः ।। 577

◎ **Self uplift :** *One should uplift himself. One should not obstruct his own progress. Think yourself as your own friend or else you will be your own enemy.*

(आत्मोद्धारः)

(अनुप्रासः)

आरक्षेदात्मनाऽऽत्मानमात्मैवात्मानमात्मकः ।

आत्माऽऽत्मनाऽवसन्नोऽप्यपकृतात्माऽरिरात्मनः ।। 578

◎ **And :** *One should protect himself. You alone can do your self-control. One who can not control himself is the enemy of himself.*

(समबुद्धिः)

सुखे दुःखे तटस्थो यः–तथा मानापमानयोः ।

शान्तचेतो मनोजेता समबुद्धिश्च सर्वथा ।। 579

◎ **And :** *He who is indifferent to happiness and sorrow as well as praise and criticism. That person of peaceful mind and winner of his own heart, is always equanimous.*

(युक्तः)

शास्त्रयुक्तश्च ज्ञानेन शान्तमनो जितेन्द्रियः ।

अश्मस्वर्णे समे यस्मै योगी 'युक्तः' स उच्यते ।। 580

◎ **United :** *He who is equipped with knowledge of scriptures. He who is peaceful and self-controlled. He who is indifferent to gold and a rock, is of supreme nature.*

स्नेहिवैरितटस्थेषु पातकिसाधुबन्धुषु ।
सर्वभूतेषु यो योगी समबुद्धिर्विशिष्यते ।। **581**

◎ **And :** *He who is indifferent to one who calls him a friend or an enemy, he who is indifferent to sinner, saint, relative and all beings, that person excels.*

(योगोपासना)

सर्वेन्द्रियाणि संयम्य लिप्सानां न वशी भवेत् ।
योगी रहसि मौनेन सुचिन्तयेन्निरन्तरम् ।। **582**

◎ **And :** *Keeping body and mind under control. Keeping desires away from mind. The yogi should sit quietly alone and focus on a good thought.*

अवेक्ष्य च शुचिं स्थानं नातिनीचं न चोच्छ्रितम् ।
कुशदर्भं च विस्तीर्य तत ऊर्ध्वं मृगत्वचाम् ।। **583**

◎ **And :** *Choosing a clean place, neither too high nor too low. Spreading Kush grass and deer skin over it;*

शुभ्रं वस्त्रं ततः स्तृत्वा पीठं योगाय स्थापयेत् ।
उपविश्यासने तस्मिन्-ध्यायेत्प्रशान्तचेतसा ।। **584**

◎ **And :** *And then covering the deer skin with a clean white cloth, prepare a steady seat. Sitting on that seat, the yogi should meditate with tranquil mind.*

ध्यायन्नेकाग्रचित्तेन योगी मनो वशे नयेत् ।
पूतेन हृदयेनैवं स कुर्यादात्मशोधनम् ।। **585**

◎ **And :** *With one pointed focus, the yogi should concentrate and keep his mind under his control. With pure heart, then he should meditate on himself.*

(युक्तयोगिनः आचरणम्)

ब्रह्मचर्ये मनो नित्यं निर्भयं निर्मलं तथा ।
संयतं सम्मतं मुग्धं मत्परं च युतं मयि ।। **586**

◎ **And :** *With chastity, fearlessness, purity and self control he should engross himself in me alone.*

एवं नियमितं चित्तं योगिनो यस्य सर्वदा ।
योगी प्राप्नोति शान्तिं तां दैवीं चिरां स्थिरां मयि ।। **587**

◎ **And :** *Always meditating in this manner, the yogi attains supreme peace that is everlasting in me.*

(योगी कः)

नरो मतो न योगी यो घस्मरः क्षुधितः सदा ।
पेचक इव जागर्ति निद्रालुः कुम्भकर्णवत् ।। **588**

◎ **Yogi :** *He is not a yogi who eats too much or who stays hungry, or who sleeps all day like the Kumbhakarna or who stays up all night like an owl.*

योगी स यो मिताहारी मितनिद्रश्च जागृकः ।
मितो यस्य विहारश्च योगस्तस्य हि दुःखहा ।। 589

◎ **And :** *He is a yogi who eats moderately, sleeps moderately, moves about moderately.*

जितेन्द्रियो यतात्मा च वासनाभ्यो विवर्जितः ।
योगी नियतचित्तः स 'युक्त' इत्युच्यते बुधैः ।। 590

◎ **Equipped :** *He whose eleven organs are under control, desires are under control and who is disciplined in yoga, is an "Equipped" person.*

(दृष्टान्तः)

निर्वाते नेङ्गते ज्योतिः-यथा दीपस्य निश्चला ।
उपमा शोभते सा च योगिनं शान्तचेतसम् ।। 591

◎ **A simile :** *As the lamp burns calmly where the air is quiet, that simile befits a yogi of tranquil mind.*

(योगस्थितिः)

योगे विलीयते चित्तं विषयाभिमुखं यदा ।
आत्माऽऽत्मनि प्रसन्नः स आत्माऽऽत्मन्येव तिष्ठति ।। 592

◎ **Yogi :** *When the mind is engaged in yoga, away from passions, then that happy soul stays steady within himself.*

आनन्दो बुद्धिगम्यो यो देहातीतश्च यो मतः ।
रममाणश्च तस्मिन्स न पतति पुनस्ततः ।। 593

◎ **And :** *The joy that is achievable by mind, that is beyond the physical body, being engaged in that, the person does not have downfall.*

यस्मिन्स्थितौ स दुःखानि सहते निर्भयो नरः ।
तां स्थितिं प्राप्य तस्माद्धि श्रेयस्तरं न विद्यते ।। 594

◎ **Yoga :** *The state in which a person faces sorrows with courage, attaining that state there remains no superior state.*

स्थैर्येण वर्तनीया सा तटस्थतां ददाति या ।
दुःखहीना च स्वाधीना स्थितिः सा 'योग' उच्यते ।। 595

◎ **And :** *One must achieve that state with courage. That painless and independent state is called yoga.*

अथ योगानुशासनम्

स्थायी

चित्तवृत्तिनिरोधो हि ज्ञातं योगानुसाधनम् ।
स्वरूपसमवस्थानम् । अथ योगानुशासनम् ।।

अंतरा–1

निर्ममता च निष्कामो निग्रहश्च तटस्थता ।
क्लेशो न क्लिष्टकार्येषु न प्रीति: प्रियकर्मसु ।। 1
इति योगस्य पालनम् । मतं योगानुशासनम् ।।

अंतरा–2

समं सुखञ्च दु:खञ्च लाभालाभौ जयाजयौ ।
समत्वं शत्रुमित्रेषु तथा मानापमानयो: ।। 2
इति योगस्य लक्षणम् । मतं योगानुशासनम् ।।

अंतरा–3

प्रीतिदयाक्षमायुक्त: क्रोधलोभविवर्जित: ।
यस्मान्नोद्विजते कोऽपि किञ्चिन्नोद्विजते च यम् ।। 3
इति योगस्य धारणम् । मतं योगानुशासनम् ।।

अंतरा–4

निस्स्पृहो निर्ममो युक्तो निर्विषादो निरामय: ।
विहीन: कर्तृभावेन निष्ठो भक्तो विना रज: ।। 4
इति योगस्य साधनम् । मतं योगानुशासनम् ।।

अंतरा–5

निर्मलो निरहङ्कार: शोकदोषविवर्जित: ।
आत्मयुक्त: घृणामुक्त: स्थिरमतिर्मनोबल: ।। 5
इति योगस्य चालनम् । मतं योगानुशासनम् ।।

अंतरा–6

अनिकेतो ब्रह्मचारी निरासक्तो निरङ्कुश: ।

रत्नाकरी गीता

संयतात्मा मिताहारी निर्दुःखः शान्तमानसः ॥ 6
इति योगस्य वाहनम् । मतं योगानुशासनम् ॥

◉ **The discipline of yoga : Sthāyī** : Keeping control over the inclinations of mind and being one with yourself, is the means of attaining yoga. **Antarā : 1.** Being free from attachment. Being free from the desire for fruit of karma. Being self-controlled. Being indifferent to likes and dislikes. Not having liking for easy tasks and dislike for hard tasks. This is the practice of yoga. **2.** Being neutral to pain and pleasures, profit and loss, victory and defeat, friend and foe, praise and criticism. This is the sign of yoga. **3.** Being equipped with love, forgiveness and mercy. Being free from anger and greed. Being unaffected by anguish. Not being bothersome to others. This is the aptitude for yoga. **4.** Being free from desires, I-ness and my-ness. Being free from melancholy and weakness. Not having desire to claim authorship of karma. Being faithful. Being devoted. This is the accomplishment of yoga. Being pure. Being free from ego. Being free from anguish and faults. Being self-possessed. Being free from detestation. Keeping mind stable. This is the observance of yoga. **6.** Being unattached to possessions and property. Being chaste. Being free from bondages. Being free and independent. This is the vehicle of yoga.

(रत्नाकर उवाच)

साम्येन वासनात्यागं मनसा देहनिग्रहम् ।
चित्तवृत्तेर्निरोधञ्च ब्रूते योगं पतञ्जलिः ॥ 596

◉ **Patanjali** : *Keeping away the desires. Being self-controlled with equanimity of mind and discipline of mental faculties, is called yoga by Patanjali*

योगः
स्थायी
विद्धि त्वं, एतद्धि योगम्... । त्वं, जानीहि योगम् ॥

अंतरा–1
निर्मलतनुषा, निश्चलमनसा ।
विग्रहनिग्रहणम्... । त्वं, जानीहि योगम्... ॥

अंतरा–2
निर्भयभवनं, निश्चयकरणम् ।
सुखबन्धनत्यजनम् । त्वं, जानीहि योगम्... ॥

अंतरा–3
प्रशान्तस्थानं, नितान्तध्यानम् ।
सज्जनसंयोगम् । त्वं–, जानी–हि यो–गम्... ॥

अंतरा–4

परजनभजनं, यद्वत् स्वजनम् ।
जनगणपरिचरणम् । त्वं–, जानी–हि यो–गम्... ॥

अंतरा–5

न विषयग्रहणं, धनसंग्रहणम् ।
न क्रोधरागमदम् । त्वं–, जानी–हि यो–गम्... ॥

◎ **Yoga : *Sthāyī* :** *Please know this to be yoga.* ***Antarā* : 1.** *With clean body and steady mind, control of your organs is yoga.* **2.** *Being fearless and resolute, breaking the bondages of pleasures is yoga.* **3.** *Being in quiet place, doing undisturbed meditation and being in the company of righteous people is yoga.* **4.** *Serving others like your own people. Know this to be yoga.* **5.** *Being free from passions, possessions, anger, attachment and intoxication is yoga.*

(युक्तयोगी)

सङ्कल्पजनितां सर्वां त्यक्त्वा विषयवासनाम् ।
सर्वेन्द्रियाणि संयम्य मनो नियुज्य सर्वथा ॥ 597

◎ **Equipped yogi :** *Keeping aside all desires that arise out of external contacts. Being collected and controlling organs from all sides;*

धैर्ययुक्तेन चित्तेन शान्तेन मनसा तथा ।
विषयाभिमुखो भूत्वा योगी सदाऽनुचिन्तयेत् ॥ 598

◎ **And :** *With bold resolve and tranquil mind, being away from passions, the yogi should meditate.*

(मनस्संयमः)

नियन्त्रितं हि योगेन यत्रोपरमते मनः ।
तस्मादात्मनि संरुद्ध्य वशं नयेत्तदात्मनः ॥ 599

◎ **Self-control :** *Wherever the mind wanders, controlling it from there with the discipline of yoga, one should bring it under control.*

अनघं च रजोहीनं प्रशान्तं च मनो यदा ।
ब्रह्मभूतो नरस्तस्मात्–शाश्वतं सुखमश्नुते ॥ 600

◎ **And :** *When the mind is innocent, devoid of rajo-guna (ego), peaceful and in unison with Brahma (the Supreme), it enjoys eternal peace.*

ईदृशो धौतपापो यो नरो योगे रतः सदा ।
युक्तः स सर्वथा योगी नन्दति सुखसागरे ॥ 601

◎ **And :** *When the yogi is purified from his sins in this manner, that equipped yogi lives happily in the ocean of happiness.*

एवं यदा मनो युक्तं दृष्टिश्च सर्वदा समा ।
सर्वेषु स्वं च सर्वं तम्-आत्मनि दृश्यते तदा ।। **602**

◎ **And :** *When the mind is equipped thus and the vision is equanimous, then the yogi sees himself in everything and everything in himself.*

(समदर्शी योगी)

मां यो पश्यति सर्वेषु मयि सर्वं च पश्यति ।
नाहमगोचरस्तस्य न च सोऽगोचरो मम ।। **603**

◎ **Equanimity :** *He who sees me in all beings and all beings in me. I am not invisible to that person and he is not away from my sight.*

ज्ञात्वैवं विश्वरूपं मां नित्यं भजति यो नरः ।
कुर्वन्नपि स सर्वं हि सर्वथा मयि वर्तते ।। **604**

◎ **And :** *Knowing me thus universal, he who worships me, that person dwells in me while carrying on his daily life.*

यथा स्वस्य सुखं दुःखं यस्मै च सर्वप्राणिनाम् ।
सर्वथा समदर्शी स सर्वश्रेष्ठो मतो मया ।। **605**

◎ **And :** *He, for whom other's pain is same as his own pain, that person of equanimity is most superior in my eyes.*

(पुनः संदेहः)

ज्ञानं श्रुत्वाऽपि कृष्णात्स पार्थो भ्रान्तो हि पूर्ववत् ।
अपृच्छच्च नवान्प्रश्नान्-ज्ञापितः सोऽप्यनेकधा

अर्जुन उवाच ।
बुद्धियोगमहं मन्ये पार्थः कृष्णमुवाच वै ।
अस्थिरो दुष्करोऽस्थायी मनो विचलितं यतः ।। **607**1848

◎ **And :** *O Krishna! I think the Buddhi yoga (of equanimity) you just mentioned, is difficult to be achieved because the fickle mind is hard to be controlled, like the wind.*

श्रीभगवानुवाच ।
उत्तेजकं मनः पार्थ चञ्चलं क्षोभकं हठि ।
असंशयं दृढं स्वैरं वायोरिव निरङ्कुशम् ।। **608**

◎ **Krishna :** *Krishna said, O Arjun! yes, the mind is unstable like the wind and no doubt it is difficult to be controlled.*

निर्बन्धं च मनो मन्ये निग्रहितुं च दुर्घटम् ।

अभ्यासेन च त्यागेन मनोवशस्तु शक्यते ।। 609

◎ **And :** *O Arjun! I agree with you. Yes, the uncontrolled mind is difficult to be tamed, but O Arjun! its control is possible with practice (abhyasa yoga).*

अर्जुन उवाच ।

अनियतं मनो यस्य योगस्तस्य न सिद्ध्यते ।

नियन्त्रितं मनो यस्य योगो तेनैव साधितः ।। 610

◎ **And :** *He whose mind is not disciplined, he can not achieve yoga. He who can control his mind, only he can accomplish yoga.*

(अर्जुनस्य पुनः प्रश्नौ)

यस्य योगो न यत्नोऽपि परं श्रद्धालुरस्ति यः ।

ब्रूहि कृष्ण गतिं कां स सिद्धिं न प्राप्य गच्छति ।। 611

◎ **More questions :** *O Krishna! he who is faithful but does not put efforts, what fate does he have?*

पतितो ब्रह्ममार्गात्स निमज्जो भवसागरे ।

भ्रष्टः किं द्विविधः कृष्ण छिन्नाभ्रवत्स नश्यति ।। 612

◎ **And :** *Distracted from the divine path, does he get drowned in the worldly oecan or does he get destroyed like a broken up cloud?*

एष मम भ्रमो गूढो मन्मनसोऽपसारितुम् ।

छेत्ता तु संशयस्यास्य त्वदन्यो नोपपद्यते ।। 613

◎ **And :** *O Krishna! there is no one better than you to remove these doubts from my mind.*

श्रीभगवानुवाच ।

विनाशः पुण्यकर्तुर्हि नेह नामुत्र विद्यते ।

न पतति सदाचारी न च गच्छति दुर्गतिम् ।। 614

◎ **Krishna :** *O Arjun! there is no downfall for that faithful person, not in this world nor in the next world. Please remember that a righteous person never gets destroyed.*

(योगपतितेभ्यश्च सिद्धिः)

पुण्यलोके पदं योगी पथभ्रष्टोऽपि विन्दति ।

लभते दीर्घकालेन जन्म वेश्मनि धीमताम् ।। 615

◎ **Success :** *Even the person who has wandered away from the path of yoga can take birth in the house of a wise person after passing through many lives*

अथवा प्राप्यते योगी जन्म स ज्ञानिनः कुले ।

ईदृशं जन्म लोके तु यदि हि, दुर्लभं खलु ।। 616

◎ **Or :** *Or he gets birth in the house of a learned person, but such birth is difficult, if at all possible.*

पूर्वां सङ्ग्रहितां बुद्धिं गृहीत्वा जन्मजन्मनाम् ।
योगी सिद्धिं ततः प्राप्तुं यतते स पुनः पुनः ।। 617

◎ **And :** *With the help of accumulated wisdom from many lives, such person may make an effort again and again to achieve success in yoga.*

पापं प्रक्षाल्य योगेन साधनया च जन्मनाम् ।
अतीतं स स्वयं योगी गच्छति शब्दब्रह्मणः ।। 618

◎ **And :** *Washing away the sins of all lives with the accomplishment of yoga, the yogi goes beyond the study of the Veda.*

(योगी श्रेष्ठतमः)

भोगिभ्यः कर्मठेभ्यश्च तपस्विभ्यश्च ज्ञानिषु ।
योगी श्रेष्ठतमो ज्ञातो योगी तस्माद्भवार्जुन ।। 619

◎ **Superior yogi :** *He who is knowledgable, he who is yogi and he who is auster person, among these three, the yogi is the best. Therefore, O Arjun! please be a Karma yogi.*

स हि योगिषु सर्वेषु मतः श्रेष्ठतमो मया ।
यः पूजयति मां भक्त्या श्रद्धायुक्तश्च मत्परः ।। 920

◎ **And :** *And, among all the yogis, I consider him to be most superior, who worships me with full faith.*

श्रीमद्-भगवद्-गीतायाः सप्तमोऽध्यायः ।

ज्ञान-विज्ञानयोगः ।

रत्नाकरी गीता

अष्टादशस्तरंगः

22. Knowledge and Science

ज्ञानविज्ञाननिरूपणम्

श्रीभगवानुवाच ।

(भगवत्प्राप्तिः)

मयि युक्तं मनः कृत्वा लीनो भूत्वा च भारत ।
अवाप्स्यसि कथं मां त्वं शृणु मामेकचेतसा ।। 621

◎ **Attaining God :** *O Arjun! listen carefully how you will attain me by uniting your mind in me and being devoted to me.*

ज्ञानं शृणु सविज्ञानं वदामि त्वां सविस्तरम् ।

नास्त्यस्मात्परमं ज्ञानम्-अन्यत्कुत्रापि पाण्डव ।। 622

◎ **And :** *Listen to that knowledge, together with science. There is no superior knowledge anywhere than this knowledge.*

(अपराप्रकृतिः)

शतेषु कश्चिदेको हि ज्ञातुं मां यतते नरः ।

तेष्वपि कश्चिदेकश्च जानाति मां यथार्थतः ।। 623

◎ **My Divine Nature :** *In hundreds of people only one tries to know me. Among hundreds of them, one may know me in reality.*

मनो बुद्धिरहङ्कारो भूर्द्यौर्वायुर्ज्वलो जलम् ।

एवमष्टगुणी पार्थ प्रकृतिर्मम विद्यते ।। 624

◎ **Components :** *The mind, the thinking, the beingness, the five beings of the earth, the sky, the air, the fire and the water are the eight components of my nature by which I bare all living and non-living beings.*

(पराऽपरे प्रकृती)

प्रकृतिमपरामन्यां त्वमिदानीं परां शृणु ।

यस्या गत्या धरा पार्थ चरा सर्वा सचेतना ।। 625

◎ **And :** *Different than this eight-fold nature, I also have another Divine nature, by which I bare all living beings.*

एवं पराऽपराभ्यां हि जायन्ते प्राणिनः सदा ।

प्राणिनां प्राणदाताऽहं प्रलीयन्ते च ते मयि ।। 626

◎ **And :** *In this manner, with these two natures of nine folds, the beings evolve. Thus I give them life and then they dissolve in me.*

(विभूतिविस्तरः)

नास्ति किञ्चिदतीतं मे सर्वं सन्धारयाम्यहम् ।

मौक्तिका इव प्रोतानि सर्वभूतानि भोः मयि ।। 627

◎ **Divinity :** *There is nothing that is not borne by me. They are all strung in me like the pearls in a necklace.*

अम्भसोऽहं द्रवः पार्थ भाः शशिसूर्ययोरहम् ।

प्रणवोऽहं च वेदानाम्-ओङ्कारोऽहं ध्वनिश्च खे ।। 628

◎ **And** : *I am the liquidity of the water, the light in the sun and moon. I am the Pranav (Om) of the Vedas and the Om-sound in the sky.*

विभावसौ च भासोऽहं तपोऽहं च तपस्विषु ।
सुगन्धोऽहं शुभो भूमौ तेजो वैश्वानरस्य च ।। 629

◎ **And** : *I am the radiance in the fire, austerity in the austere, fragrance in the earth and the brilliance in the fire.*

बीजोऽहं सर्वभूतानां चेतनानां च चेतना ।
बुद्धिश्च ज्ञानिनामस्मि मनुष्यत्वमहं नृषु ।। 630

◎ **And** : *Krishna is the seed of all beings, life of the living being, wisdom of the wise and the manliness of the man.*

बलं च बलिनामस्मि कामरागविवर्जितम् ।
धार्मिको कर्मभावश्च सर्वेषां प्राणिनामहम् ।। 631

◎ **And** : *Krishna is the strength of the strong without the lust and passion. He is the faith of the faithful.*

(गुणत्रय:)

त्रिगुणाश्च मया विद्धि सद्रजश्च तमस्तथा ।
नाहं तेषु गुणेष्वस्मि सगुणोऽहं तु ते मयि ।। 632

◎ **Three Gunas (the three attributes)** : *Know that the three gunas (the three attributes) of the prakriti (nature) are from me. I am not in them, but they are in me.*

त्रिषु गुणेषु सम्मूढं सर्वं विश्वमिदं यत: ।
न वेत्ति त्रिगुणातीतं स्वरूपं मम दैविनम् ।। 633

◎ **And** : *The world, deluded by these three gunas, does not understand me who is beyond everything.*

दैविनीमपरां मायां मे सगुणामगोचराम् ।
भक्त: स एव जानाति याति य: शरणं मम ।। 634

◎ **Divinity** : *The devotee who understands my divinity alongwith the gunas (the three attributes), he surrenders at my feet.*

(अज्ञानी च ज्ञानी च)

शठा नराधमा दुष्टा ये न पार्थ भजन्ति माम् ।
आसुरा: पापिनो मूढा: सद्विवेकं त्यजन्ति ते ।। 635

◎ **But** : *The evil people who do not worship me, O Arjun! those demonic people are devoid of righteous thinking.*

(चत्वार: भक्ता:)

भजन्ते ये तु कौन्तेय सुकृतिनश्चतुर्विधा: ।

रत्नाकरी गीता

ज्ञानिनो दु:खिनो लुब्धा: सुखार्थिनश्च मानवा: ।। 636

◉ **The Devotee :** *There are four kinds of devotees of mine : the wisdom seekers, the wealth seekers, the pleasure seekers and the happiness seekers.*

तेषां विशिष्यते ज्ञानी युक्तो नित्यपरायण: ।
मन्यते मां प्रियं ज्ञानी स च भक्त: प्रियो मम ।। 637

◉ **And :** *Among them, the wisdom seeker who is devoted to me is the most superior. He is my dear devotee.*

आत्मैव भासते ज्ञानी भक्ता: सर्वे हि मे यदि ।
स्थितो मयि स मुक्तात्मा तस्याहं परमा गति: ।। 638

◉ **And :** *Among all four types of my devotees, the wise person is like an atma to me. That free soul is seated in me and I am seated in him*

(अनन्या च अन्या च भक्ति:)

जानाति परमं मां यो महात्मा दुर्लभो हि स: ।
भजते वासुदेवं मां ज्ञात्वा जन्मनि जन्मनि ।। 639

◉ **Faith :** *Rare is the devotee who knows me in reality, that rare devotee worships me life after life, knowing that I am Vasudeva.*

(अभक्त:)

अन्ये तु ये गुणासक्ता: कामनालोलुपा जना: ।
पार्थ विनष्टज्ञानास्ते भिन्ना भजन्ति देवता: ।। 640

◉ **Not a devotee :** *Those who are deluded by the three gunas and are overpowered with desires, they worship other Gods.*

यं यं भजन्ति देवं ते जनाश्च तत्परायणा: ।
श्रद्धां तेषां तथा पार्थ तत्रैव विदधाम्यहम् ।। 641

(श्रद्धायुक्त:)

श्रद्धायुक्तस्य भक्तस्य मनसि देवता तु या ।
तस्मै ददामि भक्ताय यथाभक्ति: फलं तथा ।। 642

◉ **And :** *The God that is in the mind of a person, to that devotee I give result as his faith is.*

(अज्ञानी)

सुरार्चकाश्च निर्बुद्धा: प्राप्नुवन्ति फलं लघु ।
सुरभक्ता: सुरान्यान्ति मद्भक्ता: प्राप्नुवन्ति माम् ।। 643

◉ **And :** *The devotees of other Gods earn short lived result. The devotees who worship me, they attain me and achieve everlasting result.*

अव्यक्तमुत्तमं रूपं न जानन्ति जडा मम ।
अक्षयं दैविनं तं ते मन्यन्ते व्यक्तमानुषम् ।। 644

◎ **And :** *The ignorant worshippers of other Gods do not understand my eternal and unpersonified form. They look at my personified figure and they assume that I am a person.*

योगमायाऽऽवृतं रूपं सर्वैर्नेत्रैर्न दृश्यते ।
मामजमव्ययं मूढा नाभिजानन्ति सर्वथा ।। 645

◎ **And :** *My unpersonified form is covered with yoga Maya (divinity). That divine form is not visible to all eyes. They do not understand that I do not take worldly birth.*

वर्तमानानि भूतानि भविष्याणि च प्राणिनः ।
सर्वान्सर्वत्र जानामि न ते जानन्ति मां परम् ।। 646

◎ **And :** *I know everything about all the beings of the present, past and future everywhere, but none of them knows me.*

23. The Duality
द्वंद्वभावनिरूपणम्

श्रीभगवानुवाच ।
सर्वस्थो द्वन्द्वभावः स सर्वगो रागद्वेषयोः ।
विमोहयति भूतानि लोलुप्तानि परन्तप ।। 647

◎ **Krishna :** *The duality is in everything and everywhere. O Arjun! the duality of attaraction and repulsion deludes the ignorant beings.*

रत्नाकर उवाच
(द्वन्द्वं किम्, कतिपय उदाहरणानि)
शीतोष्णे शुक्लकृष्णे च युग्मौ जयाजयौ तथा ।
अङ्गे हि द्वे च द्वन्द्वस्य लाभालाभौ गतागतौ ।। 648

◎ **And :** *Hot and cold; black and white; victory and defeat; profit and loss; going and coming are all two sides of one duality.*

जन्ममृत्यू जराबाल्ये सुखदुःखे च चक्रवत् ।
सन्ध्या प्रातर्निजापरौ सर्वे द्वन्द्वे समागताः ।। 649

◎ **And :** *Birth and death; young and old; happiness and sorrow; morning and evening; our and their are all a cycle of duality.*

मित्रारी रागद्वेषौ च मोदखेदौ विषामृते ।
हर्षशोकौ दिवा नक्तं द्वन्द्वे सर्वं व्यवस्थितम् ।। 650

◎ **And :** *Friend and enemy; liking and disliking; joy and disgust; man and woman, pleasure and pain are the two aspects of one and the same thing.*

सत्यासत्ये स्थिरो लोलः कृत्याकृत्ये शुभाशुभे ।

सिद्धयसिद्धी सखा शत्रुः क्रोधाक्रोधौ बुधाबुधौ ।। 651

◎ **And :** *True and false; steady and unsteady; ought to be and ought not to be; auspicious and unauspicious; success and failure; friend and enemy; anger and calmness; intelligent and unintelligent are all dualities.*

धर्माधर्मौ हितं हानिः-भद्राभद्रे कृपाऽकृपे ।

पूर्णशून्ये च द्वन्द्वानि सुकृतदुष्कृते तथा ।। 652

◎ **And :** *Moral and immoral; profit and loss; honest and dishonest; mercy and wrath; whole and zero; sin and merit are all dualities.*

अन्तर्बाह्ये तलं मूर्धा प्रागूर्ध्वं पूर्वपश्चिमे ।

यदा तदा तथा श्वो ह्यो द्वन्द्वञ्च वामदक्षिणे ।। 653

◎ **Duality :** *In and out; above and below; up and down; east and west; now and then; today and tomorrow, right and left are all dualities.*

शुद्धाशुद्धे गुरुह्रस्वौ क्षुद्राक्षुद्रे दृढादृढे ।

आदिरन्तो लघुर्दीर्घो शीघ्रमन्दौ जडाजडौ ।। 654

◎ **And :** *pure and impure; short and long; small and big; strong and weak; beginning and end; fast and slow, being and non-being all are dualities.*

निद्राऽनिद्रे शिला स्वर्णं हसनं परिदेवनम् ।

आर्द्रशुष्कौ नरो नारी मर्त्यामर्त्ये सुरासुरौ ।। 655

◎ **And :** *Slumber and awakening; rock and gold; cry and laugh; wet and dry; male and female, mortal and immortal, divine and evil all are dualities.*

छायाऽऽतपः स्तुतिर्निन्दा क्षयाक्षये क्षराक्षरे ।

इहामुत्र च तत्रात्र शान्त्यशान्ती यदा कदा ।। 656

◎ **And :** *Light and shadow; praise and criticism; eternal and perishable; mutable and immutable; earth and heaven; here and there; violence and non-violence, when and when? are dualities.*

घनं द्रवश्च द्वन्द्वो हि नीचतुङ्गे नृतानृते ।

स्मृतिश्च विस्मृतिर्द्वन्द्वं पुरुषः प्रकृतिस्तथा ।। 657

◎ **And :** *solid and liquid; tall and dwarf; remembering and forgetting, Purusha and Prakriti are all dualities.*

श्रीभगवानुवाच ।

(ज्ञानी)

एषु द्वन्द्वेषु ये धीराः-तटस्थाश्चानघास्तथा ।

पुण्यशीला महाभाग्या मद्भक्ता मत्परायणाः ।। 658

◎ **Krishna :** *He who is indifferent to these dualities, that meritorious and fortunate soul is my firm devotee.*

येन प्राप्तास्ति छाया मे जरामरणवर्जिता ।

स एव ब्रह्मकर्मज्ञः स आत्मज्ञश्च सात्त्विकः ।। 659

◎ **And :** *The devotee who is beyond the fears of old age and death, he who has taken me for his shelter, he knows Brahma (The Supreme) and karma (duty). He is self realized and righteous.*

अधिभूताधियज्ञौ च अधिदैवं च मामकम् ।

रूपं जानाति धीमान्यो मद्भावमधिगच्छति ।। 660

◎ **And :** *The wise person who knows my forms as the Adhibhuta (Lord of beings), Adhiyajna (Lord of austerities) and the Adhidaiva (Lord of destiny), he attains me.*

श्रीमद्-भगवद्-गीताया अष्टमोऽध्यायः ।

अक्षर-ब्रह्मयोगः ।

रत्नाकरी गीता

नवदशस्तरंगः

24. The Brahma

ब्रह्मनिरूपणम्

रत्नाकर उवाच ।

(रत्नाकर उवाच)

श्रुत्वा ज्ञानोपदेशं तं जिज्ञासुः सोऽभवत्तदा ।

ततोऽपृच्छन्नवान्प्रश्नान्-जिज्ञासया पुनः हरिम् ।। 661

◎ **And :** *Hearing the advice of wisdom, Arjun became curious to know more things. And thus, he asked more questions to Shrī Krishna.*

निर्गतश्च भ्रमस्तस्य तृषितस्य शनैः शनैः ।

आत्मज्ञानस्य दीपश्चाभ्यन्तरे जागृतोऽभवत् ।। 662

◎ **And :** *The confusion from his mind disappeared and slowly he became normal. The lamp of self realization became illuminated in his heart.*

अर्जुन उवाच ।
(अर्जुनप्रश्नाः)

ब्रह्म किमधिभूतं किम्-अध्यात्मं किं च कर्म किम् ।
ब्रूहि मां तत्समासेन श्रोतुमिच्छामि माधव ।। 663

◎ **More questions :** *Arjun said, O Madhava (Husband of Lakshmi)! what is Brahma? What is Adhibhuta? What is Adhyatma? Please tell me.*

अधिभूतश्च को देहे जानीयां वै कथं च तम् ।
अन्तकाले कथं त्वां च ज्ञास्यामि युक्तचेतसा ।। 664

◎ **And :** *Who is the Adhibhuta in this body and how may I recognize him in my mind at my last breath.*

श्रीभगवानुवाच ।
(व्याख्याः)

अध्यात्ममात्मज्ञानं हि ब्रह्म परममक्षरम् ।
सृजति भूतभावं यो विसर्गः 'कर्म' संज्ञितः ।। 665

◎ **Answers :** *Krishna said, Adhyatma is the knowledge of self. Brahma is the supreme principle that is eternal. Karma is the act that causes a being to take rebirth.*

अधिभूतं चिरं तत्त्वं, विद्ध्यधिदैवमीश्वरम् ।
अधियज्ञं च देहे मां विद्धि सत्तत्त्वमक्षरम् ।। 666

◎ **And :** *Adhibhuta is the timeless principle. Adhidaiva is the God. I am Adhiyajna, the immutable atma in the body.*

(श्रीभगवतः स्मरणप्रभावः)

स्मरन्प्रयाणकाले मां देहं त्यजति यो नरः ।
मामेव याति ध्यायन्स मद्भक्तः पार्थ निश्चितम् ।। 667

अन्ते च समये यं हि भावं धृत्वा स गच्छति ।
स तदेवाप्स्यते देहं भावं तं मनसा स्मरन् ।। 668

◎ **And :** *With whichever thought in his mind when a person departs this world, he attains the object of his thought.*

(अतः)

स्मरन्मां पार्थ तस्माद्धि कर्तव्यं कुरु त्वं रणे ।
एवं परायणो भूत्वा नूनं मामेव यास्यसि ।। 669

◉ **And :** *Therefore, O Arjun! keeping me in your mind, do your duty on the battlefield and you will attain me.*

को जानाति कदा कस्य कुत्र मृत्युर्भविष्यति ।
मुक्तिं प्राप्तुमतो नाम निरन्तरं मुखे भवेत् ।। 670

◉ **Thus :** *Who knows when and what will happen to anyone. Therefore, to attain liberation, always keep me in your thoughts.*

(पुरुषोत्तमप्राप्ति:)

अभ्यासे रतो भूत्वा करोति चित्तसाधनाम् ।
युक्त्वा चिन्तने नित्यं स प्राप्नोति पुरुषोत्तमम् ।। 671

◉ **Supreme Person :** *Doing the practice of controlling the mind and doing meditation, he attains the Supreme Person.*

सदा भजति सर्वज्ञम्-ईशं यो विश्वपालकम् ।
कविं सर्वस्य धातारं सूक्ष्मतमं सनातनम् ।। 672

◉ **And :** *He who always worships the Protector of the world who is omniscient, invisible and ancient nourisher of the world;*

प्राणं मूर्ध्नि स्थिरं कृत्वा भक्तियुक्तेन चेतसा ।
अन्तकाले रतो योगी लभते पुरुषं परम् ।। 673

◉ **And :** *Holding the breath steady between the two eyes with a faithful heart, at the last breath, the yogi attains the Supreme person.*

(परमधाम)

अक्षरमिति यत्प्राहु:-ज्ञानिनो वेदपण्डिता: ।
यान्ति संन्यासिनो यत्र परमं तत्पदं शृणु ।। 674

◉ **And :** *I shall tell you about the place, that the people learned in the Vedas call eternal abode and the place that the austere people attain after their death.*

नवद्वाराणि संयम्य मनो पूर्णं वशी कृतम् ।
प्राणं च मूर्ध्नि संहृत्य करोति योगधारणाम् ।। 675

◉ **And :** *Having controlled the nine input output gates of the body and keeping the mind restrained, keeping the breath steady in the forehead, one should sit for yoga.*

ओमोम्मुखे सदा यस्य मनसि चिन्तनं मम ।
त्यक्त्वा देहं स प्राप्नोति मद्धाम च परां गतिम् ।। 676

◉ **And :** *Uttering Om! Om! by mouth and thinking of me at the last breath, he who leaves the body, he attains supreme state at my abode.*

अनन्यमनसा यो मां प्रीत्या भजति सर्वदा ।
प्राप्तो भवामि तेनाहं सुगमः सुलभः सदा ।। 677

◎ **And** : *He who worships me with love and one pointed focus, by him I become easy to be attained.*

गच्छति शरणं यो मां सिद्धो महाजनो नरः ।
नश्वरं दुःखदं तस्य पुनर्जन्म न विद्यते ।। 678

◎ **And** : *The righteous person who surrenders to me, he does not receive the perishable and sorrowful birth on the earth again.*

(पुनर्जन्म)

यातायातस्य चक्रं यं ब्रह्मलोकं स गच्छति ।
जन्ममृत्योर्विमुक्तः स यो याति शरणं मम ।। 679

◎ **Rebirth** : *He who goes to Brahma's realm after his death, he returns back on the earth with a new birth. He who comes to my abode, does not get stuck in the wheel of death and new birth.*

(अहोरात्रज्ञाता)

निशा शतयुगा दीर्घा तावद्दिनं च ब्रह्मणः ।
गती ज्ञाते तयोर्येन स जानाति निशां दिनम् ।। 680

◎ **Night and day** : *The night of Brahma is hundred yugas (ages) long and the day is also equally long. He who knows these two states, he knows what the night and day truly are.*

प्रभाते ब्रह्मणो जीवा व्यक्ता भवन्ति गोचराः ।
सन्ध्यायां च पुनः सर्वे ते पूर्ववदगोचराः ।। 681

◎ **And** : *At the dawn of the Brahma's day, the beings take animate births and at the night of Brahma they depart back to their inanimate states.*

गमनागमनं तेषां चक्राकारं निरन्तरम् ।
आगमनं दिवा तेषां नक्तं च गमनं तथा ।। 682

◎ **And** : *In this fashion, the beings come and go in a cyclic manner for ever, day and night.*

(परमगतिः)

उच्चतमैतयोर्भिन्ना गतिः पार्थ सनातना ।
न गच्छति न चायाति विनाशे न विनश्यति ।। 683

◎ **Supreme Person** : *Different than these tow Mundane states of life and death, O Arjun! there is third Supreme State which having attained, one does not return back to the cycle of life and death.*

(परमगतिप्राप्तिः)

गति सा परमा पार्थ मम धामापि कथ्यते ।

यत्रागत्य न गन्तव्यं परमं धाम तन्मम ।। 684

◎ **And :** *O Arjun! that Supreme State is also called my abode. Having come to my abode, one does not have to go back to the perishable world.*

उद्गमः पञ्चभूतानां सृष्टं यस्मादिदं जगत् ।
सर्वैर्हि प्राप्यते भक्त्या परमात्मा स श्रद्धया ।। 685

◎ **And :** *The Supreme Person from whom the five beings and the whole Universe emerges, can be seen by anyone who has unshaken faith in him.*

(कृष्णशुक्लौ पथौ)

शृणु पार्थ क्षणे द्वेऽपि प्रत्यागमोऽस्ति वा न वा ।
एकस्मिन्नास्ति यात्रा त्वन्यस्मिन्प्रत्यागमो भवेत् ।। 686

◎ **Two paths :** *O Arjun! now listen to the two separate paths, by one of which a person comes back to the Mundane world and the other takes him to the realm of no return (final liberation).*

अग्निज्योतेः क्षणे यद्वा प्रकाशदिवसक्षणे ।
अवधौ शुक्लपक्षस्य षण्मासे उत्तरायणे ।। 687

◎ **And :** *The knower of Brahma (the Supreme), who departs during the presence of the Sun, brightness of the sky, the day time, the bright lunar fortnight and in the the six months of northward travel of the sun, he goes to Brahma.*

ब्रह्मज्ञानी त्यजेद्देहम्-एतेषु समयेषु यः ।
परं ब्रह्मपदं प्राप्य योगी तदात्मको हि सः ।। 688

◎ **And :** *That knower of Brahma (the Supreme), having died in these periods, joins Brahma and becomes one with Brahma.*

कृष्णपक्षे निशाकाले षण्मासे दक्षिणायने ।
चन्द्रकिरणमारुह्य प्रत्यागच्छति भूतले ।। 689

◎ **And :** *A person who departs during a cloudy day, at the night time, in the dark lunar fortnight and during the six months of the southward travel of the sun, he returns back to the earth with the beam of the moon.*

(पथौ ज्ञातव्यौ)

शुक्लकृष्णौ पथौ द्वौ च जगति शाश्वतौ मतौ ।
एको ददाति मुक्तिं तु द्वितीयो भवसागरम् ।। 690

◎ **And :** *These two eternal paths are known in this world. One gives you final liberation and the other puts you in the worldly cycle of life and death.*

यो जानाति पथौ योगी मोहातीतः सदा हि सः ।
तस्मात्त्वं सर्वदा पार्थ ज्ञानयोगं समाचर ।। 691

◎ **And :** *O Arjun! he who knows these two paths, he is not deluded. Therefore, O Arjun! always be a Jnana yogi.*

यज्ञेन तपसा दानैः श्रुतिर्वदति यत्फलम् ।
तस्मात्पुण्यतरं पार्थ ज्ञानेन प्राप्यते वरम् ।। **692**

◎ **And :** *O Arjun! one can achieve even better result through the Jnana yoga than the fruits the Vedas prescribe by charity and austerity.*

श्रीमद्-भगवद्-गीताया नवमोऽध्यायः ।
राजविद्या-राजगुह्ययोगः ।

रत्नाकरी गीता
विंशस्तरंग

25. The Secrets of the Gita
गीतारहस्यनिरूपणम्

श्रीभगवानुवाच ।

(राजविद्या च राजगुह्यं च)

गुह्यं हितकरं ज्ञानम्-अवदमहमुत्तमम् ।
पुनः शृणु सविज्ञानं गुडाकेश वदामि त्वाम् ।। **693**

◎ **And :** *O Arjun! the secret knowledge which I gave you so far, I shall tell it to you again, with its science.*

सन्तरिष्यसि ज्ञानेन सहजं भवसागरम् ।
प्राप्स्यसि निश्चितं मुक्तिम्-इदं ज्ञात्वा यथार्थतः ।। **694**

◎ **And :** *With this knowledge you will cross over the worldly ocean and attain liberation.*

राज्ञी सा सर्वविद्यानां सूर्यवज्ज्ञानदीपिका ।
अव्ययिनी च विद्या सा गूढा श्रेष्ठा च पावना ।। **695**

◎ **And :** *This knowledge is the king of all learning. It is bright like the sun. It is eternal, holy and most superior.*

सद्धर्मे नास्ति विश्वासो यस्य नरस्य पाण्डव ।
पतति स न मां प्राप्य मृत्युसंसारसागरे ।। **696**

◎ **And :** *But, O Arjun! he who does not have faith in this knowledge, he falls in the worldly ocean that is filled with death and destruction.*

(नाहं तेषु)

सर्वगोऽहं निराकारः सर्वभूतेषु भारत ।
मयि तिष्ठन्ति सर्वाणि नाहं तेषु धनञ्जय ।। 697

◎ **Lord's abode :** *I am omnipresent and formless. I am the support of all beings. All beings dwell in me, but I do not dwell in them.*

(नाहं तेषु)

न पश्य मयि भूतानि; पश्य मे योगमैश्वरम् ।
अहं तेषां समुद्धर्ता कर्ता धाता च सर्वथा ।। 698

◎ **And :** *O Arjun! do not look at the beings dwelling in me. See my divine yoga. I am the seed, support and nourisher of all the beings.*

(पुनर्जन्म)

आकाशे मुक्तवायुः स विशाले सर्वगो यथा ।
प्राणोऽपि सर्वभूतानां विशति निश्चितं मयि ।। 699

◎ **And :** *As the wind is freely moving in the sky, so do the beings freely come in and go out from me. My abode is eternal.*

मयि तिष्ठन्ति जीवास्ते कल्पान्ते लयमागताः ।
निवर्तन्ते पुनः सर्वे कल्पादौ गोचरां गतिम् ।। 700

◎ **And :** *The beings which depart at the end of the Brahma's day, rest in Brahma for the night. And then, as the day breaks, they again personify on the earth.*

प्रकृतेर्विवशाः सर्वे जीवा ममाश्रिताः खलु ।
मायया मे हि जायन्ते भिन्नाकारा यथा गतिः ।। 701

◎ **And :** *All beings resting in Brahma, under the control of their Prakriti (nature), they take birth in different forms accoording to the fruit of their karmas.*

कृत्वाऽपि सर्वकर्माणि तटस्थोऽहं तु कर्मसु ।
अनासक्तश्च निर्बद्धः सदा कर्म करोम्यहम् ।। 702

◎ **And :** *Having done all these karmas (deeds) of evolution and dissolution, I am still unattached to them. I keep doing all these deeds for ever, keeping myself unbound and unattached to them.*

(कर्म-फल-होनी-योनि-सिद्धान्तः)

यस्य यस्य यथा कर्म मिलेद्योनिस्तथा तथा ।
सा पूर्वकर्मणां लीला भाग्यमित्युच्यते जनैः ।। 703

◎ **The Karma theory :** *As one's deeds are, so are their fruits. Accordingly is his rebirth. In the world, people call it as destiny.*

दुष्कृतो जायते पापी पुण्यवान्सुकृतस्तु यः ।
कृतं कर्म यथा येन जन्म तस्य तथैव हि ।। 704

◎ **And :** *The sinful person takes birth as a sinner. The holy person takes birth as a saint. As he has done the karmas in this life, so is his birth in the next life.*

यथा कर्म तथा योनिः धर्मोऽस्ति प्रकृतेर्ध्रुवः ।
धर्मं ज्ञात्वा कृतिर्यस्य भाग्यं तेन स्वयं कृतम् ।। 705

◎ **And :** *As are your deeds, so is your next birth. It is the rule of nature. He who acts righteously, he writes his own destiny with his own hands.*

कर्मफलस्य सम्बन्धः सह दैवेन वेत्ति यः ।
दैवं स्वस्य नरो ज्ञानी लिखति स यथेच्छया ।। 706

◎ **And :** *He who understands such relationship between karma (deed) and its fruit, he is able to write (decide) his own destiny by acting accordingly.*

सत्कार्ये कर्मयोगेन युञ्जाते यो नरः सदा ।
मुञ्चते योनिचक्रात्स पण्डितो मत्परायणः ।। 707

◎ **And :** *He who engages himself in righteous deeds by equipping himself in Karma yoga (performing duty without desire for its fruit), that wise person releases himself from the cycle of birth and death, by devoting himself to me.*

कर्ताऽहं कर्मणां तेषां तेष्वबद्धस्तथाप्यहम् ।
उदासीनो निरासक्तः कर्मस्वहं धनञ्जय ।। 708

◎ **Me :** *O Arjun! I do all the deeds for all the beings, but being unattached to all of them, I stay indifferent and unattached to everything.*

ममाज्ञया जगत्सर्वं विकसितं चराचरम् ।
तस्मादिदं जगत्कृत्स्नं नित्यशः परिवर्तते ।। 709

◎ **And :** *And, O Arjun! this eternal cycle of evolution and dissolution of the world takes place with my order.*

(आस्तिकः च दैत्यः च)

ईशोऽहं सर्वभूतानां यो न जानाति तत्त्वतः ।
कृत्वा तेनावमानो मे तेनाहं मानवो मतः ।। 710

◎ **The unfaithful :** *He who does not know that I am the Lord of all beings, he insults me by thinking that I am a human being.*

संयुक्तो दैत्यभावेन बुद्धिहीनो नराधमः ।

वृथेच्छुको वृथाकर्मी मोघज्ञानी कुचिन्तकः ।। 711

◎ **And :** *That mindless sinful person of demonic nature is ignorant and foolish with false hopes.*

(दैवीप्रकृतिः)

एकभक्तास्तु कौन्तेय दैवीजनाः सुबुद्धयः ।

आदिं मां सर्वभूतानां विदुर्बीजं सनातनम् ।। 712

◎ **The faithful :** *But, O Arjun! a faithful person who is righteous, ascetic and focused, he knows that I am the primordial and ancient seed of this evolution.*

जानन्ति महिमानं मे यत्नशीला दृढव्रताः ।

पूजका मम ते दासा मद्भक्ताः शरणागताः ।। 713

◎ **And :** *That resolute and righteous person knows my divinity. He comes to my feet.*

(अन्यजनाः)

अपरे पूजका भक्ता विश्वरूपं नमन्ति मे ।

एकाग्रं ज्ञानयज्ञेन पृथक्त्वेन पुनः पुनः ।। 714

◎ **And :** *Other devotees of mine worship my Universal form variously with Jnana-yajna (austerity of knowing my divinity).*

(भगवतः विभूतयः)

यज्ञाहुतिर्घृतं पार्थ स्वधा वनस्पतिस्तथा ।

क्रतुरहं च यज्ञश्च यज्ञमन्त्रश्च पावकः ।। 715

◎ **Divinity :** *O Arjun! I am the offering of the yajna (austerity), I am the chants, I am the fire and I am the yajna (sacrifice).*

माताऽहं च पिता धाता जगतश्च पितामहः ।

ऋक्सामयजुषां कर्ता पूज्योऽहं प्रणवस्तथा ।। 716

◎ **And :** *I am the mother, I am the father, I am the nourisher, I am the ancestor, I am the creator of the Vedas, I am the auspicious Om of the Vedas.*

भर्ता साक्षी गतिः स्नेही निवासोऽहं प्रभुस्तथा ।

सर्वेषां मूलबीजोऽहं प्रलयश्च सनातनः ।। 717

◎ **And :** *I am the witness and the protector. I am the fate and the fortune. I am the Lord and the dwelling. I am the evolution and the dissolution of everything.*

तेजस्वी दिवि सूर्योऽहं पर्जन्यकारकस्तथा ।

मृत्युदोऽमरतादश्च सदसच्चाहमर्जुन ।। 718

◎ **And :** *I am the sun in the sky. I am the rain. I am the birth and death giver, existence and the non-existence, O Arjun!*

सूर्य नारायण वन्दना

स्थायी

नमामि भास्करं चन्द्रं मङ्गलं च बुधं गुरुम् ।
शुक्रं शनिं च राहुं च केतुयुक्तान्नवग्रहान् ।।

अंतरा-1

आदित्यं भास्वरं भानुं रविं सूर्यं प्रभाकरम् ।
अरुणं मिहिरं मित्रं पूर्णभक्त्या नमाम्यहम् ।। 1

अंतरा-2

तमोरिं तारकानाथं पापघ्नं रात्रिभूषणम् ।
इन्दुं चन्द्रं विधुं सोमं दण्डवत्प्रणमाम्यहम् ।। 2

अंतरा-3

मङ्गलाङ्गं महाकायं ग्रहराजं ग्रहाधिपम् ।
अङ्गारकं महाभागं साष्टाङ्गः प्रणमाम्यहम् ।। 3

अंतरा-4

बुद्धिमतां बुधं श्रेष्ठं नक्षत्रेशं मनोहरम् ।
बुद्धिदं पुण्डरीकाक्षं कृताञ्जलिर्नमाम्यहम् ।। 4

अंतरा-5

सौम्यमूर्तिं ग्रहाधीशं पीताम्बरं बृहस्पतिम् ।
तारापतिं सुराचार्यं प्रणिपातो नमाम्यहम् ।। 5

अंतरा-6

भार्गवं वृष्टिकर्तारं स्वभासाभासिताम्बरम् ।
प्रकाशं शङ्करं शुक्रं सायं प्रातो नमाम्यहम् ।। 6

अंतरा-7

विघ्नराजं यमं रौद्रं सर्वपापविनाशकम् ।
शनीश्वरं शिवं शुभ्रं शतशः प्रणमाम्यहम् ।। 7

अंतरा-8

विप्रचित्तिसुतं राहुं रक्ताक्षमर्धविग्रहम् ।।
सिंहिकानन्दनं दैत्यं पुनः पुनो नमाम्यहम् ।। 8

अंतरा–9

रुद्रप्रियग्रहं कालं धूम्रकेतुं विवर्णकम् ।
लोककेतुं महाकेतुं मुहुर्मुहुर्नमाम्यहम् ।। 9

◎ **A Prayer of Sun God : *Sthāyī :*** *I pray to the Light giving Sun God along with the other planets of Moon, Mangala (Mars), Budha (Mercury), Guru (Jupiter), Shukra (Venus), Shani (Saturn), Rahu and Ketu (the two Comets).* ***Antarā :*** *Respectful obeisance to the Aditya (son of Aditi), Bhasvara (the Brilliant), Bhanu (the Effulgent), Ravi (the one that arises everyday), Surya (the Heavenly), Prabhakara (the Light giver), Aruna (the Orange coloured), Mihira (The Rain giver), Mitra (the Loving) God.* ***2.*** *I prostrate and pray to the Moon God, the Tamori (the Destroyer of the darkness), Tarakanatha (Master of the stars), Papaghna (the Remover of the sins), Ratri-bhushana (the Ornament of the night), Indu (who moisturizes the dry night with his soft light), Chandra (the Pleasing one), Vidhu (the Remorse causer for your bad deeds), Soma (the Nectar of the delightful rays).* ***3.*** *I pray to the planet Mars, the Mangalang (the one with auspicious body), Mahakaya (the Great one), Graharaj (the King of the planets), Grahadhip (the Chief of the planets), Angarak (the Sparkling one), Mahabhag (the Good luck giver).* ***4.*** *With folded hands I pray to the planet Budha (Mercury), the Buddhiman (Intelligence giver), Shreshtha (Superior), Nakshatresha (Lord of the planets), Manohara (the Beautiful), Buddhida (Giver of wisdom), Pundarikaksha (whose eyes are like lotus).* ***5.*** *I pray to Brihaspati (Jupiter), the Saumya-murti (the Mild one), Grahadhisha (the Chief of the planets), Pitambara (the Yellow coloured), Tarapati (Master of the stars), Suracharya (the Teacher of the Gods).* ***6.*** *I pray at evening and morning to the planet Shukra (Venus), the Bhargava (Son of Bhrigu), Vrishti-kartar (the Rain giver), Sva-bhasa-bhasita-ambar (who shines the sky with his own light), Prakasham (the Light),* ***7.*** *I pray to the planet Shani (Saturn), Vighna-raj (the Remover of obstacles), Yama (the God of death) Raudra (the Terrible one), Sarva-pap-vinashak (the Remover of the sins), Shubhra (Bright), Shiva (the auspicious).* ***8.*** *I pray again and again to the comet Rahu, the Vipra-chitti-sut (Son of Sarasvati), Raktaksha (with red eye), Ardha-vigraha (with half-body), Simhikanand (son of Simhika), Daitya (son of Diti),* ***9.*** *I pray over and over to the comet Ketu, the Rudra-priya-graha (the planet dear to Shiva), Kala (the Lord of dissolution), Dhumra (Smoke coloured), Vivarnaka (the Colourless), Loka-ketu-maha-ketu (the Great comet).*

(कर्मफलं यत्प्राप्यते श्वः)

वेदत्रयस्य ज्ञातारः पूतपापाश्च सोमपाः ।
अनघा यागकर्तारः स्मरन्ति मम नाम ये ।। 719

◎ **The fruits :** *The knowers of the three Vedas, those who have washed away their sins with the nectar of Vedas, the austere sinless people chant my name.*

सुकर्म सुकृतं कृत्वा स्वर्गलोकं विशन्ति ते ।
स्वर्गभोगांश्च भुञ्जन्ति शक्रलोके ततो दिवि ।। 720

◎ **The Heaven seekers :** *Those seekers of heaven, having done righteous deeds, enter heaven and enjoy the heavenly pleasures at the abode of Lord Indra.*

स्वर्गलोके सुखं भुक्त्वा बहुलं परमात्मकम् ।
क्षीणे पुण्ये निवर्तन्ते भूमौ पुनश्च ते जनाः ॥ 721

◎ **And :** *Having enjoyed the pleasures in the heaven and having used up their merit points, they return back to the earth again.*

त्रयीधर्मस्य कौन्तेय लीनाः कर्मफलेषु ये ।
पतन्ति मृत्युचक्रे ते जनाः स्वर्गपरायणाः ॥ 722

◎ **And :** *Those seekers of the heaven, devoted to the fruits of the karmas, again fall in the cycle of birth and death.*

(एकनिष्ठा)

भक्तिरेकशिखा यस्य पूजनं चिन्तनं तथा ।
नित्ययुक्तस्य तस्याहं योगक्षेमं वहाम्यहम् ॥ 723

◎ **My devotees :** *Those who are my unshaken devotees, I protect their faith and welfare.*

राध्नोति देवता भिन्नाः पूजको यस्तु श्रद्धया ।
स पूजयति मामेव भ्रमादविधिपूर्वकम् ॥ 724

◎ **But :** *Those who worship other Gods, they are also my worshippers, but indirectly.*

भोक्ताऽहं सर्वयज्ञानां भूतानां प्रभुरेव च ।
यो न जानाति मां सत्यम्-अधोगतिं स गच्छति ॥ 725

◎ **And :** *I enjoy all austerities. I am the Lord of all beings. He who does not know this truth, they cause their own downfall.*

सुरभक्तः सुरं यात्यसुरभक्तोऽसुरं तथा ।
पितरं पितृनिष्ठश्च मद्भक्तो याति मां सखे ॥ 726

◎ **And :** *The worshippers of other Gods go to other Gods. Worshippers of the other beings go to the other beings. Worshippers of the forefathers go to forefathers. My devotees come to me, O Arjun!*

सच्चित्तो भक्तिभावेन यत्किमपि प्रयच्छति ।
प्रेम्णा तदहमश्नामि पुष्पं पर्णं फलं जलम् ॥ 727

◎ **And :** *He who has pure faith in me, whatever food, flower, leaf or water he offers me from his heart, I accept it with love.*

दानकर्म तपो यज्ञं यत्कृतं तर्पणं तथा ।
अशनं ग्रहणं पानं सर्वं मदर्पणं कुरु ॥ 728

◎ **And :** *O Arjun! whatever charity, austerity or righteous deed you do, do it in my name.*

मुक्तः शुभाशुभाभ्यां च योऽबद्धः कर्मबन्धनैः ।

युक्त: स ज्ञानयोगेन कौन्तेय मामुपैष्यति ।। 729

◉ **Devotee** : *That devotee of mine, being freed from all bondages of karma, having followed Jnana yoga, attains me.*

शत्रुर्मित्रं न मे कोऽप्यहं सर्वै: पूजित: सम: ।
अहं स्नेहेन सर्वेषाम्-आश्रिता ये जना मयि ।। 730

◉ **And** : *I have no enemy or friend. I am worshipped by all equally. Those devotees of mine who seek my shelter, I accept them with love.*

य: पूजयति मामेव यदि हि कोऽपि दुर्जन: ।
योग्यवर्त्मनि भक्त: स प्रियो मम धनञ्जय ।। 731

◉ **And** : *Even if someone was a bad person, but if he worships me with unshaken faith, he is also dear to me, as he is trying to come to the right path.*

(शीघ्रमुपैति धर्मात्मा)
शीघ्रमुपैति धर्मात्मा चिरां शान्तिं पदे पदे ।
भक्तो मे न कदापीह विनश्यति परन्तप ।। 732

◉ **And** : *A righteous person receives everlasting peace. O Lord! you do not let your devotees go down for any reason.*

वैश्य: शूद्रो नरो नारी साधु: पापी च स्याद्यदि ।
गृह्णाति शरणं यो मे तस्याहं परमा गति: ।। 733

◉ **And** : *May he be a merchant, worker, man, woman, saint, sinner or whoever seeks my shelter, I become his savior;*

तत्र साधुद्विजानां च पावनानां च का कथा ।
दु:खमये भवे तस्मात्-कौन्तेय भज मां सखे ।। 734

◉ **And** : *And then, in that case, what to speak of those who are righteous? No doubt they receive my protection. Therefore, O Arjun! be my devotee.*

पूजनं साधनां भक्तिं युज्यस्व हृदये तव ।
एवं परायणो भूत्वा पार्थ त्वं मामुपैष्यसि ।। 735

◉ **And** : *O Arjun! keep one pointed devotion to me at your heart. Being devoted to me in this manner, you will no doubt attain me.*

श्रीमद्-भगवद्-गीताया दशमोऽध्याय: ।
विभूतियोग: ।

रत्नाकरी गीता
एकविंशस्तरंग

26. The Divine Glory
दैवीविभूतिनिरूपणम्

श्रीमद्भगवद्गीता दशमोऽध्याय: ।

श्रीभगवानुवाच ।

पुनर्वदामि योगं त्वां वचनं शृणु भारत ।
सखा मे त्वं प्रिय: पार्थ तस्माद्वदामि त्वां हितम् ।। 736

◎ **Again :** *O Arjun! again I shall tell you my buddhi-yoga. You are my devotee as well as a friend. So, please listen to me for your benefit.*

नावगच्छन्ति देवाश्च विभूतिं विस्तरेण मे ।
यद्यप्यहं पिता तेषां कर्ता धाता च सर्वथा ।। 737

◎ **And :** *Even the Gods do not understand my divinity, as its expanse is immense. Even then, I am their father and protector in every which way.*

(ज्ञानी)

यो जानाति यथार्थेन मामजं परमेश्वरम् ।
पापात्स मुञ्च्यते ज्ञानी निर्भ्रमो निर्ममो नर: ।। 738

◎ **And :** *I am eternal and unborn Lord of all. He who knows me in principle, that undeluded wise person is freed from all his sins.*

बुद्धिर्ज्ञानं क्षमा शान्ति:-निर्मोहता सुखं च स्यात् ।
अहिंसा समता सत्यं निर्ममता च साहसम् ।। 739

(प्रजानिर्मिति:)

सप्त महर्षय: पूर्वे मनवश्च चतुर्दश ।
द्वौ कुमारौ च, सर्वे हि मनोजास्ते प्रजाकरा: ।। 740

◎ **Progenies :** *The ancient seven great saints, the fourteen Manus, the two Ashvins, are all Prajapatis (progenitors) of this world. O Brahma! you created the Prajapatis from your mind.*

(विभूतिज्ञानम्)

मम योगं विभूतिं च जानाति यो यथार्थत: ।
असंशयं हि ज्ञानी स योगेन युज्यते सदा ।। 741

◉ **Divinities** : *He who understands my divinity properly, that wise person is no doubt equipped with yoga.*

सर्वेषामुद्गमो मत्त:-तेषामभ्युदयोऽप्यहम् ।
एवं ज्ञात्वा प्रबुद्धास्ते रमन्ते विलसन्ति च ।। 742

◉ **And** : *Everyone's origin is from me. Their dissolution is also in me. Knowing this, the wise people enjoy the discussions.*

जना मोदेन ते सर्वे चर्चायां च रता मम ।
ध्यानमग्नास्ततो भूत्वा मयि ते मत्परायणा: ।। 743

◉ **And** : *Those devotees of mine enjoy themselves in the discussions about my divinities.*

एवं विधं च ध्यानेन पूजयन्ति प्रणेन ये ।
ददामि बुद्धियोगं तान्-लीयन्ते येन ते मयि ।। 744

◉ **And** : *In this manner those who worship me with firm resolve, to them I give Jnana yoga so that they remain immersed in me.*

तेषामहं मनो भूत्वा स्नेहेन दयया तथा ।
प्रज्ज्वालयाम्यहं पार्थ ज्ञानदीपं तमोहरम् ।। 745

◉ **And** : *Becoming their mind, with love and kindness, I enlighten the lamp of knowledge in their heart.*

अर्जुन उवाच ।
(अर्जुन उक्तवान्)
पूज्यतमो मनोहारी पुण्यदाता भवान्हरे ।
सुखकर्ता व्यथाहर्ता पापहन्ता च त्वं प्रभो ।। 746

◉ **Arjun** : *Arjun said, O Hari! you are the Supreme Person. You are the giver of righteousness. You are the joy to the mind. You are the giver of happiness. You are the remover of pains. You are the cleanser of the sins.*

परब्रह्मोत्तमं धाम पूजनीय: सनातन: ।
सर्वेषां च पिता कृष्ण त्वमजोऽनादिरव्यय: ।। 747

पुण्य सनातन आप परम हैं, पूज्य ब्रह्म हैं धाम चरम हैं ।
बिना जनम के आदि आप हैं, आप सभी के अमर बाप हैं ।। **1436/5200**

◉ **And** : *O Shrī Krishna! you are superior than the Para Brahma (The Supreme). You are worship worthy. You are ancient. You are the father and the Lord of everyone. You are unborn. You are beginingless.*

यत्त्वं भणसि रूपं ते तस्यैव दर्शनाय च ।
देवलश्चासितो व्यास: स्तवीति त्वां च नारद: ।। 748

◉ **And :** *O Lord! your form is as divine as you have said. Narada, Asita, Devala and Vyasa worship you.*

यन्मां त्वमगद: पूर्वं मन्ये सर्वमृतं प्रभो ।
नहि जानन्ति देवाश्च मायां ते दानवास्तथा ॥ 749

◉ **And :** *O Lord! I agree whatever you have said to me. Neither the Gods nor the men know your divinity.*

पुरुषोत्तम देवेश प्राणदस्त्वं प्रभुर्महान् ।
त्वमेव तव ज्ञाताऽसि देवदेव जगत्पिता ॥ 750

◉ **And :** *O Supreme Person! O Lord of the Lords! you are the life giving Great God. You are the only one worth knowing in the world.*

विभूतेस्तव गोविन्द यया सर्वमिदं ततम् ।
गौरवं श्रोतुमिच्छामि तव मुखाज्जनार्दन ॥ 751

◉ **And :** *O Lord! the world is filled with your divinity. I would like to hear about it from your mouth.*

केषु रूपेषु योगेश ज्ञास्यामि त्वां मनोहर ।
कथं विद्यामहं त्वां नु ध्यानयोगे रत: सदा ॥ 752

◉ **And :** *O Lord! O Yogesha (Lord of the yoga)! in which forms shall I recognize you, while being engaged in the yoga?*

शृण्वतो नास्ति तृप्तिर्मे त्वत्तस्ते कथनामृतम् ।
विभूतिं ते च योगं च कथय विस्तरेण माम् ॥ 753

◉ **And :** *Listening your nectar filled words my thirst does not get quenched. Please tell me about your divinities in details.*

श्रीभगवानुवाच ।
(विभूतिविस्तर:)

साधु पृष्टं त्वया पार्थ शृणु वदामि त्वां सखे ।
विभूतयस्तु दिव्यैव विस्तृता: प्रसृता यत: ॥ 754

◉ **Krishna :** *O Arjun! you have asked me a good question. But, the expanse of my divinity is immense. Therefore, keeping in mind the place and situation we are in right now (on the battle field), I shall give you just a few examples.*

आत्मा यो हृदि सर्वस्य स्थितो नित्योऽहमर्जुन ।
आदिर्मध्यश्च भूतानाम्-अहमन्तश्च भारत ॥ 755

◉ **And :** *O Arjun! I am the soul that exists in the hearts of all beings. I am the beginning, middle and the end of everyone.*

विद्ध्यादित्येषु मां विष्णुं मरीचिं मरुतेषु च ।
ज्योतिर्मयेषु सूर्योऽहं नक्षत्रेषु च चन्द्रमा ॥ 756

◎ **And :** *Know me to be Vishnu among the sons of Aditi, Marichi among the Maruts, the Sun among the stars and Moon among the planets.*

सामवेदोस्मि वेदेषु देवेष्विन्द्रोऽहमर्जुन ।

मनोऽहमिन्द्रियाणाञ्च भूतानां चेतना तथा ।। 757

◎ **And :** *I am the Sama Veda among the four Vedas. I am Lord Indra among the Gods. I am mind among the eleven body organs. I am life of the beings.*

रुद्रेषु च महेशोऽहं कुबेरो यक्षरक्षसाम् ।

मेरुरहं गिरीणाञ्च वसूनां पावकस्तथा ।। 758

◎ **And :** *I am the Shiva among the Rudras. I am Kubera among the Yaksha deities. I am Meru among the mountains. I am Pavan among the Vasus.*

सुरसेनापतिः स्कन्दः सागरः सरसामहम् ।

बृहस्पतिं च मां विद्धि देवानां च पुरोहितम् ।। 759

◎ **And :** *I am Skanda, the commander-in-chief of the Gods. I am the ocean among the bodies of water. I am Brihaspati among the physicians of the Gods.*

शब्दानामहमोङ्कारो महर्षीणां भृगुस्तथा ।

यज्ञेषु जपयज्ञोऽहं स्थावरेषु हिमालयः ।। 760

◎ **And :** *I am Om among the sounds. I am Bhrigu among the saints. I am Japa (chant) yajna among the austerities. I am Himalaya among the stable things.*

चित्ररथश्च गन्धर्वः सिद्धानां कपिलो मुनिः ।

वृक्षाणामहमश्वत्थो देवर्षिषु च नारदः ।। 761

◎ **And :** *I am the Chitraratha among the heavenly musicians. I am Kapila among the sages. I am the Ficus (Banyan) tree among the trees. I am Narad muni among the celestial sages.*

उच्चैश्रवोऽहमश्वानां गुडाकेशामृतोद्भुतः ।

नृषु नराधिपश्चाहम्-ऐरावतो गजेषु च ।। 762

कन्दर्पश्च प्रजाकारो महासर्पेषु वासुकिः ।

अस्त्राणां च महावज्रं कामधेनुर्गवामहम् ।। 763

◎ **And :** *I am Kandarpa among the procreators. I am Vasuki (the snake that stays on the neck of Shiva) among the snakes. I am Kamdhenu (the wish granting cow) among the cows.*

सर्पाणां शेषनागोऽहं पितृणामहमर्यमा ।

यमो नियन्त्रकाणां च वरुणो जलदेवता ।। 764

◎ **And :** *I am the Shesha (Vishnu's snake) among the great snakes, Aryama among the forefathers, Yama (God of Death) among the regulators, Varuna, the deity of waters.*

दितिसुतेषु प्रह्लादो वैनतेयः खगेषु च ।
सिंहराजो मृगाणां च कालोऽहं गणनाकरः ।। 765

◎ **And :** *I am the devotee Prahlad among the sons of Diti. I am the kingly Vainateya among the eagles and I am the lion among the beasts.*

पवतामस्मि वायुश्च गङ्गा च स्त्रोतसामहम् ।
जलचरेषु नक्रोऽहं रामोऽहं शस्त्रधारिणाम् ।। 766

◎ **And :** *I am the wind among the fluids, Ganges among the rivers, alligator among the aquatic animals and Rama among the warriors.*

आदिमन्तं तथा मध्यं सृष्टेर्मां विद्धि पाण्डव ।
विद्यानां ब्रह्मविद्याऽहं तर्कः प्रवदतामहम् ।। 767

◎ **And :** *O Arjun! I am the beginning, middle and the end of all beings. I am the originator of the Universe. I am the Brahma-vidya (Supreme knowledge) among all knowledges. I am the logic in the debates.*

अक्षराणामकारोऽहं द्वंद्वः सामासिकेषु च ।
अक्षयः शाश्वतः कालो ब्रह्मा विष्णुः शिवस्तथा ।। 768

◎ **And :** *I am letter-A among the alphabet, I am the eternal time. I am Brahma, Vishnu and Shiva, the guardians of the mankind.*

भविष्यतामहं जन्म मृत्युश्चैवाहमर्जुन ।
अहं कर्ता च हर्ता च धाता त्राता तथा सखा ।। 769

◎ **And :** *I am the life of the living beings. I am their birth and death. I am the creator, dissolver, nourisher, protector and the friend.*

वाणी मेधा क्षमा कीर्तिः–लक्ष्मी प्रीतिर्धृतिस्स्मृतिः ।
अष्टैतानि हि नारीणां लक्षणान्यहमर्जुन ।। 770

◎ **And :** *I am the eight virtues of speech, intelligence, forgiveness, fame, nobility, love, courage and remembrance of the women*

मार्गशीर्षञ्च मासानाम्–ऋतुराट्कुसुमाकरम् ।
मां बृहत्साम साम्नां च गायत्रीं विद्धि छन्दसाम् ।। 771

◎ **And :** *O Arjun! I am the month of Margashirsh (November-December) among the months, Basant (Spring) among the seasons, Brihat-sama in the Sama-veda and I am Gayatri among the poetic meters.*

छलं छलयतां विद्धि द्यूतकारस्य कैतवम् ।
व्यवसायं च मां पार्थ दृढानां व्यवसायिनाम् ।। 772

विजयोऽहं विजेतृणां निर्धारिणां च निश्चयः ।

सात्त्विका सत्त्वशीलानां सद्बुद्धिश्च धनञ्जय ॥ 773

◎ **And :** *I am the victory of the victorious, resolve of the resolute and truth of the truthful.*

वृष्णीनां वसुदेवोऽहं पाण्डवेष्वहमर्जुनः ।
कवीनामुशना पार्थ व्यासदेवो मुनीश्वरः ॥ 774

◎ **And :** *I am Vasudeva in the Vrishni clan. I am Arjun in the Pandavas. I am Ushna in the learned and Vyasa in the saint poets.*

राजनीतिर्नृपाणां च दण्डोऽहं शासनस्य च ।
गोपनीयेषु मौनं च ज्ञानं च ज्ञानिनामहम् ॥ 775

◎ **And :** *I am the kingship of the king, the rule of the ruler, secrecy of the secrets and the knowledge of the knowledgeable.*

पार्थ गतागतानां च भूतानां विद्धि मां गतिम् ।
अत्र ये येऽपि जायन्ते बीजं तेषां च प्राक्तनम् ॥ 776

◎ **And :** *O Arjun! know me to be the destiny of the departed. I am the seed of the beings that take birth in the Universe.*

दैविनां हि विभूतीनां नास्त्यन्तो मे यतः सखे ।
अवदमत्र स्वल्पेन व्याप्तिं तेषां तु भारत ॥ 777

◎ **And :** *There is no end to my divinities, therefore, O Dear Arjun! I have given you just a few examples, on this battlefield.*

श्रीयुक्तं च प्रभावी च यदप्यस्त्यत्र तत्र वा ।
तदस्ति पार्थ जानीहि मम तेजोंऽशसम्भवम् ॥ 778

◎ **And :** *O Arjun! whatever divine and noble is there anywhere in the Universe, know it to be a minute fraction of my divinity.*

ज्ञात्वा सूक्ष्मेन किं पार्थ जानीहि यावदेव त्वम् ।
ब्रह्माण्डमंशमात्रेण सम्भूतं मम तेजसः ॥ 779

◎ **And :** *But, O Arjun! rather than knowing all about my divinity here on the battlefield, just know this much that this Universe is evolved from a fraction of mine.*

श्रीमद्-भगवद्-गीताया एकादशोऽध्यायः ।
विश्वरूप-दर्शनयोगः ।

रत्नाकरी गीता

द्वाविंशस्तरंगः

27. Display of the Universal Form
विश्वरूपदर्शनकथा

रत्नाकर उवाच ।

दातुमृतं प्रमाणं तं श्रीभगवान्धनञ्जयम् ।

विभूतिविस्तरस्यैकम्-अंशमात्रमवर्णयत् ।। 780

◎ **Ratnakar :** *For giving an idea of his infinite divinity to Arjun, Shrī Krishna gave him just few examples.*

श्रुत्वा तमर्जुनोऽजानाद्-दैवी भावः कथं च कः ।

यद्यद्विभूतिमत्तत्त्वं विश्वे तेजो हरेर्हि तत्

गतभ्रमश्च निःशङ्कोऽचिन्तयत्कुरुनन्दनः ।

यस्येयत्सुन्दरं चित्रं रूपं स्यात्सुन्दरं कियत् ।। 782

◎ **And :** *Arjun became free of doubts and he thought if the description of Shrī Krishna's divinity is so fascinating, how wonderful will be the actual display of his divine Universal form?*

मङ्गलं मे भवेद्भूरि दर्शनं मां मिलेद्यदि ।

इति बुद्ध्वा स धैर्येण श्रीभगवन्तमब्रवीत् ।। 7835

◎ **And :** *It will be so nice if I could get a glimpse at Shrī Krishna's divine Universal form. Thinking thus, without hesitation he asked Shrī Krishna.*

अर्जुन उवाच ।

प्रसादो भवता दत्तः कृपया मे प्रभो त्वया ।

मनसश्च गतः शोको ज्वलिताज्ज्ञानदीपकात् ।। 784

◎ **Arjun :** *O Lord! the gift of kindness you gave me, has removed my delusion and a lamp of wisdom is enlightened in my heart.*

श्रुतवान्वर्णनं त्वत्तो भूतप्रलयसर्गयोः ।

अव्ययं महिमन्तं च भवतः शाश्वतं चिरम् ।। 785

◎ **And :** *From you I heard the description of the begining and end of the beings in the nature as well as I heard the infinite expanse of your eternal divinity.*

इदानीं वेद्मि रूपं ते त्वया प्रोक्तं तथा हि तत् ।

दर्शय मां वपुर्दिव्यं तव तत्पुरुषोत्तम ।। 786

◎ **And :** *And he said, O Lord! now I understand that your form is as divine as you said. O Shrī Krishna! please give me a glimpse of that Universal divine form.*

मन्यसे यदि मां पात्रं द्रष्टुं रूपं जनार्दन ।
विस्मयकारि रूपं ते मां योगेश्वर दर्शय ।। 787

◎ **And :** *If you think me worthy of seeing your Universal display, O Lord! please show it to me.*

श्रीभगवानुवाच ।
दिव्यानि पश्य मे पार्थ रङ्गरूपाणि विस्मितः ।
आकारैश्च प्रकारैश्च सहस्रैर्विविधैस्तथा ।। 788

◎ **Shrī Krishna :** *O Arjun! behold my wonderful Universal form in its infinite sizes, shapes and colours.*

विस्मयान्पश्य ये दृष्टाः केनापि न कदाऽपि च ।
आदित्यानश्विनौ पश्य रुद्रान्वसून्मरुद्गणान् ।। 789

◎ **And :** *See the wonders that no one has witnessed ever before. In it there are Rudras, Maruts, Ashvins and the Vasus.*

पश्य त्वं सकलां सृष्टिम्–अत्राद्यैकत्रितां सखे ।
वा यदिच्छसि द्रष्टुं त्वं मनसि वा यदस्ति ते ।। 790

◎ **And :** *O Arjun! behold, here the entire evolution of nature, assembled in one place. Here you will see whatever you wish to see or whatever you think in your mind.*

एताभ्यां तव नेत्राभ्यां नृणां द्रष्टुं न शक्ष्यसि ।
दृष्टिं ददामि दैवीं त्वां द्रष्टुं मे योगमैश्वरम् ।। 791

◎ **And :** *But, O Arjun! you will not be able to see the Universal display with your human vision, therefore, I am giving you a divine vision to see my Supreme yoga.*

सञ्जय उवाच ।
योगेश्वरस्तदा पार्थम्–एतदुक्त्वा महाजनम् ।
रूपं स्वस्य तदाकारं कान्तियुक्तमदर्शयत् ।। 792

◎ **Sanjaya :** *Sanjaya said, O Dhritarashtra! Shrī Krishna then showed his splendid Universal form to Arjun.*

स्मयमयानि दिव्यानि करनेत्रमुखाणि च ।
आभरणानि शस्त्राणि हस्तेषु पुष्कलानि च ।। 793

◎ **And :** *There Arjun saw the Supreme form of the Lord which had many divine wonders, many hands, eyes, faces and wearing many garments and weapons.*

अनन्तञ्च विराटञ्च रूपं भव्यं तदैश्वरम् ।
सुगन्धितैश्च पुष्पैश्चोत्तमैर्वस्त्रैः सुशोभितम् ।। 794

◎ **And :** *The divine form was infinitely large and decorated with many scents, flowers and garments.*

सहस्त्रा गगने सूर्या एकत्रं काशिता यदि ।
कान्त्युज्ज्वलतरा तेभ्यो दृष्टा पार्थेन तत्र सा ।। 795

◎ **And :** *The form was so bright that even if a thousand suns arose in the sky at one time, their glitter would not be as much as the glitter of this form.*

(दिव्यदृष्टया)
पार्थोऽपश्यत्प्रभौ विश्वं कृत्स्नमेकस्थितं तदा ।
शरीरे तत्र देवस्य नानाविधं समाहितम् ।। 796

◎ **With the Divine vision :** *With the divine vision, Arjun saw the verious aspects of the entire Universe assembled in unison.*

विस्मयेन समापन्नो रोमाञ्चितो धनञ्जयः ।
अवदद्भयभीतः स नतशीर्षः कृताञ्जलिः ।। 797

◎ **And :** *Awed with the wondrous sight, Arjun was thrilled. Thus, with fear, respect and folded hands he said :*

अर्जुन उवाच ।
हे योगेश्वर पश्यामि शरीरे तव दैविके ।
विष्णुं शिवञ्च ब्रह्माणं देवांश्च कमलासने ।। 798

◎ **Arjun :** *O Yogeshvara (Lord of yoga)! in your divine body I see Vishnu, Shiva, Brahma and other Gods seated on the throne of lotus.*

अनेकानि च देहे ते नेत्राणि च मुखानि च ।
अनादिर्विश्वरूपस्त्वम्-अनन्त परमेश्वर ।। 799

◎ **And :** *And, O Lord! in your body there are many eyes and mouths. O Supreme Lord! your form is infinite and Universal.*

किरीटिनं गदायुक्तं पश्यामि त्वाञ्च चक्रिणम् ।
तेजस्विनं प्रदीप्तं च दुर्निरीक्ष्यं च सर्वतः ।। 800

◎ **And :** *You are wearing a crown, mace and the Sudarshan wheel. Your form is brilliantly blazing and difficult to be seen.*

निधानं त्वं च विश्वस्य वेद्योऽक्षरः सनातनः ।
अव्ययो धर्मगोप्ताऽसि मन्येऽहं यदुनन्दन ।। 801

◎ **And :** *You are the supreme abode for the beings of the Universe. You ought to be understood. You are the knower of righteousness, I believe, O Yadu-nandana (Son of Yadu) Krishna!*

न चादिर्न च मध्योऽपि नान्तोऽस्ति तव केशव ।
प्रभो सहस्त्रबाहो त्वं तेजपुञ्जो जनार्दन ।। 802

◎ **And :** *I do not see any beginning or any end to your form. O Lord! you have hundreds of arms and your body is blazing.*

प्रज्वलितानि वक्त्राणि नेत्राणि चन्द्रसूर्यवत् ।
विश्वं सर्वं त्वया तप्तं प्रभो ज्वालामुखीसमम् ।। 803

◎ **And :** *Your mouths are blazing and your eyes are like the moon and sun. You have occupied the whole Universe. You are like a volcano.*

अन्तरालं नभः पृथ्वी स्वर्गोऽपि पूरितस्त्वया ।
तप्तं विश्वमिदं सर्वं पश्यामि तव तेजसा ।। 804

◎ **And :** *The earth, sky and heaven are all occupied by you. O Lord! I see the whole world on fire because of you.*

विशन्ति सुरसङ्घास्ते प्रभो मुखेषु सत्वरम् ।
सिद्धवृन्दश्च देहे ते गायन्स्वस्ति हरे हरे ।। 805

◎ **And :** *The hoards of Gods and sages are entering your mouths. They are singing the prayers for peace and chanting Hari! Hari!*

रुद्रा मरुद्गणाः सिद्धा अश्विनौ पितरस्तथा ।
वसवो विश्वदेवाश्च गन्धर्वा विस्मिताः प्रभो ।। 806

◎ **And :** *Seeing it, O Lord! surprised are Rudras, Maruts, Saints, Ashvins, Pitaras (forefathers), Vasus, Vishva-devas (deities of the world) and Gandharvas (celestial musicians).*

दृष्ट्वा दंष्ट्राकरालानि विशालानि मुखानि च ।
हस्तपादोरुनेत्राणि भीतोऽहं च त्रिलोकिनः ।। 807

◎ **And :** *O Lord! seeing your big jaws, teeth, mouths, arms, stomach, legs and eyes, I am scared and so are the beings of the three worlds.*

(अर्जुनः पुनरुवाच)

अग्नियुक्तं मुखं दीप्तं यस्मिञ्ज्वाला नभस्स्पृशाः ।
रक्त वर्णानि नेत्राणि दीर्घं व्यात्तं मुखञ्च ते ।। 808

◎ **And :** *From your blazing mouth, the flames are touching the sky. Your eyes are red and mouths are open.*

करालानि च घोराणि दंष्ट्राणि भ्राम्ययन्ति माम् ।
भयङ्करं हि रूपं ते यथा वदसि त्वं तथा ।। 809

◎ **And :** *Your sharp teeth and scary Jaws are puzzling me. O Lord! your form is as you said it is.*

भीष्मो द्रोणः कृपः कर्णो नृपा भटा जयद्रथः ।
योद्धारो बहवो वीरा अस्माकं सैनिकास्तथा ।। 810

◎ **And :** *Bhīshma, Drona, Kripa, Karna, Jayadratha and other warriors from both sides;*

शीघ्रेण कृष्ण वेगेन विशन्तस्ते मुखे तव ।

केचन चूर्णिता दन्तैः-बद्धा दन्तान्तरेषु वा ।। 811

◎ **And :** *They are entering your mouths with fast speed. Some of them are crushed under your teeth, some are stuck between the gaps of the teeth.*

प्रविशन्ति यथा सर्वाः सरितः सागरे प्रभो ।

यथा च शलभा दग्धुं विशन्ति पावके द्रुतम् ।। 812

◎ **And :** *As the rivers rush to the ocean or as the moths jump in the fire;*

तथा च सर्वयोद्धारः कूर्दयन्तो मुखे तव ।

आत्मसमर्पणं कर्तुं ज्वालयितुमघानि च ।। 813

◎ **And :** *so are these warriors jumping in your mouths to destroy themselves and to burn their sins.*

लेलिह्यसे च जिह्वाभिः-त्वं सर्वान्ग्रससे भटान् ।

उग्रया प्रभया विश्वं ज्वालयसि परन्तप ।। 814

◎ **And :** *O Lord! you are licking and swallowing them with your tongues. You are burning the whole evil world with your fire.*

उग्ररूपो भवान्कोऽस्ति रहस्यं वदतात्प्रभो ।

वन्देऽहं शतवारं त्वां प्रसीद करुणाकर ।। 815

◎ **And :** *O Lord! please tell me, who are you in this terrible form? O Merciful Lord! please be peaceful and come back to your regular form.*

श्रीभगवानुवाच ।

उग्ररूपो महाकालोऽद्याभवमात्ममायया ।

विनाशोऽपरिहार्योऽस्ति तेषां, त्वं योत्स्यसे न वा ।। 816

◎ **Krishna :** *Shrī Krishna said, O Arjuna! I have taken this terrible Universal form because with this form, destruction of the evil people is certain, even if you fight or not.*

तस्मादुत्तिष्ठ त्वं पार्थ जित्वा राज्यञ्च त्वं कुरु ।

यशो च वैभवं प्राप्य धर्मं स्थापय त्वं पुनः ।। 817

◎ **And :** *Therefore, O Arjun! please stand up and do your duty. Win and rule the kingdom righteously and re-establish the order of peace.*

पूर्वमेव हताः सन्ति योधवीरास्तवाहिताः ।

भूत्वा निमित्तमात्रं त्वं युद्धायोत्तिष्ठ पाण्डव ।। 818

◎ **And :** *O Arjun! I have already killed the evil enemy internally, you just have to be an instrument to make it externally real. Thus, O Arjun! stand up.*

योधवीरा हताः कर्णो भीष्मो द्रोणो जयद्रथः ।
तेषामर्थे व्यथिष्ठा मा युध्यस्व त्वं धनुर्धर ।। **819**

◎ **And :** *Karna, Bhīshma, Drona, Jayadratha and all other warriors are already slain. O Arjun! don't fear and don't worry. Just stand up and fight.*

सञ्जय उवाच ।

कृष्णस्य कथनं श्रुत्वा वेपमानः कृताञ्जलिः ।
सगद्गदं नमस्कृत्य कृष्णमाह स्मयावृतः ।। **820**

◎ **Sanjay :** *Sanjaya said, O Dhritarashtra! having heard these words of Shrī Krishna, the trembling Arjun sat with his hands folded. Saluting Shrī Krishna, he respectfully said :*

अर्जुन उवाच ।

स्थाने केशव कीर्तिस्ते विश्वं चाह्लादते सदा ।
पलायन्त्यधमा भीता दर्शमिच्छन्ति योगिनः ।। **821**

◎ **Arjun :** *Arjun said, alright then, O Krishna! the world becomes joyful hearing about your righteous deeds and the evil people run away with fear. The saints wish to see your feats.*

सिद्धाः कथं न वन्देरन्-सर्वेषु परमो भवान् ।
आदिकर्ता भवान्ब्रह्मा सदसद्भ्यां परः प्रभो! ।। **822**

◎ **And :** *O Lord! why would the sages not salute you, who is the Supreme God, above Brahma and beyond the right and wrong.*

वेत्ता वेद्यश्च सर्वज्ञो विधाता जगतो हरे ।
भवान्सर्वस्य दाता च परमं धाम शाश्वतम् ।। **823**

◎ **And :** *O Lord! you are Omniscient, the Lord of the world, worth knowing, giver of life to everyone, the supreme and eternal abode for all.*

भवाननन्तरूपोऽस्ति ज्ञेयो ज्ञाता जगत्प्रियः ।
अहो जगत्पितः स्वामिन्-विश्वं पूर्णं कृतं त्वया ।। **824**

◎ **And :** *O Lord! you are infinite. You are the knower of the world. You ought to be known by the world. O Master! you have designed this world.*

पवनो वरुणो वह्निः-भवानेव प्रजापतिः ।
भवान्रविर्यमः सोमः कोटि कोटि नमोस्तुते ।। **825**

◎ **And :** *You are the rain, fire and the wind. You are the forefather. You are the Sun, Yama (God of death) and the Moon. Thousands up on thousands of salutes to you.*

अनंतविक्रमी त्वञ्च बलशाली च सर्वगः ।
नमामि शतवारं त्वां पृष्ठतः सम्मुखात्तथा ।। **826**

◎ **And :** *O Lord! you are infinitely powerful. You are omnipresent. I salute you from the front, back and all sides, again and again.*

(अर्जुनः क्षमां याचति)

आहूतवानहं प्रेम्णा प्रमादात्कृष्ण यादव ।

ज्ञात्वा त्वां स्नेहिनं बन्धुं लीलामजानता तव ।। 827

◎ **And :** *O Lord! please forgive me, if I have unknowingly dishonoured you, while eating, talking, walking or sleeping, thinking you as a friend and well wisher.*

मित्रवर्गे विनोदेन स्वपञ्श्वसंश्च क्रीडने ।

असत्कृतोऽसि त्वं यद्वा सर्वमेव क्षमस्व तत् ।। 828

◎ **And :** *Among the friends, while laughing, joking and playing if I have disrespected you, please forgive me.*

चराचरस्य सर्वस्य जगतश्च पिता भवान् ।

त्वया समस्त्रिलोकेषु नास्ति कोऽप्यधिकः कथम् ।। 829

◎ **And :** *O Lord! you are the father of the world. There is none equal to you, then how can there be anyone greater than you.*

दासश्चरणयोस्तेऽहं भगवञ्शरणागतः ।

स्वीकुरुतात्प्रभो त्वं मां स्नेहेन शरणागतम् ।। 830

◎ **And :** *O Lord! I am your disciple at your feet surrendered to you, please accept me lovingly.*

मित्रं मित्रं पिता पुत्रं सखायं सहते सखा ।

प्रेम्णा तथा च देवेश सख्यायं सोढुमर्हसि ।। 831

◎ **And :** *As a friend forgives a friend, a father to a son and lover forgives to a beloved, please excuse me kindly.*

(सौम्यरूपमिच्छति)

रूपमुग्रं तु दृष्ट्वा तद्-भीतोऽहं सान्त्वनं कुरु ।

प्रसीद देवदेवेश पूर्वरूपः पुनर्भव ।। 832

◎ **Then :** *Arjun then said, O Lord! I am terrified having seen your Universal form, please be normal as before.*

चतुर्भुजो गदायुक्तः-चक्रधारी सुदर्शनः ।

किरीटी विष्णुमूर्तिस्त्वं भूयः सौम्यवपुर्भव ।। 833

◎ **And :** *Please assume Vishnu's form wearing the crown, with four arms, holding the mace and the Sudarshan wheel.*

श्रीभगवानुवाच ।

हृष्ट्वा त्वयि प्रसन्नेन स्नेहभावेन भारत ।
दर्शितमात्मयोगेन विश्वरूपं मया तदा ।। 834

◎ **Shrī Krishna :** *O Arjun! being pleased with you, with utmost love, I exhibited you my Universal form with my yogic power.*

रूपं तेजोमयं पूर्वं विराटं परमं मम ।
केनापि न त्वदन्येन दृष्टं कदाऽपि पाण्डव ।। 835

◎ **And :** *My splendid Universal form has not been seen by anyone before you, O Arjun!*

न वेदज्ञानमात्रेण न दानेन धनस्य च ।
न यज्ञेन न ध्यानेन घोरेण तपसा तथा ।। 836

◎ **And :** *Neither only by studying Vedas, nor by charities of wealth, nor by austerities, nor by severe meditation;*

न भवेद्दर्शनं जातु विश्वरूपस्य मे सखे ।
कस्मै तु सम्भवं भूमौ अन्यस्मै श्रद्धया विना ।। 837

◎ **And :** *O Dear friend! this Universal form is not seen by anyone without one pointed faith in me.*

(सौम्यरूपदर्शनम्)

आलोक्य घोररूपं तद्-मा भीः कुरुनन्दन ।
अनुग्रं पश्य मे रूपं विगतभीर्भवार्जुन ।। 838

◎ **Normal appearance :** *Having said so, Shrī Krishna said, O Arjun! behold my normal divine appearance again.*

सञ्जय उवाच ।
एवमुक्त्वा च पार्थं तं सौम्यं रूपमदर्शयत् ।
धैर्यं दत्त्वा हृषीकेशो गुडाकेशमसान्त्वयत् ।। 839

◎ **Sanjay :** *Sanjaya said, O Dhritarashtra! having said so to Arjun! Shrī Krishna showed him his normal divine form and gave him courage.*

अर्जुन उवाच ।
दृष्ट्वा चतुर्भुजं सौम्यं रूपं ते सुखदायकम् ।
प्रशान्तं मे मनो जातं पूर्ववद्धैर्यवानहम् ।। 840

◎ **Arjun :** *Arjun said, O Lord! your normal divine form is pleasant. I am now in my normal state as before. My fear is gone.*

श्रीभगवानुवाच ।

(भगवद्दर्शनम्)

दुर्लभं विश्वरूपं मे दृष्टं पूर्वं त्वया सखे ।
द्रष्टुं तदेव काङ्क्षन्ति देवदेवास्तथा नराः ।। 841

◎ **Shrī Krishna :** *Krishna said, O Dear Arjun! the sages and Gods wish to see the Universal form you just witnessed.*

न तेऽपि चाधिगच्छन्ति विश्वरूपस्य दर्शनम् ।
वेदमात्र न यज्ञेन ज्ञानेन न तपस्यया ।। 842

◎ **And :** *But, even they can not see it only with their studies of the Vedas or gifts of charity and austerities.*

अनन्ययैव भक्त्या स भक्तो भवति सक्षमः ।
योक्तुं द्रष्टुं प्रवेष्टुं च यथार्थं कुरुनन्दन ।। 843

◎ **And :** *And Shrī Krishna said, O Arjun! with one pointed and unshaken faith in me, a person is able to see me and be one with me.*

सत्परो वैरहीनः स नित्यं यो मयि मत्परः ।
मामेति सत्वरं पार्थ सर्वदा कर्मतत्परः ।। 844

◎ **And :** *He who is truthful, without any feeling of enmity, ever devoted to me, O Arjun! doing his duty, he attains me.*

श्रीमद्-भगवद्-गीताया द्वादशोऽध्यायः ।

भक्तियोगः ।

सूक्तिः
यस्मात्प्रमोदते लोको लोकात्प्रमोदते च यः ।
प्रीतिशान्तिर्धृतिर्युक्तो स हि हरेः प्रियो नरः ।। 845

◎ **An aphorism :** *From whom the world receives joy and he who receives joy from the world, that peace loving and courageous person is dear to Hari.*

रत्नाकरी गीता

त्रयोविंशस्तरंगः

28. The Bhakti Yoga

भक्तियोगनिरूपणम्

शार्दूलविक्रीडित-छन्दः

ऽ ऽ ऽ, । । ऽ, । ऽ ।, । । ऽ, ऽ ऽ ।, ऽ ऽ ।, ऽ

♫ सा-रे- ग-मगरे- गम- पमगरे- ग-प-मग-म-गरे-

श्रीकृष्णवन्दना

वन्दे चक्रधरं हरिं गुरुवरं श्रीकृष्णदामोदरम् ।
योगेशो मम मार्गदर्शकवरो रक्षाकरो ज्ञानदः ।। 1
कृष्णान्नास्ति कृपाकरः प्रियतरः कृष्णैव मे पालकः ।
तस्माद्विघ्नहराय नम्रमनसा कृष्णाय तस्मै नमः ।। 2

◎ **A Prayer to Shrī Krishna :** *Obeisance to Hari, the Chakradhara (who holds the Sudarshan wheel), Guruvar (the Supreme teacher), Shri-Krishna-Damodara. May the Yogesha (the Lord of Yoga) and Giver of knowledge show me the righteous path and protect me. There is no one as merciful and dear as Shrī Krishna. May he protect me. Therefore, for removing the obstacles, I salute Krishna with my humble heart.*

रत्नाकर उवाच

(निर्गुणब्रह्म च सगुणब्रह्म च)

ब्रह्मैव निर्गुणं ज्ञातं जीवात्मा जीवकारणम् ।
मूलं तद्विश्वबीजं च; सगुणात्मक ईश्वरः ।। 846

◎ **Ratnakar :** *Only Brahma (the Supreme) is without the three attributes, it is also called the Parameshvara (the Supreme). Atma is life of the living beings. The Ishvara (the God) is with attributes.*

अर्जुन उवाच ।

इत्थं भक्ताः सदा युक्ताः सगुणं त्वामुपासते ।
अक्षरं च निराकारं निर्गुणं ये, तु के वराः ।। 847

◎ **Arjun :** *Arjun said, O Lord! in this manner, those who are devoted to you and those who worship the formless deity without attributes, O Lord! who are superior devotees in these two?*

श्रीभगवानुवाच ।

भक्ताञ्श्रेष्ठानहं मन्ये नित्यं ये मत्परा मयि ।
एकचित्ता भजन्ते मां सन्तुष्टा ये सदाऽऽत्मनि ।। 848

◎ **Krishna :** *Krishna said, O Arjun! I consider those devotees to be superior who are devoted to me without any diversion of faith. Those happy devotees with one pointed focus dwell in me.*

भजन्तः सगुणं रूपं भक्तास्ते खलु मे प्रियाः ।
अभीप्सिता मया ते ये योगिनो मत्परायणाः ।। 849

◎ **And :** *Those one pointed devotees who worship my form with attributes, they are dear to me.*

तेषां नयामि नौकां तां तारयित्वाऽपरे तटे ।

कृपाश्रयञ्च भक्तेभ्यो ददे जन्मनिजन्मनि ।। 850

◎ **And :** *I carry their boat of life across the worldly ocean and I am merciful to them life after life.*

(परन्तु)

भजन्ति तु निराकारम्-अव्यक्तमचलं ध्रुवम् ।

अचिन्त्यमक्षरं ब्रह्म भक्ता ये सर्वगामिनम् ।। 851

◎ **And :** *However, those who worship the formless, attributeless, eternal, un-contemplatable, omnipresent Brahma;*

(तर्हि)

सर्वेन्द्रियमनोबुद्धीः सन्नियम्य समानतः ।

तयाप्नुवन्ति मां पार्थ भूतहिते रताः सदा ।। 852

◎ **Therefore :** *He who has his organs under control, mind and thinking under control and he who is in service of all beings with equanimity, he attains me.*

(स्मरत)

निर्गुणस्य मता क्लिष्टा निराकारस्य साधना ।

नरः कष्टेन प्राप्नोति गतिं निर्गुणब्रह्मणः ।। 853

◎ **Remember! :** *Worship of the formless and attribuleless Brahma is not easy.*

भक्ताः सर्वाणि कर्माणि परित्यज्य तु ये मयि ।

एकचित्तेन मामेव ध्यायन्ति मत्परायणाः ।। 854

◎ **However :** *However, the devotees who do their karmas (duties) in my name and worship me with undivided attention;*

(योगसिद्धेः चत्वारः मार्गाः)

इत्थं निरन्तरं धृत्वा हृदये चिन्तनं मम ।

तरन्ति कृपया मे ते मृत्युसंसारसागरम् ।। 855

◎ **And :** *In this manner, holding me in their hearts, the devotees cross over the worldly ocean.*

मय्यादाय मनो पार्थ बुद्धिं च मयि त्वं सदा ।

अधिगच्छसि मद्भावं कुरुनन्दन निश्चितम् ।। 856

◎ **And :** *O Arjun! fixing your mind on me and thinking of me all the time, you will attain me, most certainly.*

एवं चित्तं समाधातुं स्थिरं त्वं चेन्न न शक्ष्यसि ।

योगाभ्यासेन मां प्राप्तुं कुरु यत्नं धनञ्जय ।। 857

◎ **And :** *O Arjun! if you are unable to focus your mind this way, then make efforts to attain the Abhyasa yoga (yoga of practice) to attain me.*

अक्षमः साधनायै चेत्-मदर्थं कुरु कर्म त्वम् ।

कार्यं मयि परित्यज्य सिद्धिमापय पाण्डव ।। 858

◎ **And :** *If you are unable to do such practice also, O Arjun! then do all your karmas (duties) in my name and attain success.*

(फलेच्छत्यागः सर्वश्रेष्ठः)

एतदप्यसमर्थोसि मद्योगमाश्रितो भव ।

लिप्सां फलेषु त्यक्त्वा त्वं भुङ्क्ष्वादर्जुन तत्फलम् ।। 859

◎ **And :** *O Arjun! if you are unable to do the Abhyasa yoga (practice), then take me for shelter and do your duties without a desire for their fruit (Karma yoga). Then, if you earn nishkam success, enjoy that fruit.*

अभ्यासाद्धि वरं ज्ञानं ध्यानं ज्ञानाद्वरं सदा ।

ध्यानात्कमफलेच्छायाः-त्यागो दत्ते चिरं सुखम् ।। 860

◎ **And :** *Knowledge is better than practice, contemplation is better than knowledge. Selfless duty is better than contemplation. The selflessness gives lasting peace.*

प्रीतिदयाक्षमायुक्तः समो दुःखसुखेषु यः ।

स्नेही च सर्वभूतानां दम्भी मानी न यो नरः ।। 861

◎ **And :** *He who is equipped with love, kindness and forgiveness. He who is indifferent to pleasure and pains. He who is friendly to all beings. He who is not deceitful and proud;*

(श्रीभगवतः प्रीयः कः)

तटस्थः संयमी तुष्टो निरन्तरदृढव्रती ।

मत्परश्च मनोबुद्ध्या मद्भक्तो यः स मे प्रियः ।। 862

◎ **And :** *He who is impartial, self-controlled and unwavering, he who is devoted to me, that devotee is dear to me.*

यस्मान्नोद्विजते कोऽपि किञ्चिन्नोद्विजते च यम् ।

मोदः क्रोधश्च लोभश्च येन त्यक्ताः स मे प्रियः ।। 863

◎ **And :** *From whom no one gets agitated and who does not get agitated from others. He who has relinquished anger, passions and greed. He is dear to me.*

निःस्पृहो निर्ममो युक्तो निर्विषादो निरामयः ।

विहीनः कर्तृभावस्य भक्तः सोऽतीव मे प्रियः ।। 864

◎ **And :** *He who is non covetous, unattached, clean and free from anguish. He who does not take credit for his deeds. That devotee of mine is very dear to me.*

निर्मलो निरहङ्कार: शोकदोषविवर्जित: ।
शुभाशुभे समे यस्य भक्तिनिष्ठ: स मे प्रिय: ॥ 865

◎ **And :** *He who is pure. He who does not have ego. He who is free from anguish and sorrow. He who is indifferent to good and bad. He who is faithful. He is dear to me.*

यस्य शत्रुर्न कोऽप्यस्ति सर्वेऽपि मित्रवज्जना: ।
जीवनसुखदु:खेषु शीतोष्णेषु न बाधित: ॥ 866

◎ **And :** *He who does not consider anyone his enemy or friend, all are his brothers. He who is indifferent to the ups and downs of the life;*

यस्य नास्ति रिपु: कोऽपि सर्वै: सह च मित्रवत् ।
नारिं तमपि जानाति यस्तं जानाति शत्रुवत् ॥ 867

◎ **And :** *The one who considers him as a friend and the one who thinks him of an enemy, he considers both of them his friends.*

तत्स करोति सर्वेभ्यो यद्रोचते तमात्मने ।
एवं शत्रौ च मित्रे य: सद्भक्त: स च मे प्रिय: ॥ 868

◎ **And :** *He who does only that to other people which please him when others do it to him. He who has such equanimity, he is dear to me.*

श्रुत्वाऽपि यो स्तुतिं निन्दां समो मानापमानयो: ।
आत्मयुक्तो घृणामुक्त: स्थिरमति: स मे प्रिय: ॥ 869

◎ **And :** *Having heard praises or criticism, he who is indifferent to both, that self possessed devotee of stable mind is dear to me.*

धर्म्यामृतमिदं पार्थ भक्तो य: पर्युपासते ।
श्रद्धालुर्मत्परो भक्तो निरासक्त: स मे प्रिय: ॥ 870

◎ **And :** *O Arjun! he who follows these words of righteousness, that faithful and unattached devotee is dear to me.*

श्रीमद्-भगवद्-गीतायास्त्रयोदशोऽध्याय: ।
क्षेत्र-क्षेत्रज्ञ-विभागयोग: ।

रत्नाकरी गीता
चतुर्विंशस्तरंगः

29. The Kshetra and Kshetrajna
क्षेत्रक्षेत्रज्ञनिरूपणम्

अर्जुन उवाच ।
(अर्जुनस्य प्रश्नाः)

क्षेत्रं किं कश्च क्षेत्रज्ञो ज्ञानं ज्ञेयं च किं प्रभो ।
प्रकृतिपुरुषौ कौ च तत्त्वं तेषां च किं हरे ।। 871

◎ **Arjun's questions** : *Arjun said, O Hari! what is Kshetra and what is Kshetrajna? What is Jnana and what is Jneya? What is Prakriti and what is Purusha?*

लक्षणं किं च क्षेत्रस्य स्वरूपं च गुणास्तथा ।
क्षेत्रं तत्कुत आयाति विकारास्तस्य कृष्ण के ।। 872

◎ **And** : *What are the signs, forms and attributes of Kshetra? Where does that Kshetra come from and what are its variations*

श्रीभगवानुवाच ।

क्षेत्रज्ञं कं जना आहुः प्रभावास्तस्य के तथा ।
शृणु वदामि त्वां पार्थ सर्वं स्वल्पेन साम्प्रतम् ।। 873

◎ **And** : *Who is called Kshetrajna? What is its influence? O Lord! I wish to hear it in brief from you.*

(श्रीभगवत उत्तराणि)

शृणु पार्थ समासेन शरीरं क्षेत्रमुच्यते ।
सर्वक्षेत्राणि जानाति क्षेत्रज्ञः स मतो बुधैः ।। 874

◎ **Answers** : *O Arjun! hear it all from me. The body of a being is called a Kshetra. He who understands the Kshetra is called Kshetrajna.*

(ज्ञानं च अज्ञानं च)

क्षेत्रज्ञं सर्वक्षेत्रेषु मां यो वेत्ति स पण्डितः ।
क्षेत्रक्षेत्रज्ञयोरेनं ज्ञानं ज्ञानं मतं मया ।। 875

(ज्ञान और अज्ञान)

◎ **Wisdom and ignorance** : *He who know that I am the Kshetrajna (the knower of all beings) is a wise man. For me, knowing what is Kshetra and what is Kshetrajna is knowledge.*

(श्रीभगवानुवाच)

किं क्षेत्रं कश्च क्षेत्रज्ञो मत्तस्त्वं शृणु भारत।

विकाराश्च तयोः के के समासेन वदामि त्वाम् ।। 876

◎ **Krishna :** *O Arjun! now hear from me what are the attributes and variations of Kshetra and Kshetrajna.*

ज्ञानं सर्वमिदं पार्थ सानन्दमृषिभिः पुरा ।

गीतं विविधछन्दोभिः-ब्रह्मसूत्रपदेषु तैः ।। 877

◎ **And :** *This knowledge has been known and sung happily in various meters, along with the Brahma-sutras (the Vedant treatise on Brahma, written by Badrayan), by the sages since ancient times.*

(त्रिंशत् क्षेत्रगुणविकाराः)

अहङ्कारो मनो बुद्धिः-आत्मा भूतानि पञ्च च ।

इन्द्रियाणि शरीरस्य विषयाः पञ्च तेषु च ।। 878

◎ **The 30 attributes :** *The self, the mind, thinking, five elemental beings, ten organs and their five objects;*

इच्छा द्वेषः सुखं दुःखं धृतिश्च चेतना तथा ।

त्रिंशत्सहविकारैर्हि संघशः क्षेत्रमुच्यते ।। 879

◎ **And :** *the desire, aversion, happiness, sorrow, courage and consciousness are the thirty attributes collectively called as Kshetra.*

शौन्यं सौक्ष्म्यं घनत्वं च द्राव्यं चौष्म्यं तथाऽपि हि ।।

पञ्चभूतानि मूलानि प्रकृतेस्त्रिगुणैः सह ।। 880

◎ **And :** *space (sky), subtlety (air), solidity (earth), fluidity (water) and warmth (fire) are the five basic elements along with the three gunas of Sat (righteousness), Rajas (ego) and Tamas (ignorance).*

एकादश च गात्राणि विषयाः पञ्च कर्मणाम् ।

शब्दो रूपं रसो गन्धो स्पर्शो ज्ञानस्य हेतवः ।। 881

◎ **And :** *and, the organs (gatra) are eleven. The sense objects (vishaya) are five. The five senses are sound, form, taste, smell and touch. The five sense organs are ears, eyes, mouth, nose and skin.*

अहिंसा परमो धर्मः परमा च सुशीलता ।

गुरुसेवा च पावित्र्यं मनसि यस्य निग्रहः ।। 882

निर्वासना च निर्दम्भो योगक्षेमः शमो दमः ।

जन्ममृत्युजरारोगदुःखेषु दोषदर्शनम् ।। 883

◎ **Self control :** *He who is not covetous and deceitful. He who is dedicated and persistent, he who is peaceful and self controlled, he who has appreciation for the anguish and faults in birth, ageing and death.*

निर्ममश्च निरासक्तः पुत्रदारधनादिषु ।
प्रियाप्रियौ समौ यस्य तटस्थः सर्ववस्तुषु ।। 884

◎ **Wisdom (right knowledge) :** *Not having a feeling of My-ness (possession) for children, wife and wealth. Being indifferent to whatever may come to you, is wisdom;*

गर्वेण न प्रमत्तो यो मयि यो मत्परायणः ।
असक्तो जनसम्मर्दे मौनभावे सदा सुखी ।। 885

◎ **Wisdom :** *He who is not intoxicated with arrogance. He who is devoted to me. He who doese not enjoy crowds. He who likes quietness;*

ईक्षणं तत्त्वज्ञानेनात्मज्ञानेन च दर्शनम् ।
प्रोक्तमिति हि यज्ज्ञानं सर्वमज्ञानमन्यथा ।। 886

◎ **And :** *He who thinks logically. He who has done self examination. He has wisdom. Without this, it is ignorance.*

(ज्ञेयस्वरूपम्)

ज्ञेयं किं त्वां समासेन वदामि शृणु तत्सखे ।
तदेव ब्रह्म सत्यं च तदेव परमव्ययम् ।। 887

◎ **Jneya :** *O Arjun! now hear from me what is Jneya (to be known). The Jneya is Brahma (the Supreme), that is truth and that is eternal principle.*

न तत्सदुच्यते पार्थ न च तदसदुच्यते ।
तत्त्वं श्रेष्ठमिदं ज्ञात्वा मनुष्योऽमृतमश्नुते ।। 888

◎ **And :** *That Jneya is neither existence nor non-existence. Knowing that supreme principle, man enjoys divine nectar of wisdom.*

सर्वज्ञं सर्वगं ज्ञेयं सर्वकरं च सर्वदम् ।
सर्वं ततमनेनेदं सर्वविधं समाहितम् ।। 889

◎ **And :** *That Jneya is omniscient and omnipresent. It ie everywhere and it gives everything. From that, this everything evolves and into that everything dissolves. It encompasses everything.*

गुणभोक्तृ च मायावि निर्गुणं च निरिन्द्रियम् ।
ज्ञेयमेतद्गुणाभासं सर्वभूतेषु भारत ।। 890

◎ **And :** *It is relisher of the three gunas. It is magical. It is without attributes. It is without apandages. It is in all beings. It appears as if with (gunas) attributes.*

चराचरेषु भूतेषु बाह्यान्तरेष्ववस्थितम् ।

सूक्ष्मं शून्यमगम्यं च दूरं च निकटं तथा ।। 891

◎ **And :** *In all moving and non-moving beings, it is internal as well as external. It is subtle, minute and impersonal. It is closer as well far away.*

भूतेषु दृश्यते भिन्नं सर्वेष्वखण्डमेव तु ।
विद्धीदं सर्वभूतानां कर्तृ भर्तृ च हर्तृ त्वम् ।। 892

◎ **And :** *It appears as if it is different in different beings. It appears as if it is divided into beings. But, O Arjun! know that it is one, uniform, undivided, that gives life, sustains it, as well as it takes it away.*

ज्योतिश्च ज्योतिषां पार्थ भासातीतं महाप्रभम् ।
ज्ञानमिदं च ज्ञेयं च ज्ञानगम्यमिदं तथा ।। 893

◎ **And :** *O Arjun! it is the illumination of the illuminated. It is supreme illumination, beyond all illuminations. It is wisdom and it is to be known and knowable.*

क्षेत्रं ज्ञानं च ज्ञेयं च संक्षेपेनोक्तवानहम् ।
तत्त्वान्येतानि जानाति यः स मामधिगच्छति ।। 894

◎ **And :** *O Arjun! I have told you what is Kshetra, Kshetrajna, Jnana and Jneya in short. He who understands these clearly, he attains me.*

(प्रकृतिः च पुरुषः च)

माया मे त्रिगुणी पार्थ प्रकृतिरिति बोधिता ।
पुरुषः स हि क्षेत्रज्ञो जीवात्मा च प्रकीर्तितः ।। 895

◎ **Purusha and Prakriti :** *O Arjun! my illusory power of three gunas (attributes of sat, rajas and tamas) is called the Prikriti (nature).*

प्रकृतिपुरुषौ पार्थ जानीहि तौ सनातनौ ।
प्रकृतिजान्गुणान्विद्धि सविकारान्परन्तप ।। 896

◎ **And :** *O Arjun! know the Prakriti (nature) and Purusha (atma, the life of living beings) to be beginningless and endless.*

(कार्यं करणं परमपुरुषः च)

भूतानि, विषयाः पञ्च, कार्याणि दश विद्धि तान् ।
अहं बुद्धिर्मनो युक्त्वा करणानि त्रयोदश ।। 897

◎ **And :** *The five elemental beings and the five sense objects are called ten "Karyas." Consciousness, mind and thinking are called three "Karans."*

(पुरुषप्रकृरिसंबंधः)

भुङ्क्ते प्रकृतिजान्भोगान्-पुरुषः प्रकृतिस्थितः ।
ददाति गुणसङ्गस्तु योनियोनिषु जन्म सः ।। 898

◉ **Prakriti :** *The Purusha (dehi, atma), dwelling along with the Prakriti, experiences the influences of the three gunas (in the deha, body). The preponderance and their influence of the three gunas (the three attributes) on the nature of a person determine his high or low birth.*

अन्तस्थ: स मते: स्वामी भर्ता च पुरुषो मत: ।
सुखदु:खादि द्वन्द्वानां भोक्ता देही महेश्वर: ।। 899

◉ **Purusha :** *Dwelling within the deha (body), the Purusha (dehi, atma) is the Lord. He witnesses the influences of the three gunas (the three attributes) and the resulting pain and pleasure in the deha.*

करणदशकार्याणां माता सा प्रकृति: परा ।
द्वन्द्वभावस्य भोगाय गुणसङ्गो हि कारणम् ।। 900

◉ **Karya and Karan :** *The Prakriti (nature) bares the ten Karyas (the five elemental beings and the five sense objects) and the Karan (consciousness, mind and thinking) in the body. But, only the mind is influenced by the delusion caused by duality. Purusha is not influenced. Only the mind is responsible for delusion, not the Purusha (atma).*

देहे साक्षी च द्रष्टा च भर्ता भोक्ता महेश्वर: ।
धाताऽऽत्मा परमात्मा च परम: पुरुषस्तथा ।। 901

◉ **Purusha :** *The Purusha is only a witness dwelling in the body. He is the Lord and the Observer. Purusha is also called as Dhata (Bearer), Atma and Parmatma.*

नरो यो वेत्ति सम्बन्धं प्रकृते: पुरुषस्य च ।
स कृत्स्नं कर्म कृत्वाऽपि पुनर्जन्म न भोक्ष्यते ।। 902

◉ **Purusha and Prakriti :** *He who understands this relationship between Prakriti (nature) and Purusha (atma) along with the Gunas (the three attributes), that person does not have cycle of rebirth, after carrying on his present life.*

(परमपुरुषप्राप्ति:)

केचिदात्मनि विन्दन्ति परमात्मानमात्मना ।
ध्यानेन कर्मयोगेन साङ्ख्यज्ञानेन चापरे ।। 903

◉ **Attainment of Purusha :** *Some people perceive Purusha (atma) within themselves by meditation while some people by the Karma yoga and some people with the Jnana yoga.*

श्रुत्वैतज्ज्ञानमन्ये च योगिन: पर्युपासते ।
श्रुतिपरायणास्तेऽपि तरन्ति भवसागरात् ।। 904

◉ **Veda knowers :** *Other Veda knowers worship with the knowledge of the Vedas, they also cross over the worldly ocean.*

(क्षेत्रक्षेत्रज्ञयोः क्षराक्षरयोश्च सम्बन्धः)

प्राणी चरोऽचरं वस्तु यत्रकुत्रापि जायते ।

क्षेत्रक्षेत्रज्ञयोर्योगो नैसर्गिकः स भारत ।। 905

◎ **Kshetra-Kshetrajna :** *Wherever a living or non-living being takes birth, it is the natural union between the Kshetra (Prakriti) and the Kshetrajna (Purusha).*

स्थितः क्षरेषु भूतेषु समत्वेन स ईश्वरः ।

क्षेत्रक्षेत्रज्ञसम्बन्धो येन दृष्टः स पश्यति ।। 906

◎ **Equanimity :** *The immutable Lord dwells in the mutable beings with equanimity. He who sees this, he understands the truth.*

जानाति समबुद्ध्या यो यस्मत्सर्वमिदं ततम् ।

स न हि हन्ति कञ्श्चिद्धि स च याति परां गतिम् ।। 907

◎ **And :** *He who knows that the entire Universe is evolved from that Brahma (the Supreme), he does not let himself fall. He attains the supreme state.*

आत्मानं वेत्यकर्तारं कर्त्रीं यः प्रकृतिं तथा ।

ज्ञानी स एव योगी च दिव्यदृष्टिस्तथैव सः ।। 908

◎ **Right vision :** *He who considers atma (dehi) to be the non-doer (of karmas) and Prakriti (the three gunas) to be the doer, he is wise, he is yogi and he has the right vision (understanding).*

एकमूलानि भूतानि किन्तु भिन्नानि बाह्यतः ।

बीजं सर्वस्य ब्रह्मैव यः पश्यति स पश्यति ।। 909

◎ **And :** *He who understands that all beings originate from one and the same seed (Brahma, the Supreme) and that they are internally same, even though they may appear different from outside, he understands the reality.*

अनादिः स गुणातीतः स चाकर्ता प्रभुस्तथा ।

स नित्यश्च स सत्यश्च स एकश्च विभुस्तथा ।। 910

◎ **And :** *Even if the people, birds, animals and plants look different externally, their root is the same beginningless Brahma (the Supreme). He is the beginning of all beings. He is eternal, He is the truth. He is impersonal. He is beyond contemplation, He is beyond the gunas (the three attributes), He is formless. He is the cause of evolution. But the worldly beings are mutable.*

सर्वव्यापि नभः पार्थ सौक्ष्म्यान्न लिप्यते यथा ।

देहे नित्यं स्थितो देही देहे न लिप्यते तथा ।। 911

◎ **Deha and Dehi :** *As the sky is all encompassing but un attached, so is the dehi (atma) all encompassing in the body, but unattached to the deha (body).*

एकः सूर्यो यथा विश्वं प्रकाशयति तेजसा ।
तथा ज्ञानेन क्षेत्रज्ञो दीप्तं क्षेत्रं करोति सः ।। 912

◎ **Kshetra-Kshetrajna :** *As the single Sun enlightens the whole Universe, so does the single atma enlightens the beings with the life force.*

(प्रकृतिपुरुषयोः तुलना)

एषा हि प्रकृतिर्व्यक्ता क्षणिका नश्वरा तथा ।
एषा विकारयुक्ता च; पुरुषोऽव्यक्त एव सः ।। 913

◎ **Prakriti :** *This is Prakriti (nature). It is mutable and temporary. It is transformable. This is Kshetra. That is Purusha.*

सोऽव्यक्तो निर्विकारश्च स एव भूतचेतना ।
इति यो वेत्ति भेदं स ज्ञाता क्षेत्रज्ञक्षेत्रयोः ।। 914

◎ **Purusha :** *That is Purusha (atma). That is impersonal. That is not transformable. That is the life of the living beings. That is Kshetrajna. He who understands this relationship between the Purusha and the Prakriti, he knows the relationship between the Kshetra and the Kshetrajna.*

क्षेत्रक्षेत्रज्ञयोर्भेदं जानाति यो यथार्थतः ।
मार्गं जानाति मोक्षस्य प्राप्नोति ब्रह्मणो गतिम् ।। 915

◎ **And :** *He who knows this secret relationship between the Kshetra and the Kshetrajna, he knows the path to liberation and attainment of the Brahma (the Supreme).*

श्रीमद्-भगवद्-गीतायाश्चतुर्दशोऽध्यायः ।
गुण-त्रय-विभागयोगः ।

रत्नाकरी गीता
पञ्चविंशस्तरंगः

30. The Three Attributes
गुणत्रयनिरूपणम्

रत्नाकर उवाच ।

सूक्तिः

अग्नेः सूक्ष्मः कणश्चापि वह्नेः सर्वैर्गुणान्विता ।
यतो वह्निः कणेभ्यश्च जायते खलु मूलतः ।। 916

जलं साक्षादशेषेण जलबिन्दुस्तथैवच ।
यत्पिण्डे तद्धि ब्रह्माण्डे लीला गुणत्रयस्य सा ।। 917

◎ **Aphorism :** *Even the tiniest spark has all the attributes of a fire, because the fire is basically an aggregation of the individual tiny sparks coming together. Similarly, a fine drop of water has all attributes of a body of water. What exists in an atom exists in the Universe. It is the magic of the three gunas.*

श्रीभगवानुवाच ।
पुनर्ब्रवीमि गुह्यं ते सर्वज्ञानेषु सत्तमम् ।
यज्ज्ञात्वा मुनयो विश्वे संसिद्धिं परमां गताः ।। 918

◎ **Shrī Krishna :** *Lord Krishna said, O Arjun! I shall again tell you the wisdom that is the supreme knowledge. Knowing it, the sages have attained supreme success in the world.*

आश्रयं मे च ये लब्ध्वा निवसितश्च ये मयि ।
अबद्धा मृत्युचक्रे ते निर्व्यथाः प्रलये तथा ।। 919

◎ **And :** *Having taken shelter of this knowledge, those who depend on me, they are not bound by the cycle of birth and death. They are painless at their last moment.*

परमं ब्रह्म योनिर्मे बीजं तस्यां दधाम्यहम् ।
विकसति ततः कृत्स्नं पार्थ विश्वं चराचरम् ।। 920

◎ **And :** *The Supreme Brahma is my womb in which I lay the seed, from it the moving and non-moving Universe evolves.*

(गुणलक्षणाः)

सद्रजश्च तमः सर्वे प्रकृतिजा मता गुणाः ।
निर्गुणं नित्यमात्मानं देहे बध्नन्ति देहिनम् ।। 921

◎ **And :** *Sat, Rajas and Tamas are the three attributes of the Prakriti (nature). They bind the attributeless and eternal Dehi (atma) to the body.*

शुद्धः शुभः शुचिः शुभ्रः–त्रिषु गुणेषु सद्गुणः ।
जीवं बध्नाति सौख्येन ज्ञानतत्त्वेन भारत ।। 922

◎ **And :** *The Sat guna (attribute) is pure, auspicious, clean, colourless among the three gunas. It binds the being with happiness, O Arjun!*

रजो मूलं हि रागस्य तृष्णासङ्गात्समुद्भतम् ।
कर्मसङ्गेन बध्नाति देहिनं भरतर्षभ ।। 923

◎ **And :** *O Arjun! Rajas guna is the root of ego. It arises out of desire. It binds the being with attachment to karma.*

तमो गुणस्तु मायावी मोहकोऽज्ञानजस्तथा ।
निद्राऽऽलस्यप्रमादैः स बध्नाति देहिनं सदा ।। 924

◎ **And :** *The Tamas guna causes delusion. It is ignorance. It is hypnotic. It binds the mind with slumber and laziness.*

(गुणानां संबंधः)

सत्त्वं सुखेन बध्नाति रजो युनक्ति कर्मणा ।
तमस्तु ज्ञानमावृत्य निमज्जयति विभ्रमे ।। 925

◎ **And :** *Sat guna unites you with happiness, Rajas guna with karma and the Tamas guna puts you in delusion by overpowering your thinking.*

रजस्तमो दमित्वा च सत्त्वं मनसि वर्धते ।
सत्त्वं तमो रजश्चैव सत्त्वं रजस्तमस्तथा ।। 926

◎ **And :** *Sat guna becomes preponderant in mind by subduing Rajas and Tamas gunas. Rajas guna becomes active by subduing Sat and Tamas gunas. Tamas guna becomes overpowering by subduing Sat and Rajas gunas.*

प्रकाशो देहद्वारेभ्यो ज्ञानस्य जायते यदा ।
ततो मनसि ज्ञातव्यो विवृद्धः सद्गुणः खलु ।। 927

◎ **And :** *When the light of wisdom shines in the body through the nine gates, then it is the indication of rise in the activity of Sat guna in the body.*

यदा देहे रजो वृद्धा घटते लोभकामना ।
सकामकर्मणो देहे विवृद्धिर्विद्यते तदा ।। 928

◎ **And :** *When Rajas guna becomes active in the body, greed and desire rises in the mind.*

यदा प्राप्नोति प्राधान्यं शरीरे तु तमोगुणः ।
प्रमादालस्यनिद्राणां वृद्धिर्भवति भारत ।। 929

◎ **And :** *When the Tamas guna becomes overpowering in the body, slumber, intoxication, delusion and laziness rises in the body.*

यदा सद्गुणवृद्धौ हि पञ्चत्वं लभते नरः ।
ज्ञानिनां स्वर्गद्वारं स प्राप्नोति सहजं तदा ।। 930

◎ **And :** *When death comes during the rise of Sat guna in one's body, that wise person attains the door of heaven.*

यदा च रजसो वृद्धौ प्रयाणं याति देहभृत् ।
निश्चितं हि स प्राप्नोति भवनं कर्मसङ्गिनाम् ।। 931

◎ **And :** *If the death occurs during the upsurge of Rajas guna (attribute), the person takes birth in the house of egoistic people who are attached to karma.*

यदा तु तमसो वृद्धौ मृत्युं गच्छति मानवः ।
तमसि च प्रलीनः स मूढयोन्यां हि जायते ।। 932

◎ **And :** *If the death takes place during the preponderance of Tamas guna (attribute), the person takes birth in the hellish house of deluded and ignorant people.*

सत्कर्मणः फलं ज्ञानं पवित्रं निर्मलं शुभम् ।
रजसश्च फलं तृष्णा चाज्ञानं तमसस्तथा ।। 933

◎ **And :** *The result of Sat guna is taintless and pious wisdom. The result of Rajas guna is pain and the result of Tamas guna is ignorance and delusion.*

सत्त्वं ददाति ज्ञानं तु रजो लोभं च लालसाम् ।
तमो ददाति मोहञ्च प्रमादं कुरुनन्दन ।। 934

◎ **And :** *O Arjun! Sat guna gives wisdom, Rajas guna gives greed and the Tamas guna gives delusion and intoxication.*

सात्त्विका ऊर्ध्वगच्छन्ति मध्ये प्रेङ्खन्ति राजसाः ।
जघन्ये नरके हीने चाधःपतन्ति तामसाः ।। 935

◎ **And :** *The people with Sat guna progress upwards. The people with Tamas guna regress downwards and the people with Rajas guna hang in limbo.*

गुणेभ्योऽन्यो न कर्ताऽस्ति कोऽपि कुत्रापि पाण्डव ।
न च कुर्वन्ति भूतानि न पुरुषः करोति सः ।। 936

◎ **And :** *There is no doer of karmas other than the gunas (three attributes). O Arjun! neither the beings do karmas, nor the Purusha (atma) does karmas.*

(गुणातीतः)

यो मां वेत्ति गुणातीतं ब्रह्मवेत्ता स एव हि ।
मुच्यते स नरो ज्ञानी मृत्युसंसारसागरात् ।। 937

◎ **Indifference to the Gunas :** *He who is indifferent to the gunas (the three attributes), he is the knower of the Brahma (the Supreme). That Brahma-knower is free from the worldly cycle.*

जन्मजेभ्यो गुणेभ्यो यः-तटस्थो निग्रही नरः ।
जन्ममृत्युजरातीतः सोऽमृतसागरं तरेत् ।। 938

◎ **And :** *The self controlled person who is indifferent to the inborn gunas (the three attributes), he is not bound by the worldly cycle of birth and death.*

अर्जुन उवाच ।
यो नरस्त्रिगुणातीतो सामर्थ्यं तस्य किं प्रभो ।
लक्षणं ब्रूहि मां तस्य कथं च तस्य रक्षणम् ।। 939

◎ **Arjun's questions :** *Arjun said, O Lord! what are the signs of a person who is indifferent to the three gunas (the three attributes). How is his behavior, what is his strength and how is his protection?*

श्रीभगवानुवाच ।

सद्गुणस्य प्रभावेन प्रकाशो जायते हृदि ।

रजसि कर्मणां वृत्तिः–तमसि मोहवासना ।। 940

◎ **Answers :** *Lord Shrī Krishna said, O Arjun! enlightenment arises in the heart with the preponderance of the Sat guna. With the rise of Rajas guna rises ego and with the rise of Tamas guna rises delusion.*

सत्प्रकाशस्तमो मोहः प्रवृत्तिर्रजसात्मिका ।

प्रवृत्तिश्च प्रकाशश्च स्पष्टो मोहश्च स्यात्सदा ।। 941

◎ **And :** *Sat guna is enlightenment. Rajas guna is egoistic behavior and Tamas guna is delusion. One must know these powers of the gunas clearly.*

तटस्थोऽविचलो यो हि त्रिषु गुणेषु सर्वदा ।

गुणा एव हि कर्तारो मत्वैति न विचाल्यते ।। 942

◎ **And :** *He who is indifferent to the powers and the influences of the three gunas (the three attributes), he knows that it is the gunas that make you do the karmas. Knowing thus, he is not deluded.*

यतो वेत्ति स कर्माणि कुर्वन्ति सर्वदा गुणाः ।

उदासीनः स साक्षी च धैर्यशीलो निरापदः ।। 943

◎ **And :** *Because he knows that the gunas are the doers of karma and we are just the instruments by whom the karmas are being done, he is an indifferent witness of the karmas. He is courageous and he is a harmless instrument.*

न काङ्क्षति न यो द्वेष्टि समः स सर्ववस्तुषु ।

तुल्या निन्दा स्तुतिस्तस्मै मानामानौ समौ तथा ।। 944

◎ **And :** *He who does not covet, he who is not jealous, he who is equanimous to all things, he who is indifferent to praise and criticism, respect and disrespect;*

आत्मतृप्तः सुखे दुःखे प्रियाप्रियेषु यः समः ।

वीतरागः स्थिरो मौनी नरो 'धीरः' स उच्यते ।। 945

◎ **And :** *He who is self satisfied. he who is same in pain and pleasure, he who is not attached to physical things and he who is quiet, that person of stable mind is called a "Dhira (stable person)."*

(गुणातीतः)

तुल्यनिन्दास्तुती मानोऽवमानश्च समस्तथा ।

कर्तृत्वस्य च त्यागी यो 'गुणातीतः' स उच्यते ।। 946

◎ **And :** *A Dhira (person of stable mind), who is indifferent to praise and criticism, respect and disrespect; he who does not claim credit to his dutiful deeds, that stable person is called a "Gunatit (indifferent to the gunas)."*

मत्परो भक्तियोगेन चैकचित्तेन सेवते ।

ईदृशः स गुणातीतो ब्रह्मभूयाय कल्पते ।। 947

◎ **And :** *He who is dedicated to me with the yoga of devotion. He who worships me with undivided attention. Such person who is indifferent to the gunas, he attains the supreme state.*

ब्रह्मणोऽहमधिष्ठानं स्थानं महासुखस्य च ।

शाश्वतस्य च धर्मस्यामृतस्य परमं पदम् ।। 948

◎ **And :** *I am the Supreme abode, I am the Supreme bliss. I am the source of eternal divine nectar.*

श्रीमद्-भगवद्-गीतायाः पञ्चदशोऽध्यायः ।
पुरुषोत्तमयोगः ।

रत्नाकरी गीता
षड्विंशस्तरंगः

31. The Worldly Tree
संसारवृक्षनिरूपणम्

श्रीभगवानुवाच ।

(संसारवृक्षः)

संसारवृक्षमश्वत्थं वेदपर्णमनश्वरम् ।

ऊर्ध्वमूलमधःशाखं गूढं जानन्ति ज्ञानिनः ।। 949

◎ **Worldly tree :** *The wise men say, the secret of the worldly tree is that the roots of this tree grow from top to bottom and the branches from down to up. The leaves are the words of the Vedas.*

गुह्यमेतस्य ज्ञातव्यं तरोर्वदन्ति पण्डिताः ।

एतस्य विविधाङ्गानां विविधान्विषयांञ्शृणु ।। 950

◎ **And :** *The secret of this worldly tree ought to be known. The wise men say, various things exist in various parts of this tree.*

एतस्य विद्यते मूले पुरुषः पुरुषोत्तमः ।
शाखाश्च योनिरूपिण्यो जनयन्ति सचेतनान् ।। 951

◎ **And :** *At the bottom of this tree dwells Supreme Purusha. The branches are the wombs that give birth to the living beings.*

गुणजलेन वर्धन्ते कोमलाः पल्लवा दलाः ।
एष सांसारिको वृक्षो ब्रह्मरूपः सनातनः ।। 952

◎ **And :** *The gunas are the water that nourishes the leaves of this tree. This worldly tree is in the form of eternal ancient Brahma (the Supreme).*

ऊर्ध्वमधश्च विस्तीर्णाः शाखा भूमण्डले गुणैः ।
मूलं च प्रसृतं भूत्वा जगति कर्मकारणम् ।। 953

◎ **And :** *With the nourishment of the gunas (the three attributes), the branches of the worldly tree are spread up and down in the Universe. The roots are covering the beings on the earth and are the cause for attachment to karmas.*

अग्रमगोचरं तस्य मध्यं मूलं तथा यदि ।
छेत्तव्यं बन्धनं तस्मात्–त्यागास्त्रेण दृढेन तत् ।। 954

◎ **And :** *The roots and stem of the worldly tree are not visible and thus the attachment to the karmas must be cut with the weapon of renunciation and self control.*

(परमधाम)

मुक्त्वैवं बन्धनाद्याच्यम्–ईशात्तत्पदमव्ययम् ।
निवर्तते न सत्कर्मी यत्र गत्वा नरः पुनः ।। 955

◎ **Supreme abode :** *Having cut the bondages and being free from attachment to karmas, one should pray the Lord to attain the Supreme state from which there is no return to the cycle of life and death.*

दिनमणेः प्रकाशो वा रजनीशस्य सा प्रभा ।
काशयते न स्थानं यत्–न ज्योतिर्ज्योतिषां तथा ।। 956

◎ **And :** *The place which is not lit by the Sun, Moon or any other flame;*

यतः प्रत्यागमो नास्ति मृत्युचक्रे हि पार्थिवे ।
स्वयम्प्रकाशितं पार्थ धाम तत्परमं मम ।। 957

◎ **And :** *O Arjun! that self-illuminated place, from where there is no return to the worldly cycle of life and death, is my Supreme abode.*

(आत्मा च परमात्मा च)

अनादिर्मे कणोऽव्यक्तो देहे भवति चेतना ।
कृषति प्रकृतिस्थानि मनःषष्ठानि पार्थ सः ।। 958

◎ **Atma and Parmatma :** *A tiny fraction of my divinity becomes the life of the living beings and it brings with it the six essences of the senses with it, into the body.*

सुमनेभ्यो यथा वायुः-विष्वङ्वहति सौरभम् ।

देहाद्देहं तथा देही षष्ठानि नयते सदा ।। 959

◎ **And :** *As the wind carries fragrance of a flower from place to place, so the atma takes the six essences (essence genes) from body to body.*

रसनं श्रवणं स्पर्शं दृष्टिं च श्वसनं मनः ।

एतान्स इन्द्रियाधारान्-देही देहेषु सेवते ।। 960

◎ **Essences :** *Taste, hearing, touch, vision, breathing and thinking are the six essences (essence genes) the atma carries with it, from body to body.*

निवासी स च भोगी च भोक्ता गुणत्रयस्य च ।

एनं मूढा न जानन्ति जानन्ति पार्थ पण्डिताः ।। 961

◎ **And :** *The atma is a witness and atma is the one who experiences the influence of the three gunas (the three attributes) in the body. Only the wise men understand it, not the deluded people.*

आत्मानमात्मनीक्षन्ते पार्थ यत्नेन ज्ञानिनः ।

यत्नेनापि न जानन्ति विमूढा हतबुद्धयः ।। 962

◎ **And :** *The atma is seen by themselves in themselves by the wise people. The deluded people do not see it even after struggling to see it.*

(श्रीभगवतः विभूतयः)

अग्नेर्ज्योतिर्रवेर्भासं रजनीशस्य कौमुदीम् ।

विश्वं भासयते सर्वं तेजस्तद्विद्धि मामकम् ।। 963

◎ **Krishna's Divinities :** *O Arjun! the brightness of the Sun, Moon and the fire, that shines this world, know it to be mine*

अहं भूमौ च भूतानां कौन्तेय चित्तचेतना ।

सोमो भूत्वा च पुष्णामि पादपाञ्च वनस्पतिम् ।। 964

◎ **And :** *I am life of the living beings on the earth. I nourish vegetation through the divine nectar of the moon-light.*

जठराग्निरहं भूत्वा प्राणापानसमायुतः ।

उदरे सर्वभूतानां पचाम्यन्नं चतुर्विधम् ।। 965

◎ **And :** *I become the fire in the intestine and regulate the in breaths and out breaths to digest the four kinds of foods in the stomach of every living being.*

अहं हृदि समाविष्टो ज्ञानं तर्कः स्मृतिस्तथा ।

वेद्यो वेत्ता विधाता च वेदान्तकृच्च वेदविद् ।। 966

◎ **And :** *I dwell in the hearts. I am the logic in the debate. I am the remembrance. I am the creator, knower and the Lord of the Vedas.*

(क्षरम् अक्षरम् आत्मा च)

लोके स्तो द्विगुणौ पार्थ पुरुषौ द्वौ क्षराक्षरौ ।

भूतं मर्त्यं क्षरं विद्धि चात्मानमक्षरं स्थिरम् ।। 967

◎ **Four entities :** *In the world there are moving and non-moving beings. Both these entities are mutable. The third entity is atma, which is immutable.*

(परमेश्वर:)

उत्तम एतयोरन्य: पुरुष: पुरुषोत्तम: ।

त्रिभुवनस्य धाता य: परमात्मा प्रकीर्तित: ।। 968

◎ **And :** *The third entity, beyond these two entities, is the Parameshvara (Supreme Lord), through whom the entire Universe evolves.*

अतीत: क्षरभूतेभ्य: परतरोऽहमात्मन: ।

वेदवाक्येषु लोके य: सोऽहमोम्-पुरुषोत्तम: ।। 969

◎ **And :** *O Arjun! the Supreme Lord that is beyond the living and non-living beings as well as beyond the atma, that third Purushottama (Supreme Lord) I am.*

यो यथार्थेन जानाति मामेवं पुरुषोत्तमम् ।

सर्वश: परमेशं माम्-अहं तस्मै न दुर्लभ: ।। 970

◎ **And :** *He who knows me, the Purushottama (Supreme Lord), for him I am attainable.*

एनं गुह्यमयं शास्त्रं यदहमवदं हि त्वाम् ।

विदुषा येन ज्ञातं तत्-कृतकृत्य: स भारत ।। 971

◎ **And :** *This secret which I disclosed to you, O Arjun! knowing it, the person becomes wise and his knowledge becomes fruitful.*

श्रीमद्-भगवद्-गीताया: षोडशोऽध्याय: ।

दैवासुसम्पद्विभागयोग: ।

रत्नाकरी गीता

सप्तविंशस्तरंग:

32. The Divine Wealth
दैवीसम्पन्निरूपणम्

श्रीभगवानुवाच ।

(दैविनी संपद्)

निर्भय: शुद्धचित्तश्च ज्ञानयोगे सदा रत: ।
निग्रही दानशीलश्च यज्ञसिद्धश्च सद्गुणी ॥ 972

◉ **Shrī Krishna :** *Fearlessness, purity of heart, being equipped with Jnana yoga, self-control, charity, accomplishment of yajna (austerity) and righteousness;*

क्रोधहीनश्च निर्लोभ: शान्तिलीन: स्थिरश्च य: ।
भूतदया तथाऽहिंसा मुखे मनसि कर्मणि ॥ 973

◉ **And :** *absence of anger and greed, devotion to peace, stable mind, kindness towards all beings, non-violence in action, words and thoughts;*

दिव्यदेही सदा धीरो नम्रस्त्यागी त्रपायुत: ।
सम्माननिरपेक्षश्च सम्पत्तस्यैव दैविकी ॥ 974

◉ **And :** *and he who has blissful body and forbearance; who is courageous, humble, austere and who is not hungry for respect, he is endowed with divine wealth.*

नामजप:

स्थायी

नाम जपो भवतु, हृदि च मुखे ।

♪ सां–ध पम– गमरे–, पम ग मरे– ।

अंतरा–1

पदारविन्दं, सच्चिदानन्दं, आनन्दकन्दं, भज गोविन्दम् ।

नाम हरेरवतु, दु:खसुखे ॥

♪ सारे–गरे–ग–, रेगम–ग–रे–, गप–धप–ग–, धप मगम–रे– ।
सां–ध पम–गमरे–, पमगमरे– ॥

अंतरा–2

गिरिधरकृष्णं, देवकीनन्दं, राधारमणं, भज हि मुकुन्दम् ।

नाम सदा स्मरणे, भवतु सखे ॥

अंतरा–3

शेषशायिनं, सकलमङ्गलं, असुरमर्दनं, भज हरि कृष्णम् ।

नाथहरिर्हरतु, क्लेशदुःखे ।।

◎ **Chant the Name :** ***Sthāyī :*** *May there be chant of Hari's name in your mouth and heart.* ***Antarā : 1.*** *May you worship the Padaravind (whose feet are like lotus), Sachidanand (Giver of peace and joy to mind), Anand-kand (Bundle of joy), Govind (Protector of the cows). May the name of Hari be in your mouth at the happy and sad moments.* ***2.*** *Worship Giridhara (Bearer of mountain), Krishna, Devaki-nanda (Joy of Devaki), Radha-ramana (Joy of Radha), Mukunda (Jewel). May you remember his name always.* ***3.*** *May you worship the Shesha-shayi (whose bed is Shesha snake), Sakala-mangal (all auspicious), Asura-mardan (Slayer of the demons), Hari Krishna. May Lord Hari remove your sorrows and difficulties.*

(आसुरी संपद्)

अहङ्कारो मदो लोभो वाणी कठोरकर्कशा ।

क्रोधः क्रौर्यमबोधश्च सम्पत्–सा तु मताऽऽसुरी ।। 975

◎ **Demonic wealth :** *Ego, intoxication, greed, harsh speech, anger, cruelty and ignorance collectively make up the demonic wealth.*

आसुरी बन्धनं दत्ते दैवी मुक्तिं ददाति तु ।

निरर्थं मा शुचः पार्थ दैवीसम्पद्वरो हि त्वम् ।। 976

◎ **So :** *The demonic wealth attaches you with karma and the divine wealth gives you non-attachment. O Arjun! do not lament meaninglessly. Know that you are endowed with divine wealth.*

धनिनोऽपि यदिच्छन्ति तत्त्वयाऽधिगतं धनम् ।

दैवीधनस्य स्वामी त्वं छायाऽस्ति पार्थ मे त्वयि ।। 977

◎ **And :** *You possess the wealth that even the opulent people desire to possess. You are the possessor of the divine wealth, as I am your shelter.*

लोके पार्थ स्वभावौ द्वौ दैवी तथाऽऽसुरी परः ।

उक्तवान्दैविनं कृत्स्नम्–आसुरीमधुना शृणु ।। 978

◎ **And :** *O Arjun! Demonic and Divine are the two types of dispositions in the world. I have told you the divine disposition in details. Now listen from me the demonic disposition.*

किं कार्यं किमकार्यं च न जानन्त्यसुरा जना ।

किं सत्यं किमसत्यञ्च को धर्मः किमधार्मिकम् ।। 979

◎ **Demonic disposition :** *People with demonic disposition do not know what ought to be done and what ought not to be done. They do not know what is truth and what is false, what is righteous and what is unrighteous.*

वदन्ति ते जगन्मिथ्या विलासस्य हि साधनम् ।

अत्र सर्वं निराधारम्-अकारणं निरीश्वरम् ।। 980

◎ **And :** They think the world is unreal and a place for enjoyment, everything here is baseless, meaningless and Godless.

नष्टधर्मा बुद्धिहीना: क्रूराश्च दुष्टबुद्धय: ।
आसुरा विश्वनाशाय निमित्तास्तेऽपकारिण: ।। 981

◎ **And :** These demonic, cruel and unrighteous people of distorted mind and evil thinking take birth for the destruction of the right order.

अतृप्या अन्तहीनाश्च कुर्वन्ति कामना: सदा ।
भ्रष्टा दुष्टाश्च मूढास्ते गर्वं कुर्वन्ति दम्भिन: ।। 982

◎ **And :** They have insatiable and everlasting desires. These corrupted and deluded fools are full of deceit and pride.

आमरणं मदासक्ता:-चिन्ताक्रोधसमायुता: ।
भोगमोदे रुचिस्तेषां विषयेषु रता: सदा ।। 983

◎ **And :** They are intoxicated with worries and anger for ever and they are always engrossed in enjoyment and passions.

आशापाशेषु बद्धास्ते कामक्रोधौ त्यजन्ति न ।
अवैधं धनमर्जन्ति विषयभोगहेतवे ।। 984

◎ **And :** Fettered with the chains of desires, they do not depart from passions and anger. They amass illegal wealth for the purpose of enjoyment.

(आसुरि मनोरथम्)

इदमद्य मया प्राप्तं प्राप्स्ये तदपि श्वो पदम् ।
सञ्चितं धनमेतावद्-ग्रहिष्याम्यधिकं धनम् ।। 985

◎ **And :** They say, I have attained this objective today and I will attain other objective tomorrow. I have earned this much wealth today, I shall earn more tomorrow.

अहमहनमेनं च हनिष्याम्यपरानहम् ।
बली सुखी च सिद्धोऽहं भविष्याम्यहमीश्वर: ।। 986

◎ **And :** I have killed this person today, I shall kill others tomorrow. I am powerful. I am successful. I will become a God.

कुलीनोऽहं सुसम्पन्नो नान्योऽस्ति सदृशो मया ।
यज्ञं करोम्यहं दानम्-आहु: प्रदर्शनाय ते ।। 987

◎ **And :** I am noble. I am rich. No one is like me. I shall do austerities and I will do charities for showing off myself.

बद्धास्ते भोगपाशेषु सदा मोहेन संवृताः ।
पतन्ति नरके मूढाः कामभोगपरायणाः ।। 988

◎ **And :** *These evil people, devoted to passions and attached to enjoyments, deluded in their mind, they fall in the hell.*

यज्ञेन नाममात्रेण गर्वान्विताश्च स्वैरिणः ।
मूढभावेन निन्दन्ति मां सर्वेषां हृदि स्थितम् ।। 989

◎ **And :** *These losers, puffed up with spurious austerities, they criticize me who dwells in everyone's heart.*

कामक्रोधाभिमानांश्च बलं मत्वा च कामुकाः ।
मदान्धा गर्विणो दुष्टा आत्मश्लाघे रताः सदा ।। 990

◎ **And :** *These people are taken over by desires. They think passions, anger and pride are their strengths. They stay engrossed in intoxication and vanity.*

एतान्नराधमान्पापान्-मूढान्क्रूरानसूयकान् ।
योनिषु चासुरीष्वेव वारंवारं क्षिपाम्यहम् ।। 991

◎ **And :** *To these cruel, evil and sinful people, I throw in hell life after life.*

अधमां प्राप्य ते योनिम्-अतो जन्मनि जन्मनि ।
अधोगतिं च गच्छन्ति न मां प्राप्यासुरा जनाः ।। 992

◎ **And :** *These demonic people, not having attained me, get hellish births.*

(कृत्यं च अकृत्यं च कर्म)

त्रिविधान्यात्मघाताय द्वाराणि नरकस्य वै ।
कामः क्रोधश्च लोभश्च त्यागस्तेषां सदा भवेत् ।। 993

◎ **Thus :** *Desire, anger and greed are the three gates to hell and self destruction. One should always stay away from these three vices.*

तेभ्यस्त्रिभ्यो हि द्वारेभ्यो मुच्यते मानवो यदा ।
स्वस्य हितञ्च कृत्वा स मोक्षो हि लभते तदा ।। 994

◎ **And :** *He who stays away from these three vices, that wise person attains liberation.*

(शास्त्रं प्रमाणम्)

त्यक्त्वा विधिविधानं यः स्वैरमाचरते नरः ।
सुखं सिद्धिं च हित्वा हि गच्छति सोऽधमां गतिम् ।। 995

◎ **Scriptures :** *He who acts according to his own whim, ignoring the words of the scriptures, he is deprived of good results, success and happiness and he downgrades himself.*

किमकृत्यं च किं कृत्यं निर्णयाय यथोचितम् ।
प्रमाणाय विधिं मत्वा शास्त्रविधानमाचरेत् ।। 996

◎ **Therefore :** *Therefore, in order to decide what is right and what is wrong, one must take help of the words of the scriptures.*

श्रीमद्-भगवद्-गीतायाः सप्तदशोऽध्यायः त्रहवाँ ।
श्रद्धात्रय-विभागयोगः ।

श्रीकृष्णस्मरणाष्टकम्

पठेद्यः प्रातरुत्थाय स्तोत्रं कृष्णाष्टकं शुभम् ।
धौतः स सर्वपापेभ्यो विष्णुलोको हि धाम तम् ।।

स्तोत्रं-1

प्रभाते चिन्तयेत्कृष्णं मोहनं स्नानमार्जने ।
प्रार्थनायां च गोविन्दं पावनं करुणाकरम् ।।

स्तोत्रं-2

अध्ययने स्मरेन्नित्यं योगेश्वरं जगद्गुरुम् ।
क्रीडने बालगोपालं कार्यकाले जनार्दनम् ।।

स्तोत्रं-3

विश्रामे द्वारिकानाथं चिन्तनं वन्दनं हरिम् ।
शयने श्रीधरं ध्यायेत्-निर्विकारं निरञ्जनम् ।।

स्तोत्रं-4

प्रवासे सर्वज्ञातारं नृसिंहं सर्वव्यापिनम् ।
पार्थसारथिनं युद्धे रक्षकं चतुराननम् ।।

स्तोत्रं-5

उपनयनकाले च पीताम्बरं मनोहरम् ।
विवाहे भाग्यदातारं श्रीपतिं पुरुषोत्तमम् ।।

स्तोत्रं-6

मोदे दामोदरं ध्यायेद्-विष्णुं सकलमङ्गलम् ।
दुःखे च परमानन्दं मुरारिं परमेश्वरम् ।।

स्तोत्रं-7

सङ्कटे च चतुर्बाहुं नारायणं गदाधरम् ।
चक्रपाणिं हृषीकेशं सर्वकाले सुदर्शनम् ॥

स्तोत्रं-8

जन्मदिने स्मरेत्पूज्यं पूजयेद्विश्ववन्दितम् ।
अन्तकाले स्मरेद्देवं देवदेवं सनातनम् ॥

स्मरणाष्टकमेतद्धि पठेद्रत्नाकरस्य यः ।
सर्वकाले शुभं तस्य भवेत्कृष्णानुकम्पया ॥

◎ **Shri-Krishn-ashtakam** : *Shloka* : He who reads this holy hymn of Shrī Krishna when he gets up in the morning, he washes away all his sins and goes to the supreme abode of Lord Vishnu. **Stotra : 1.** One should chant Krishna's name in the morning and at the time of taking bath. While doing the morning prayers, one must sing merciful Govind Krishna's prayers. **2.** While doing studies, one should remember Krishna, the Yogeshvara (Lord of yogas) and Jagadguru (the Guru of the World). While playing one should remember the Gopal (cowherd) Krishna and at the time of work one should remember Janardan (remover of the evil people) Krishna. **3.** At the time of rest, one should remember Hari. At bed time one should remember Sridhar (Husband of Lakshmi), the pure and formless. **4.** At the time of travel, one should remember the Omniscient, Nrisimha (lion-man), Sarva-vyapi (Omnipresent) Shrī Krishna. At the time of war, remember Partha sarathi Shri krishna, the four headed protector **5.** At the time of Sacred thread ceremony, one should remember Pitambar (wearing yellow garment) beautiful Krishna. At the time of wedding, one should remember Bhagya-data (giver of good luck), Shri-pati (Husband of Lakshmi), Purushottama (Supreme among men) Shrī Krishna. **6.** While having a happy time, one should remember Damodar (who was tied to with a rope by his mother) Shrī Krishna. At sad moment, one should remember Paramanand (Supreme joy), Murari (slayer of demon Mura), Parameshvara (the Supreme God) Shrī Krishna. **7.** At the difficult moments, one should remember Chaturbahu (four armed), Gadadhar (Bearer of mace), Nārāyana. At all times, one should remember Chakrapani (bearer of Sudarshan wheel), Hrishikesh (Lore of the body organs) Shrī Krishna. **8.** At birthdays, one should remember the sacred Vishva-vandita (worshipped by the world) Shrī Krishna. At the time of death, one should remember Devadeva (Lord of the Gods) Shrī Krishna. *Shloka* : He who reads this Krishnashtak all the time, he receives Krishna's blessings, good luck and good tidings.

रत्नाकरी गीता
अष्टाविंशस्तरंगः

33. The Faith
श्रद्धानिरूपणम्

अर्जुन उवाच ।

शास्त्रं त्यक्त्वा जना ये त्वां ध्यायन्ति श्रद्धया प्रभो ।
तामसी राजसी श्रद्धा सात्त्विकी वा मुकुन्द सा ।। 997

◎ **Arjun's question :** *O Lord! those who act without regard for what the scriptures say, what type of faith do they possess, sattvic, tamasic or rajasic?*

श्रीभगवानुवाच ।

(श्रीभगवानुवाच)

(श्रद्धास्वरूपम्)

श्रद्धा स्वाभाविका पार्थ गुणोऽस्ति देहधारिणाम् ।
त्रिविधां सात्त्विकीं चैव राजसीं तामसीं शृणु ।। 998

◎ **Krishna's answer :** *O Arjun! a man is faithful by nature. However, his faith may be sattvic (sat guna preponderant), rajasic (dominance of rajas guna ruling) or tamasic (tamas guna dominating).*

आत्मचित्तानुसारेण निष्ठा नैसर्गिकी सदा ।
अतो यस्य यथा श्रद्धा स्वरूपं तस्य तादृशम् ।। 999

◎ **And :** *A man's faith is according to his gunas (the three attributes). As are his gunas, so is his faith.*

(श्रद्धात्रयम्)

ध्यायति सात्त्विको देवान्–असुरान्राजसस्तथा ।
तामसो भूतप्रेतांश्च, "यथा गुणास्तथा हि ते" ।। 1000

◎ **Three faiths :** *The sattvic person worships Gods. The rajasic person worships demons and the tamasic person worships ghosts. As their worship, so is their nature.*

(आसुरः)

मां च देहस्थभूतानि कष्टं ददति ये सदा ।
अज्ञानिनश्च दुष्टा ये विद्धि तानासुराञ्जनान् ।। 1001

◎ **Demonic people :** *Those who show disrespect to me and to the five elements, O Arjun! know those ignorant evil people to be the Asuric people.*

शास्त्रं त्यक्त्वा च कुर्वन्ति दम्भयुक्तं हि ते तपः ।
अहङ्कारेण कुर्वन्ति रागयुक्तं जपं तथा ।। 1002

◎ **And :** *Those deceitful people pretend do be doing austerities and chants, without any regard for the scriptures.*

(आहरत्रयः)

प्रियाहारानुसारेण स्वभावास्त्रिविधा मताः ।
त्रयो दानस्य भेदाश्च यज्ञस्य तपसस्तथा ।। 1003

◎ **Diet :** *The diets of the people are of three types, according to their gunas. Similarly, the charities are also of three types.*

मनोभावानुसारेण खाद्यानि त्रिविधानि च ।
गुणप्रमाणतस्तेषु सद्रजश्च तमस्तथा ।। 1004

◎ **And :** *According to the temperament of mind, the diets are divided into three types namely, the Sattvic, Rajasic and Tamasic.*

(सात्त्विकानाम् आहार:)

आयुः स्वास्थ्यं सुखं प्रीतिं सत्त्वं बलं ददाति यत् ।
स्वादु च रसयुक्तञ्च स्निग्धं तत्सात्त्विकं प्रियम् ।। 1005

◎ **Sattvic food :** *The foods that augment longevity, health, happiness, righteousness, strength and which are tasty, juicy and affectionate are dear to the Sattvic people.*

(राजसानाम् आहार:)

कट्वाम्लं लवणं तिक्तं रूक्षं शुष्कं च पारुषम् ।
अत्युष्णं कष्टकारि च शोककारि च दाहकम् ।। 1006

◎ **Rajasic :** *The foods that are bitter, salty, sharp, juiceless, dry, harsh, hot, intoxicating and hallucinating are dear to the Rajasic people.*

(तामसानाम् आहार:)

रोगदायि व्यथाकारि यन्मन:सक्तिकारकम् ।
स्पर्शसञ्चारिणं तीक्ष्णम्-अन्नं तत्तामसप्रियम् ।। 1007

◎ **Tamasic :** *The foods that give disease, pain, addiction, harmful and that are stinging;*

उच्छिष्टं पूतियुक्तं च दूषितं नीरसं तथा ।
पर्युषितं पुराणं च यदन्नं तामसप्रियम् ।। 1008

◎ **And :** *also the foods which are leftover, smelly, stale, contaminated and fermented are dear to the Tamasic people.*

(यज्ञत्रयम्)

(सात्त्विकयज्ञ:)

पूज्यं शास्त्रानुसारेण मन:सन्तोषदायकम् ।
आशां फलस्य त्यक्त्वा स यज्ञं करोति सात्त्विकम् ।। 1009

◎ **Sattvic yajna :** *The austerity performed without a desire of its fruit, but because it is sacred, according to the tenets of the scriptures, that gives happiness to the heart, such yajna is called Sattvic.*

(राजसयज्ञ:)

फलाशां हृदये धृत्वा दम्भयुक्तेन हेतुना ।

प्रदर्शनाय कुर्वन्ति यज्ञः स राजसो मतः ।। 1010

◎ **Rajasic yajna :** *Keeping the objective of fruit in mind, the austerity that is ostentatiously performed for a show, is called a Rajasic yajna.*

(तामसयज्ञः)

मन्त्रं शास्त्रविधानं च त्यक्त्वा प्रसाददक्षिणे ।

भक्तिहीनः कृतो व्यर्थो यज्ञः स तामसः स्मृतः ।। 1011

◎ **Tamasic yajna:** *The austerity that is performed without faith, without following the tenets of the scriptures, without offering a gratuity, propitiation or charity, is called a Tamasic yajna.*

(तपस्त्रयम्)

(शारीरिकतपः)

येनार्चितो द्विजो ज्ञानी गुरुर्देवश्च पूजितः ।

मनसा वचसाऽहिंसा ब्रह्मचर्यव्रतं तथा ।। 1012

◎ **Penance yajna:** *The penance by which the priest, guru and wise men are worshipped with mind, action and words and the penance that is done without any violence, with asceticism and chastity;*

अन्तर्बाह्यं च पावित्र्यं येन पूर्णं सुरक्षितम् ।

स्वीकृतं नम्रभावेन तपः शारीरमुच्यते ।। 1013

◎ **Bodily penance :** *and, with external and internal purity of body and mind and with humility, is called bodily penance.*

(वाणीतपः)

नित्यं सत्यं हितं प्रीतं स्वाध्यायवचनं च यत् ।

यस्मान्नोद्विजते कोऽपि वाणीतपस्तदुच्यते ।। 1014

◎ **Penance of speech :** *The speech that is always true, beneficial, loving and within the limits of the scriptures and by which no one gets hurt directly or indirectly, is called the penance of speech.*

(मनोतपः)

शान्ता धीः सौम्यदृष्टिश्च मौनवृत्तिर्यमस्त्रपा ।

भावशुद्धिर्मनःशक्तिः–उच्यते मानसस्तपः ।। 1015

◎ **Penance of mind :** *The austerity that makes the mind tranquil, controlled, peaceful, courageous and honorable is called penance of mind.*

(सात्त्विकतपः)

वाणीकायमनोयुक्तं त्यक्त्वा वाञ्छां फलस्य यत् ।

तपस्त्रिविधभावस्य तत्सात्त्विकमुदाहृतम् ।। 1016

◎ **Sattvic penance :** *The three penances of body, mind and speech as mentioned above, when they are observed without the desire of fruit, such a triple penance is called the a Sattvic penance.*

(राजसतपः)

मनसि मानमिष्ट्वा हि लोकेषु प्राप्तुमादरम् ।

अप्रामाणिकमस्थायि तद्राजसं तपो मतम् ।। 1017

◎ **Rajasic penance :** *The penance that is undertaken with the objective of earning name and fame and respect from people, such act of dishonest motive is called a Rajasic penance.*

(तामसतपः)

मनसा मोहयुक्तेन देहेन पीडितेन च ।

कृतं शठेन ध्येयेन तपस्तत्ततामसं मतम् ।। 1018

◎ **Tamasic penance :** *The exhibition of penance that is carried out with deluded mind, torturing one's own body, with deceitful intention is called a Tamasic penance.*

(दानत्रयम्)

(सात्त्विकदानम्)

यद्दीयते सुपात्राय योग्ये स्थाने क्षणे तथा ।

अनुपकारिणे कार्यं दानं तत्सात्त्विकं स्मृतम् ।। 1019

◎ **Sattvic charity :** *The charity that is given to a deserving person, at right time and right place, without any obligation but as a duty, is called a Sattvic charity.*

(राजसदानम्)

ऋणं निवर्तितुं दत्तं हृद्देशे च फलाशया ।

यत्क्लेशपूर्वकं व्यर्थं दानं राजसमुच्यते ।। 1020

◎ **Rajasic charity :** *The charity that is given with hesitation, for paying off a debt and with the objective of earning a benefit from it, such meaningless donation is called a Rajasic charity.*

(तामसदानम्)

स्थलेऽयोग्ये च कालेचापात्राय दीयते तु यत् ।

हेतोर्हृद्यपमानस्य तद्दानं तामसं स्मृतम् ।। 1021

◎ **Tamasic charity :** *The charity that is given to an un-deserving person, at wrong time or at wrong place, with an evil objective of insulting or binding a person, is called Tamasic charity.*

(ॐ तत् सत् इति)

ओम्तत्सदिति नामानि ब्रह्मणो लक्षणानि हि ।

उद्भूताश्च ततो वेदा यज्ञाश्च ब्राह्मणानि च ।। 1022

◎ **Om tat sat :** Om, tat and sat are the symbols of Brahma (the Supreme). The Vedas, Brahmanas and other scriptures begin with these signs of Brahma.

(ॐ)

तस्मादोङ्कारशब्देन यज्ञं दानं जपं तप: ।
यथा शास्त्रविधानं हि कुर्वन्ति ब्रह्मचारिण: ।। 1023

◎ **Om :** Therefore, as the scriptures say, the austere people begin their austerity, charity, chant or penance with the sacred sound of "Om."

(तत्)

फलाशां यत्परित्यज्य, दानं स्तोमं तप: कृतम् ।
ज्ञानिभिर्मोक्षप्राप्तिश्च तदुक्त्वा क्रियते सदा ।। 1024

◎ **Tat :** Leaving aside the desire for fruit of karma, the charity, austerity, penance or any other sacred act of attaining liberation is done with utterance of "tat."

(सत्)

(अनुप्रास:)

सदाचारे च सद्भावे सत्त्वे साधौ च सज्जने ।
सत्कर्मणि च सद्धर्मे सदा सत्यं समावृतम् ।। 1025

◎ **Sat :** Sat is in righteousness, virtue, truth, sainthood, humility, good deed and duty.

दाने तपसि यज्ञे च वर्तते या दृढा स्थिति: ।
तस्यां स्थित्वा कृतं कर्म सदित्येवोच्यते सदा ।। 1026

◎ **Sat :** The stable state that exists in charity, austerity, penance and righteous deeds is called Sat.

(असत्)

अश्रद्धया कृतो यज्ञ:-तपो दानं च यत्कृतम् ।
असदित्युच्यते पार्थ मर्त्यलोके परत्र च ।। 1027

◎ **Asat :** O Arjun! whatever austerity, penance or charity is done without faith, it is called Asat in this world and in the next world.

श्रीमद्-भगवद्-गीताया अष्टादशोऽध्याय: ।
मोक्ष-संन्यासयोग: ।

रत्नाकरी गीता

नवविंशस्तरंग:

34. The Final Liberation

मोक्षनिरूपणम्

अर्जुन उवाच ।
ततः पार्थोऽवदत्कृष्णं तत्त्वं ज्ञानस्य किं प्रभो ।
वदतान्मां समासेन श्रोतुमिच्छामि केशव ।। **1028**

◎ **Sanyasa :** *Arjun said, O Shrī Krishna! I would like to know the principle of knowledge. Please tell it to me in detail.*

श्रीभगवानुवाच ।

(श्रीभगवानुवाच)

त्यागं कार्यस्य संन्यासं कश्चिदाहुरयोगिनः ।
त्यागः कर्मफलेच्छायाः–त्यागं वदन्ति योगिनः ।। **1029**

◎ **Krishna :** *Some yogis say abandonment of karma is Sanyasa or Tyaga (renunciation). While others say, renunciation of the desire for the fruit of karma is Tyaga.*

(त्याज्यम् अत्याज्यं च)

मत्वा कर्म सदोषं हि त्याज्यमन्ये वदन्ति तत् ।
कर्म दानं तपोऽत्याज्यम्–आहुः केचन ज्ञानिनः ।। **1030**

◎ **And :** *Some yogis say, the karma is imperfect and thus it should be renounced. Others say, the karmas of austerity, charity and penance are the karmas that ought never to be renounced.*

(त्यागत्रयम्)

सात्त्विका राजसास्त्यागाः–तामसास्त्रिविधा मताः ।।
गुणभेदविकारैस्तान्–स्पष्टं वदामि त्वां शृणु ।। **1031**

◎ **Renunciation :** *According to the gunas (the three attributes), renunciation is of three types : Sattvic, Rajasic and Tamasic. Please listen to me carefully.*

(अत्याज्यकर्माणि)

दानं यज्ञं स्तपः कर्म करणीयं न वर्जयेत् ।
एतैर्भवन्ति विद्वांसः कृतकृत्याश्च पावनाः ।। **1032**

◎ **And :** *Charity, austerity and penance are the karmas to be done as your duty. They should never be abandoned. With these karmas men become wise, successful and holy.*

सङ्गं त्यक्त्वा हि कार्याणि कर्माण्येतानि सर्वदा ।

आशां फलस्य त्यक्त्वा च सदाचार: सदा हि स: ।। 1033

◉ **But :** *However, these karmas should always be performed while renouncing the desire for their fruits. It is righteousness.*

(राजसत्याग:)

नियतकर्मणस्त्यागो न कर्तव्य: कदाऽपि स: ।
यदि कोऽपि भ्रमात्कुर्यात्-त्याग: स राजसो मत: ।। 1034

◉ **Rajasic :** *If someone performs karma without renouncing the desire for the fruit, then the renunciation of such karma is Rajasic Tyaga.*

(तामसत्याग:)

त्यक्तानि क्लिष्टकर्माणि क्लेशस्य भयकारणात् ।
एवं तं निष्फलं त्यागं वदन्ति तामसं बुधा: ।। 1035

◉ **Tamasic :** *If someone renounces the karma simply because he does not want to go through the troubles, then such renunciation is Tamasic Tyaga.*

(सात्त्विकत्याग:)

नियतं कर्म कर्तव्यं मत्वा कार्यं निरन्तरम् ।
फलेच्छायाश्च सङ्गस्य त्याग: स सात्त्विको मत: ।। 1036

◉ **Sattvic :** *Prescribed karma should always be performed. It must never be renounced. But desire for the fruit of the karma and its attachment must be renounced. Such renunciation is Sattvic Tyaga*

फलत्यागो न सम्भाव्य आशां फलस्य वर्जयेत् ।
फलमपरिहार्यं हि वाञ्छा वैकल्पिकी ननु ।। 1037

◉ **And :** *Renunciation of the desire for the fruit of the karma is optional, but <u>renunciation of the **fruit** of the karma is not possible</u>. The fruit depends up on the action and one must bare the fruit of his own actions, good as well as bad. It is the law of karma.*

(त्यागी)

न क्लिष्टकर्मण: क्लेशो यस्य रागो न निष्कृतौ ।
सत्त्वनिष्ठ: स मेधावी नरस्त्यागी मतो बुधै: ।। 1038

◉ **Ascetic :** *He who is not afraid of difficult tasks and he who has no attachment to the easy tasks, he who is dedicated to righteousness, that intelligent person is called an Ascetic by the wise men.*

त्यक्त्वा सर्वाणि कर्माणि प्राणयात्रा न सम्भवा ।
त्यजेत्फलस्य वाञ्छां य:-त्यागी सत्य: स एव हि ।। 1039

◉ **And :** *Renouncing all karmas, even the journey of life is not possible, therefore, renunciation of the <u>desire of the fruit</u> of karma makes a person an Ascetic*

(फलानि)

सकामाः कामुका भुञ्ज्युः-त्रिविधानि फलानि ते ।

मिश्रमिष्टमनिष्टं च, तानि प्रेत्य न त्यागिनः ।। 1040

◎ **Fruit :** *Desired, undesired and mixed are the three kinds of results for a person who acts with the desire of fruit for his action. but not for an ascetic person, after his death.*

(साङ्ख्योक्तानि पञ्चकारणानि)

सर्वेषां कर्मणां सिद्धौ प्रसिद्धाः पञ्च हेतवः ।

साङ्ख्यशास्त्रे निरुक्ता ये शृणु वदामि सिद्धये ।। 1041

◎ **Reason :** *In the Sankhya yoga system, five karans (reasons) for the successes of a karma. I shall explain them to you now.*

(चेष्टा च)

अधिष्ठानं च कर्ता च हेतुस्त्रितीयकारणम् ।

भिन्ना भिन्नाश्च चेष्टाश्च दैवं पञ्चमकारणम् ।। 1042

◎ **Reasons :** *The first reason is the Adhishthan (seat, sustenance), the second is karta (subject, doer), the third is hetu (cause), the fourth is cheshta (effort) and the fifth is daiva (destiny). These are the five karanas (reasons).*

यस्मिन्हि घटते कर्म तदधिष्ठानमुच्यते ।

इन्द्रियाणि च कर्माणि सङ्घशः करणं स्मृतम् ।। 1043

◎ **Adhishthan :** *The sustenance with which karma takes place, is called Adhishthan. The agents and organs of the karma are called the karans.*

(दैवम्)

सुकृतदुष्कृतानां च फलानि पूर्वकर्मणाम् ।

भोक्तव्यानि सदा यानि जगति दैवमुच्यते ।। 1044

◎ **Destiny :** *The fruit of the previous good and bad deed that is to be borne in this life, is called daiva (destiny).*

(कर्म कः कारयते)

क्रियन्ते यैश्च कर्माणि मनसा वचसा तथा ।

यथा नीत्याऽथवाऽनीत्या कारणानि च पञ्च वै ।। 1045

◎ **Inspiration :** *Whatever deed, ethical or unethical, a person does with his body, mind or speech, these are the five reasons.*

एवं सति स्थितौ यो हि कर्ताऽहमिति मन्यते ।

मूढमतिर्नरोऽज्ञानी सत्यं द्रष्टुं न स क्षमः ।। 1046

◎ **Deluded :** *This being the situation, he who thinks he is the doer and the gunas are not the doers. That ignorant person is deluded. He does not see the reality.*

(कर्मणः प्रेरकः च धारकः च)

अनृतं कर्तृभावं यो नहि धारयते हृदि ।

नारीन्हन्ति स हत्वाऽपि न पाममधिगच्छति ।। 1047

◎ **And :** *He who does not think himself to be the doer, but only an agent, neither he kills his enemies nor he incurs sin being killed by an enemy.*

(ज्ञानकर्मकर्तात्रयम्)

ज्ञानं ज्ञेयं च ज्ञाता च कर्मणः प्रेरकत्रयम् ।

करणं कर्म कर्ता च कर्मणो धारकत्रयम् ।। 1048

◎ **Inspirators :** *Knowledge, knowable and knower are the three inspirators of karma. Karan (agent), karma and karta (the doer) are the three bearers of karma.*

भिन्नभूतेष्वभिन्नं यत्-तत्त्वमेकं हि वर्तते ।

साङ्ख्यशास्त्रे समुद्दिष्टं ध्यानेन शृणु पाण्डव ।। 1049

◎ **And :** *O Arjun! now listen from me the single and uniform principle that exists in every being, as mentioned in the Sankhya yoga system.*

(ज्ञानत्रयम्)

(सात्त्विकं ज्ञानम्)

अभिन्नं भिन्नभूतेषु तत्त्वमेकं हि विद्यते ।

यद्दर्शयति सुस्पष्टं तज्ज्ञानं सात्त्विकं मतम् ।। 1050

◎ **Sattvic knowledge :** *The comprehension that clearly exhibits the fact that a single indifferent principle exists in outwardly different looking beings, that wisdom is Sattvic knowledge.*

(राजसं ज्ञानम्)

सर्वभूतानि भिन्नानि भिन्नतत्त्वानि तेषु च ।

एवं ददाति बोधं यद्-ज्ञानं तद्राजसं स्मृतम् ।। 1051

◎ **Rajasic knowledge :** *The thinking that believes that a different principle exists in different beings, such un-real understanding is Rajasic knowledge.*

(तामसं ज्ञानम्)

आत्मनो यः पृथग्देहान्-मूढभावेन मन्यते ।

तत्त्वहीनं तथा मूढं ज्ञानं तत्तामसं मतम् ।। 1052

◎ **Tamasic knowledge :** *The delusion that makes you believe that each being is a different soul, that baseless ignorance is Tamasic knowledge.*

(कर्मत्रयम्)

(सात्त्विकं कर्म)

निःसङ्गं नियतं कार्यं फलेच्छया विना च यत् ।

निरासक्तं विरक्तञ्च कर्म तत्सात्त्विकं सखे ।। 1053

◎ **Sattvic karma :** *The karma that is done without any attachment and desire for its fruit, greed and force, is a Sattvic karma.*

(राजसं कर्म)

सकामं वासनायुक्तम्-अहम्भावेन यत्कृतम् ।

कृतं च बहुलायासं कर्म तद्राजसं जडम् ।। 1054

◎ **Rajasic karma :** *The karma that is done with ego and desire for a fruit and that is done with unnecessary efforts, is a Rajasic karma.*

(तामसं कर्म)

अनवेक्ष्य स्वसामर्थ्यं परिणामं क्षतिं गतिम् ।

क्रियते मूढभावेन कर्म तत्तामसं खलु ।। 1055

◎ **Tamasic karma :** *The karma that is done with delusion, without knowing one's own capacity and its harmful effect, is a Tamasic karma.*

(कर्तात्रयम्)

(सात्त्विककर्ता)

सुधीरो निरहङ्कारो निरासक्तो विचारवान् ।

शुभाशुभौ समौ यस्य कर्ता स सात्त्विको मतः ।। 1056

◎ **Sattvic Karta :** *The doer of a karma who is courageous, selfless, unattached, thoughtful and equanimous to loss and gain, he is a Sattvic Karta (doer).*

(राजसकर्ता)

आसक्तो हर्षमोदाभ्याम्-अयुक्तो हिंसकस्तथा ।

कर्मफलेषु लोलुप्तः कर्ता स राजसः स्मृतः ।। 1057

◎ **Rajasic Karta :** *The doer of karma who is unfit, attached to the fruit, worried about loss and gain and who is greedy, is a Rajasic Karta.*

(तामसिकः कर्ता)

दम्भी दर्पी जडो खिन्नो दुराचारश्च घातकः ।

अयुक्तो दीर्घसूत्री च कर्ता स तामसो मतः ।। 1058

◎ **Tamasic Karta :** *The doer of karma who is full of ego, proud, lazy, dejected, harmful, violent, unfit and procrastinator, is a Tamasic Karta.*

(बुद्धित्रयं च धृतित्रयम्)

बुद्धीनां च धृतीनां च प्रकारा ये त्रयस्त्रयः ।

गुणस्वभावतो ज्ञाताः पृथक्पृथग्वदामि त्वाम् ।। 1059

◎ **Thinking and Courage :** *Buddhi (thinking) and Dhriti (courage) are of three types according to their gunas (the three attributes). I shall tell them separately.*

(सात्त्विकी बुद्धिः)

योगं च कर्मन्यासं च कार्याकार्ये हिताहिते ।

बन्धं मुक्तिं भयं धैर्यं बुद्धिर्या वेत्ति, सात्त्विकी ।। 1060

◎ **Sattvic thinking :** *The thinking that understands what is righteous deed and what is righteous renunciation, what is beneficial and what is harmful, what is attachment and what is freedom, O Arjun! that thinking is Sattvic buddhi.*

(राजसी बुद्धिः)

धर्माधर्मौ न जानाति कार्याकार्ये न वेत्ति या ।

मूढा हीना निराधारा बुद्धिः सा राजसी मता ।। 1061

◎ **Rajasic thinking :** *The thinking that does not understand the difference between right and wrong, righteous and unrighteous, ought to be done and ought not to be done, such baseless thinking is Rajasic buddhi.*

(तामसी बुद्धिः)

अधर्मं मन्यते धर्मम्–अकार्यं वेत्ति कार्यवत् ।

अनर्थं या यथार्थञ्च बुद्धिः सा तामसी स्मृता ।। 1062

◎ **Tamasic thinking :** *The deluded thinking that interprets righteous as unrighteous and what ought to be done as what ought not to be done and misunderstands the meaningful words, such thinking is Tamasic buddhi.*

(सात्त्विकी धृतिः)

क्रियाः प्राणेन्द्रियाणां या करोति केन्द्रिताः सदा ।

योगबलं च दत्ते या धृतिः सा सात्त्विकी खलु ।। 1063

◎ **Sattvic courage :** *The courage that upholds the functions of living being and life of the living being and that gives yogic power, is a Sattvic dhriti.*

(राजसी धृतिः)

अर्थं कामं च धर्मं च निर्वैराग्येण कामुकः ।

यया स धरते पार्थ धृतिः सा राजसी सखे ।। 1064

◎ **Rajasic courage :** *The courage that attaches a covetous person to his possessions and passions, is Rajasic dhriti.*

(तामसी धृति:)

दुर्मतिर्मानवो दुःखं निद्रां सङ्गं भयं मदम् ।
यया स धरते चिन्तां धृति: सा तामसी मता ।। 1065

◎ **Tamasic courage :** *The courage with which a wicked person attaches himself to sorrow, slumber, worry, fear and intoxication, is Tamasic dhriti.*

(सुखत्रयम्)

प्राप्य यस्मान्मनोह्लादं भवेत् दुःखञ्च विस्मृतम् ।
त्रिविधं पार्थ भूतेषु सुखं तच्छृणु प्रस्तुतम् ।। 1066

◎ **Happiness :** *O Arjun! now listen to the three types of happiness of mind, according to their gunas (the three attributes), with which the sorrow disappears.*

(सात्त्विकं सुखम्)

आरम्भे कालकूटं यत्-परिणामेऽमृतं भवेत् ।
यदात्मज्ञानजं पार्थ सुखं तत्सात्त्विकं मतम् ।। 1067

◎ **Sattvic happiness :** *The feeling that appears bitter like poison in the beginning but which at the end turns out to be sweet like the divine nectar, the happiness arising out of self awareness is Sattvic sukha (happiness).*

(राजसं सुखम्)

अमृतं भोगकाले यत्-निष्कर्षे तु विषं भवेत् ।
विषयेभ्य: समुत्पन्नं सुखं तद्राजसं मतम् ।। 1068

◎ **Rajasic happiness :** *The happiness arising from passions, that appears like nectar in the beginning but at the end it turns out to be a poison, is Rajasic sukha.*

(तामसं सुखम्)

प्रारम्भे परिणामे च मूढां बुद्धिं ददाति यत् ।
निद्राप्रमादजं व्यर्थं सुखं तत्तामसं मतम् ।। 1069

◎ **Tamasic happiness :** *The happiness arising out of slumber and intoxication and which is like a poison from beginning to the end, is Tamasic sukha.*

(गुणा: सर्वत्रगा:)

न भूमौ न च स्वर्गेऽपि न देवेषु च वर्तते ।
प्रकृतिज: पदार्थो यो गुणविरहितो भवेत् ।। 1070

◎ **Guna :** *The gunas (the three attributes) are omnipresent. There is not a thing on the earth nor in the heavens nor in the Gods, that is devoid of the three gunas arising out of nature (Prakriti).*

(वर्णरचना)

ब्रह्मक्षात्रवणिक्शूद्राः-चतुर्वर्णाः कृता मया ।
विभाजितानि कार्याणि गुणकर्मानुसारतः ।। 1071

◎ **Varna :** *O Arjun! I have designed the four Varnas of Brahmana, Kshatriya, Vaishya and Shudra, according to the natural inborn gunas (three attributes) and ability to perform the duties.*

गुणावलम्बिता मात्रं भूतानां वर्णपद्धतिः ।
जात्याः कुलस्य रङ्गस्य नात्र स्थानं न भावना ।। 1072

◎ **And :** *The system of Varnas depends only on the inborn gunas and the abilities of the beings to do the duties. In this system, one's birth, family and colour has no consideration and place.*

(ब्रह्मकर्म)

तपः शान्तिः कृपा शुद्धिः-आर्जवं च क्षमा दमः ।
श्रद्धाऽऽस्तिक्यं च सत्यञ्च विप्रधर्मस्य लक्षणाः ।। 1073

◎ **Brahmana :** *Penance, austerity, peace, kindness, purity, simplicity, forgiveness, self-control, faith, ascetic nature and truth are the signs of the Brahmana Varna.*

रक्षणायान्यवर्णानां यस्य ज्ञानं रतं सदा ।
द्विजो गुरुर्नरो नारी वर्णभेदेन ब्राह्मणः ।। 1074

◎ **And :** *He or she whose mind is working for the protection of the other three Varnas, is a Brahmana by Varna.*

(क्षात्रकर्म)

रणे शौर्यं च वीर्यं च चातुर्यमभयं तथा ।
स्वाभाविकं बलं दानं लक्षणं क्षात्रकर्मणः ।। 1075

◎ **Kshatriya :** *Valor on the battlefield, bravery, skill, fearlessness, charity and power, is the natural nature of a Kshatriya.*

रक्षणमन्यवर्णानां कृत्वा प्राणसमर्पणम् ।
वर्णभेदानुसारेण क्षात्रधर्मस्य लक्षणम् ।। 1076

◎ **And :** *Laying down his/her life for the protection of other three Varnas, is the sign of a Kshatriya, according to his/her inborn nature and duty.*

(वैश्यकर्म च शूद्रकर्म च)

वाणिज्यं च कृषेः कर्म वैश्यधर्मस्य लक्षणम् ।
सेवाभावस्य पावित्र्यं शूद्रधर्मस्य सद्गुणः ।। 1077

◎ **Vaishya and Shudra :** *Skills of trade and farming are the signs of a Vaishya. The purity of service to others is the sign of a Shudra, by Varna system.*

वर्णः कोऽपि न नीचस्थः सर्वेषु च महानराः ।

अविचारोऽनृतो जातेः सर्ववर्णाः सदा समाः ।। 1078

◎ **And :** *No Varna is of higher or lower status. There are great people in all four Varnas. The system of Jati is self serving injustice and inequality. All Varnas are equal.*

सर्वे भवन्तु सम्मान्याः सर्वे सन्तु समानतः ।
अपमानोऽस्ति वैषम्यं वर्णाश्रमे समानता ।। 1079

◎ **Jati :** *May everyone be respected equally. May all have equal status. Inequality of Jati is insulting. The system of Varna is equality.*

जातिः प्रदूषणं हीनं, धर्मनाशाय कारणम् ।
जातिर्निर्मूलनीयैव जातिर्दुरासदं विषम् ।। 1080

◎ **And :** *Jati is a degrading pollution, a means of destroying righteousness. Jati must be eradicated. Jati is a terrible poison.*

यथा रथस्य रश्मिश्च हयाश्चक्राणि सारथिः ।
तथा देहस्य चत्वारि गात्राणि सदृशानि च ।। 1081

◎ **Four Varna :** *As a chariot has four equally important components of the horses, the leash, the charioteer and the wheels, so are the four Varnas like four parts of one human body. No one is higher or lower in importance.*

विप्रः शीर्षं करौ क्षात्रः वैश्यो रुण्डं तनोस्तथा ।
शूद्रः पादौ चतुर्थांशो विनैकं निक्रियाः पराः ।। 1082

◎ **And :** *Brahmana is the head, Kshatriya is the hands, Vaishya is the trunk and Shudra is the legs of the body. Without any one, the other three are functionless.*

(स्वकर्माचरणम्)

स्वकर्मणि स्थिरो भूत्वा तत्र सिद्धिः कथं भवेत् ।
वदाम्यहं विधानं तद्-ध्यानेन पार्थ मे शृणु ।। 1083

◎ **Duty :** *O Arjun! now listen to how staying within the limits of one's own duty gives success.*

(आत्मा च परमात्मा च)

कर्ता धाता स सर्वेषां भूतानां यश्च पालकः ।
परमाणुषु विश्वस्य पूर्णरूपेण व्यापकः ।। 1084

◎ **Atma and Parmatma :** *The Parmatma (the Supreme) is the birth giver, nourisher and protector. He exists wholly in every atom of the world.*

(स्वधर्मः)

आत्मना परमेशस्य तस्य ज्ञेया गतिः परा ।
पूजयित्वा स्वधर्मेण सिद्धिं गच्छति साधकः ।। 1085

◎ **Duty** : One should understand the Supreme, by himself, for himself. Worshipping the Lord by performing your own duty, one attains success.

धर्मस्तु स्वस्य न्यूनोऽपि सर्वश्रेष्ठो हि वर्तते ।
परधर्म: प्रशस्तोऽपि स्वधर्मादवर: सदा ।। 1086

◎ **And** : Your own righteous duty may appear to have shortcomings, but is it the best for you. Other's duties may appear to be better, but they also have shortcomings. Our own duty is superior.

(स्वकर्म परकर्म च)

कर्म स्वाभाविकं नो यत्-तस्मिन्किञ्चिन्न पातकम् ।
स्वस्य त्यक्त्वा कृतं यद्वा परकर्म भयावहम् ।। 1087

◎ **And** : Whatever comes to you naturally is superior. There is no sin in it. Leaving your own, to run after other's, is dangerous.

(सुभाषिते)

स्वकर्म दोषयुक्तञ्च न त्यक्तव्यं कदाऽपि तत् ।
विनादोषं न धर्मोऽस्ति विनाधूमं न पावक: ।। 1088

◎ **Good sayings** : You should not leave your own duty, even if it appears to be defective. There is nothing without a defect, as there is no fire without smoke;

सुखै: सह यथा दु:खं शुभै: सह यथाऽशुभम् ।
दीपै: सह यथा ध्वान्तं तथा छायाऽऽतपेन च ।। 1089

◎ **And** : As the sadness accompanies the happiness, bad with good, darkness with light, shadow with sunlight.

(सिद्धि:)

वीतरागो निरासक्तो यस्य बुद्धिश्च नि:स्पृहा ।
कर्मयोगेन ज्ञानेन सिद्धिं याति कथं, शृणु ।। 1090

◎ **Success** : O Arjun! now listen to how the success comes to him who is not attached to possessions and passions and he who is not covetous.

(परमसिद्धि:)

सिद्धिमेवं परां प्राप्य ब्रह्म च प्राप्यते कथम् ।
पार्थ वदामि निष्ठां त्वां शृणु ध्यानेन त्वं सखे ।। 1091

◎ **Also** : Having attained supreme success in this manner, now listen to the faith by which one attains Brahma (the Supreme).

मतिं कृत्वा पवित्रां च धैर्यं च हृदये धरेत् ।
शब्दादिविषयांस्त्यक्ता रागद्वेषौ निवारयेत् ।। 1092

◎ **Brahma :** *Keeping the thoughts pure, keeping courage at the heart, one should leave aside the passions and attachment.*

मिताहारी विरक्तश्च यतवाक्च जितेन्द्रियः ।

ध्यानयोगे स्थिरं चित्तं वैराग्ये यस्य भावना ।। 1093

◎ **And :** *He who is moderate eater, he who is not attached, he who has controlled his organs, he who is steady in meditation, he whose mind is steady;*

त्यक्त्वा कामं च क्रोधं च मत्सरं च मदं तथा ।

ब्रह्मपात्रः प्रसन्नात्मा शान्तिं प्राप्नोति निर्ममः ।। 1094

◎ **And :** *He who is away from passions, anger, jealousy, possessions and intoxication. He is fit for unison with Brahma (the Supreme).*

समः सर्वेषु भूतेषु निर्विषादो निरामयः ।

ब्रह्मरूपो निराकाङ्क्षी मद्भक्तिं लभते नरः ।। 1095

◎ **And :** *He who is equanimous to all beings, he who is not despondent, he who is pure, he who does not have ego, he is in unison with Brahma (the Supreme), he attains my favor.*

यो मां जानाति भक्तो मे कर्माणि च यथार्थतः ।

मद्भक्तायैकनिष्ठाय तस्मै मे धाम सर्वदा ।। 1096

◎ **And :** *The devotee who knows me and my deeds in principle, he whose faith is one pointed, he attains my abode.*

कुर्वन्नपि स्वकर्माणि कृत्वाऽपि यदि स मत्परायणः ।

मद्भक्तो मत्प्रसादात्स प्राप्नोति परमं पदम् ।। 1097

◎ **And :** *While doing his all duties, if he is devoted to me, he receives my blessings and he comes to me.*

सर्वमनेन योगेन कृत्वा त्वं पार्थ मत्परः ।

योगे च तत्परो भूत्वा बुद्धिं मयि निवेशय ।। 1098

◎ **Devotion :** *Doing everything according to this yoga, devote yourself to me. Being equipped with yoga, always think of me.*

कौन्तेय मत्प्रसादात्त्वं सर्वदुःखं तरिष्यसि ।

अश्रुत्वा मामहङ्कारात्-निश्चितं त्वं विनङ्क्षसि ।। 1099

◎ **And :** *O Arjun! with my blessings, your despondency will go away. But if you do not listen to me out of pride, you will for sure go down.*

(क्षात्रधर्मपालनम्)

यदि त्वं भ्रममाश्रित्य "न योत्स्ये" वदसीति वै ।

अङ्गजः क्षात्रधर्मस्ते योद्धुं स त्वां नियोक्ष्यति ।। 1100

◎ **And :** *Being deluded, if you decide not fight, your inborn nature will compel you to stand up on the battlefield.*

योद्धुं नेच्छसि त्वं मोहाद्-अवशस्तत्करिष्यसि ।

नैसर्गिकेण भावेन बद्धोऽसि स्वेन कर्मणा ।। 1101

◎ **And :** *Taken over by confusion, even if you say I shall not fight, your Kshatriya nature will make you fight.*

(रहस्यमय उपदेश:)

ईश्वरो हृदि सर्वस्य नित्यं तिष्ठति भारत ।

भ्रामयन्विश्वभूतानि चक्रारूढानि मायया ।। 1102

◎ **And :** *O Arjun! the Supreme Lord dwelling in everyone's heart, revolves the beings in the life cycle like a wheel, with his magic.*

शरणं यच्छ कौन्तेय तस्मात्त्वमीश्वरात्सखे ।

शान्तिं परां प्रसादात्त्वं प्राप्स्यसि परमं पदम् ।। 1103

◎ **And :** *O Arjun! surrender yourself to the Lord. Then with his kind blessings you will attain the Supreme state.*

परमं सर्वगुह्येषु ज्ञानमुक्तमिदं मया ।

यथेच्छसि तथा पार्थ कुरु योग्यमतः परम् ।। 1104

◎ **And :** *O Arjun! I have told you the supreme secret. Now do as you wish.*

पुनः शृणु सखे पार्थ भूयो वदामि ते हितम् ।

प्रियोऽसि त्वं च मित्रं मे तस्माद्गुह्यं वदामि त्वाम् ।। 1105

◎ **And :** *Listen to me again, I am telling you for your good. You are my dear friend therefore, I am telling you this.*

एकाग्रेण प्रणम्य मां सर्वभावेन त्वं सखे ।

मद्भक्तो मन्मना भूत्वा कौन्तेय मत्परायणः ।। 1106

मत्पर होकर भक्ति जोड़ कर, नमन करो तुम मन को मोड़ कर ।

आओगे मम पार्थ! दुआरे, प्रण है मेरा सुनो पियारे! ।। **1759**/5200

◎ **And :** *With one pointed mind, with focused thinking, be devoted to me in every which way.*

कार्यं मयि परित्यज्य मामेव शरणं व्रज ।

मोचयिष्यामि पापेभ्यो मा शुचः कुरुनन्दन ।। 1107

◎ **And :** *Doing your duties in my name, dedicate yourself to me. O Arjun! I will free you from all your sins.*

(भगवतः प्रतिबोधः)

हृदि नास्ति तपो यस्य नास्ति यस्य मनोबलम् ।
नास्ति मनसि भावश्च नास्ति भक्तिस्तथा मयि ।। 1108

◎ **Warning :** *He who does not have faith in me, he who does not have strength of mind, he who does not have faith and he who does not have trust;*

मां च निन्दति यो दुष्टः प्रज्वलतीर्षया च यः ।
गुह्यमेतन्न वक्तव्यं प्रमादादपि तं नरम् ।। 1109

◎ **And :** *He who is jealous of me, he who criticizes me, he who is wicked, do not tell him this secret knowledge even by mistake.*

मे परमोपदेशं यो भद्रजनेषु वक्ष्यति ।
भक्तिं मे प्राप्य तस्मात्स मामेष्यति न संशयः ।। 1110

◎ **However :** *However, he who listens to my righteous sayings, he who tells it to righteous people, he having earned my favor attains me, no doubt.*

विश्वे सुकर्म कर्ता तु नास्ति तस्मादनुत्तमः ।
लब्धपुण्यः सखे पार्थ भक्तः सोऽतीव मे प्रियः ।। 1111

◎ **And :** *There is no righteous person than the person who tells or sings my teachings. He is very dear to me.*

संवादमावयोर्गुह्यं धर्म्यं ध्यानेन यो पठेत् ।
प्राप्य मे परमां भक्तिं मामेवैष्यति निश्चितम् ।। 1112

◎ **And :** *He who reads and studies this divine dialogue of ours with faith, he certainly attains me.*

नास्ति सुकर्म कर्ता तु तस्मात्कुत्रापि चोत्तमः ।
उत्तमः सोऽपि भक्तेषु भक्तः प्रियतमो मम ।। 1113

◎ **And :** *There is no better work than this work. There is no better devotee than such devotee.*

(श्रीभगवान्पृष्टवान्)

श्रुतं ध्यानेन किं पार्थ पूर्णं मे वचनं त्वया ।
अज्ञानजो भ्रमस्तस्मात्-प्रणष्टो वा धनञ्जय ।। 1114

◎ **And :** *O Arjun! have you heard carefully what I said? Has your delusion that arose out of ignorance, gone away?*

अर्जुन उवाच ।

भ्रमो मे निर्गतः पूर्णो भवतः कृपया प्रभो ।
स्थिरा मम स्थितिर्भूयः, करिष्येऽहं वचस्तव ।। 1115

◎ **Arjun :** *O Lord! my delusion and confusion have gone away with your kindness. My mind is now steady. I shall do as instructed by you.*

सञ्जय उवाच ।
संवादं गुह्ययुक्तं च रोमहर्षदमित्यहम् ।
केशवस्य च पार्थस्याश्रौषं पूर्णं परन्तप ।। **1116**

◎ **Sanjaya :** *Sanjaya said, O King! I heard this inspiring dialogue between Shrī Krishna and Arjun.*

योगेश्वरस्य वक्तव्यं ज्ञानयुक्तमलौकिकम् ।
व्यासकृपाप्रसादाच्च श्रीकृष्णकृपया श्रुतम् ।। **1117**

◎ **And :** *O King! I heard Yogeshvara Krishna's unique teachings with the kind mercy of Vyasa and kind blessing of Shrī Krishna.*

स्मृत्वा पुनः पुनः राजन्–संलापं कृष्णपार्थयोः ।
भूयो भूयश्च हृष्यामि रोमहर्षो मुहुर्मुहुः ।। **1118**

◎ **And :** *O King! having remembered the divine dialogue between Shrī Krishna and Arjun again and again, I become ecstatic over and over.*

अद्भुतं पावनं रूपं संस्मृत्य च हरेस्तथा ।
वारं वारं महाहृष्टो भूतोऽहं विस्मयावृतः ।। **1119**

◎ **And :** *Also, recollecting Krishna's divine form, I become very joyful and astonished again and again.*

कृष्णो योगेश्वरो यत्र धनुर्धरोऽर्जुनस्तथा ।
श्रीर्विभूतिर्जयस्तत्र दृढा नीतिश्च, मे मतिः ।। **1120**/1120

◎ **Warning :** *O King! it is my firm conviction that the prosperity, victory and fortune are there where Yogeshvara Shrī Krishna and the Great archer Arjun are.*

35. Krishna's 301 Names

301–हरिनामनिरूपणम्

(**1. कृष्णः** गीता–1.28)

पाञ्चालिश्छन्दः

ऽ ऽ ।

कृष्णः

कृष्णश्च, कृष्णञ्च, कृष्णेन ।
कृष्णाय, कृष्णाच्च, कृष्णस्य ।। 1
कृष्णे च, कृष्णेति, रूपाणि ।
कृष्णस्य, सर्वाणि, जानीहि ।। 2

◎ **Krishna :** *Krishna, to Krishna, with Krishna, for Krishna, from Krishna, of Krishna, in Krishna, O Krishna! are all derivatives of Krishna's name that you should know.*

कृष्णवर्णः स श्रीकृष्णः कृष्णरात्रावजायत ।
कृष्णसर्पोऽभवच्छत्रं कृष्णाजले स वासुकिः ।। 1121/1120
गायामः कृष्णनामानि सुन्दराणि वयं प्रभोः ।
विकसितानि गीतायां पुष्परूपेण यानि हि ।। 1122

◎ **And :** *Shrī Krishna is of dark complexion. He came in a dark night. The dark snake Vasuki became an umbrella over him while crossing the Yamuna river. Let's sing the songs of on the beautiful 301 names of Lord Krishna that appear in the Gita.*

कृष्णः

स्थायी

कमलनयन! सरसिजमुख! त्वम्, रविशशिकुण्डल! परमसुखम् ।

♫ सासासारेगग! रेसारेगरेग! म–, धपमगम–पप! धपमगरे– ।

अंतरा–1

योगेश्वर! त्वं ब्रह्म परं, त्राहि प्रभो! मे विश्वमिदम् ।

♫ सा–रे–गग! म– रे–ग मप–, ध–प मग–! प– ग–मगरे– ।

अंतरा–2

कृताञ्जलिस्त्वां वन्देऽहं, नाशय मे त्वं सर्वदुःखम् ।

अंतरा–3

नाम कृष्ण! ते मनोहरं, विन्दामि हृदि तव स्मरणम् ।

◎ **Krishna :** ***Sthāyī :*** *O Lotus eyed Shrī Krishna! your face is like a lotus flower. The sun and moon are your ear-rings. You are the supreme joy giver.* ***Antarā : 1.*** *O Yogeshvara (the Lord of yoga)! you are the Supreme Lord. O Lord! please protect my world.* ***2.*** *I pray to you with my folded hands, please remove my pains.* ***3.*** *I salute you, O Lovely Krishna! please keep your name in my heart.*

(**2. माधवः** गीता–1.14)

लक्ष्म्या माया धवो यः स माधव इति कथ्यते ।
लक्ष्मीनारायणौ तस्मात्–माधवः खलु सङ्घशः ।। 1123

◎ **Madhava :** *He who is husband of Mother Lakshmi, is called Madhava. Therefore, Lakshmi-Nārāyana is collectively indeed Madhava (Ma = Lakshmi; Dhava = Husband).*

(**3. हृषीकेशः** गीता–1.15)

ज्ञानेन्द्रियाणि ज्ञायन्ते हृषीकाणि च विग्रहे ।

हृषीकाणां य ईशः स हृषीकेशो मतो बुधैः ।। 1124

◎ **Hrishikesh :** *The sense organs in the body are called Hrishik and the Lord (Ish) of the sense organs is called Hrishikesh, by the wise people.*

(4. **अच्युतः** गीता–1.21)

करपल्लवोद्गता–छन्दः

। ऽ ऽ, । ऽ ऽ, । । ऽ, । ऽ ।, ऽ

अच्युतः

च्युतो यो न केनापि मतः स ह्यच्युतः ।

स रामश्च कृष्णश्च हरिस्तथा च सः ।। 1

अहन्सोऽच्युतः कंसनृपञ्च रावणम् ।

नमो विष्णुरूपं परमं जनार्दनम् ।। 2

◎ **Achyuta :** *He who can not ("a") be defeated ("chyuta") by anyone is Achyuta (Vishnu). That Achyuta is Rama and Krishna avatars. They killed Ravana and Kamsa. Salute to that Janardan Vishnu Nārāyana.*

च्युतो यो नहि केनापि श्रीकृष्णोऽच्युत उच्यते ।

नीतिरीतिमतिभिर्यः, सदा धीरो दृढश्च सः ।। 1125

◎ **Achyuta :** *Shrī Krishna, who can not be defeated by anyone is Achyuta. He is always resolute in his ethics, behavior, thinking and courage.*

(5. **केशवः** गीता–1.31)

दृष्ट्वा लीलां जनास्तस्य कृष्णस्य विस्मयाकुलाः ।

ब्रुवन्ति "स क ईशो वा," तस्माज्ज्ञातः स केशवः ।। 1126

◎ **Keshava :** *Witnessing the divine deeds of the young Krishna, people wondered who is he, is he a God (kah sa + isho va) ? Therefore, he is called Keshava.*

(6. **गोविन्दः** गीता–1.32)

गा विन्दति स गोविन्दः, केशी गा हर्तुमागतः ।

गावो वेण्वा प्रचोदिताः, केशी गोभिर्हतः खलः ।। 1127

◎ **Govind :** *He who protected the cows is called Govind. His magical flute (murli) gave joy to the village, so he is called Murlidhar.*

(7. **मधुसूदनः** गीता–1.35)

मधुवने मधुर्नाम्नो भूत एको नु राक्षसः ।

तमहन्बालकृष्णः स मध्वरिर्मधुसूदनः ।। 1128

◎ **Madhusudan :** *Krishna, the slayer (sudana) of the terrible demon called Madhu, is Madhusudan.*
2060

(**8. जनार्दनः** गीता–1.36)

दुष्टानामर्दनो देवः कृष्णो ज्ञातो जनार्दनः ।
रक्षकश्च स भद्राणां लोकनाथः स एव हि ।। 1129

◎ **Janardana :** *Lord Krishna, who destroyed (ardana) the evil people (jana) to protect righteous people, is called Janardana.*

(**9. वार्ष्णेयः** गीता–1.41)

कृष्णो वृष्णिकुले जातो वार्ष्णेयः स प्रकीर्तितः ।
वृष्णिर्यदुकुले जातः कार्तवीर्यार्जुनस्य यत् ।। 1130

◎ **Varshneya :** *Shrī Krishna, born in the lineage of the Great King Vrishni, is called Varshneya. King Vrishni was born in the Yadu dynasty of Karta-viryArjun.*

(**10. अरिसूदनः** गीता–2.4)

अरिर्विषयरूपः स गात्रेभ्यो येन सूदितः ।
तेनैव कंसचाणूरौ पूतनाकेशिनौ हताः ।। 1131

◎ **Arisudana :** *Shrī Krishna, the destroyer (sudana) of the enemies (ari), such as passions, greed, anger, desire, etc. in the body, is called Arisudana. He is also the destroyer of evil people like Kamsa, Chanura, Putana and Keshi.*

(**11. अविनाशि** गीता–2.17)

विद्ध्यविनाशिनं कृष्णं येन सर्वमिदं कृतम् ।
सदा सर्वेषु भूतेषु नाना रूपैः स विष्ठितः ।। 1132

◎ **Avinashi :** *Shrī Krishna is called Avinashi, who can not ("a") be destroyed ("vinashi"). He has occupied the whole Universe and he dwells in all beings in various forms.*

(**12. अक्षर** गीता–3.15)

यथा आत्मा स देहेषु कृष्णो विश्वे चराचरे ।
अक्षरः शाश्वतो नित्यः सर्वगश्च सनातनः ।। 1133

◎ **Akshar :** *Shrī Krishna is the immutable (Akshar) atma that exists in all beings, moving and non-moving. He is Omniscient and Omnipresent.*

(**13. अजः** गीता–4.6)

जानीहि ब्रह्म त्वं कृष्णम्–अजमव्ययमक्षरम् ।
भवति प्राणिवद्यन्न जन्म तदजमुच्यते ।। 1134

◎ **Aja :** *Know that Krishna is Brahma (the Supreme). He appears on the earth (avatar) not ("a") by normal birth process ("ja") of living beings, but with his divine magic (maya). Therefore, he is called Aja (one who appears without a normal human birth).*

(14. अव्ययात्मा गीता-4.6)

हरिरव्यय आत्माऽस्ति भूतानामीश्वरोऽपि सः ।
आविर्भवति श्रीकृष्णो युगे युगे स्वमायया ।। 1135

◎ **Avyayatma :** *Shrī Hari Krishna is an immutable soul, therefore, he is an Avyayatma. He is the Lord of all beings. He appears on the earth from time to time with his own divine power.*

(15. ईश्वरः गीता-4.6)

ईशः कृष्णो हि देवेश ईश्वरः परमेश्वरः ।
योगेश्वरो हृषीकेशो व्रजेशो जगदीश्वरः ।। 1136

◎ **And :** *Shrī Krishna is the Supreme Lord (Ishvara). Therefore, he is called Isha, Devesha, Ishvara, Parameshvara, Yogeshvara, Hrishikesha, Vrajesha, Jagadishvara.*

(16. ब्रह्मसनातनः गीता-4.31)

अनन्तः स मतः कृष्णो ब्रह्मरूपः सनातनः ।
तर्हि कृष्णं दिवानक्तं भज ब्रह्मसनातनम् ।। 1137

◎ **Brahmasanatana :** *Shrī Krishna is Brahma-sanatana, thus he is the eternal Supreme Lord. Worship that Shrī Krishna day and night.*

(17. ज्ञेयः गीता-4.6)

ज्ञेयः स कृष्णयोगेशः मोहनः मुरलीधरः ।
सर्वज्ञः सर्वभूतानां सर्वगो भक्तवत्सलः ।। 1138

◎ **Jneya :** *Shrī Krishna ought to be known. He is the Lord of Yoga. He knows all beings. He is Mohana (charmer), Murlidhara (bearer of flute), Sarvajna (Omniscient), Sarvaga (Omnipresent), he is merciful to his devotees.*

(18. ब्रह्म गीता-5.10)

पुरुषप्रकृती ब्रह्म जीवश्च पुरुषोत्तमः ।
बीजं स सर्वभूतानां कृष्णो विश्वस्य कारणम् ।। 1139

◎ **Brahma :** *Shrī Krishna is the seed of all beings. He is the cause of evolution of this Universe. He is Brahma, which is Purusha and Prakriti together. He is Purushottama, the Supreme Person.*

(19. प्रभुः गीता-5.16)

प्रभावो यस्य दैवी स श्रीकृष्णः प्रभुरुच्यते ।
दाता माता विधाता च धाता भ्राता सखा तथा ।। 1140

◎ **Prabhu :** *Shrī Krishna's Prabhava (power) is divine and therefore, he is Prabhu (the Lord). He is the Giver, Mother, God, Protector, Brother and Friend of all.*

(20. विभुः गीता-5.15)

विभुर्ब्रह्मा विभुर्विष्णुः-विभुरिन्द्रो विभुः शिवः ।
विभुर्रामो विभुः कृष्णो देवाय विभवे नमः ।। **1141**

◎ **Vibhu :** *Shrī Krishna is Vibhu (the Lord). He is Brahma, Vishnu, Indra, Shiva, Rama. Thus, salute to Lord Krishna.*

(**21. परः** गीता-5.16)

कृष्णः परात्परो देवः परमः परमेश्वरः ।
परब्रह्म स कृष्णश्च कृष्णो भक्त्या हि लभ्यते ।। **1142**

◎ **Para :** *Shrī Krishna is Para, the Supreme. He is the Supreme Lord, and Supreme Brahma. He can be attained by unshaken faith in Him.*

(**22. यज्ञतपसां भोक्ता** गीता-5.29)

स यज्ञतपसां भोक्ता साक्षी कृष्णो महेश्वरः ।
प्राप्यः स ज्ञानयज्ञेन कर्मभक्तिगुणैस्तथा ।। **1443**

◎ **Yagya-tapasam bhokta :** *Shrī Krishna is the witness and enjoyer of austerity and penance. He is the Great Lord (Maheshvara). He can be attained through Jnana yoga, Karma yoga and Bhakti yoga.*

(**23. सर्वलोकमहेश्वरः** गीता-5.29)

ॐ चित्रकाव्यश्लोकः
श्रीकृष्णः सर्वगः साक्षी सर्वव्यापी सनातनः ।
सर्वबीजः स सर्वेशः सर्वलोकमहेश्वरः ।। **1144**

◎ **Sarva-loka-Maheshvara :** *Shrī Krishna is the Great Lord of all beings. He is Omnipresent, witness, Omniscient and eternal seed of all beings.*

(**24. सुहृत्सर्वभूतानाम्** गीता-5.29)

ॐ चित्रकाव्यश्लोकः
सुहृत्स सर्वभूतानां समश्च सर्वप्राणिषु ।
विद्यते सर्वहृद्देशे सर्वत्र समवस्थितः ।। **1145**

◎ **Suhrid-sarva-bhutanam :** *Shrī Krishna is well wisher of all beings. He is equanimous to all beings. He dwells in all hearts and everywhere equally.*

(**25. महाबाहुः** गीता-6.38)

गिरिधरो महाबाहुः कृष्णचन्द्रो धनुर्धरः ।
शङ्खचक्रगदाधारी वेणुधारी सुदर्शनः ।। **1146**
मुरारिः पूतनारिश्च कृष्णः केशिनिषूदनः ।
मध्वरिः कालियारिश्च कंसचाणूरमर्दनः ।। **1147**

◎ **Mahabahu :** *Shrī Krishna is Mahabahu (all powerful). He picked up the mountain on his little finger. He is a great archer. He bears conch shell, Sudarshan wheel, mace, flute and bow.*

(**26. रसोऽप्सु** गीता–7.8)

अप्सु रसः स श्रीकृष्णः पावनो निर्मलो द्रवः ।
हरेर्दैवी विभूतिर्या पञ्चभूतेषु सा मता ।। 1148

◎ **Raso-apsu :** *Shrī Krishna is the liquidity of the water. He is sacred and pure fluid water. It is also called life, which is most divine among the five elemental beings.*

(**27. प्रभा शशिसूर्ययोः** गीता–7.8)

तेजश्च प्राप्नुतो यस्मात्-सूर्यश्च चन्द्रमा तथा ।
ओजो यदि हि कस्मिंश्चिद्-विद्धि कृष्णाद्धि सर्वशः ।। 1149

◎ **Prabha :** *Shrī Krishna is the source of the light that the Sun and the Moon reflect in the Universe. Know that he is the glitter of anything that shines.*

(**28. प्रणवः** गीता–7.8)

ओंङ्कारः प्रणवो ज्ञातो वेदेषु शब्दपावनः ।
प्रणवो हि परब्रह्म श्रीकृष्णः प्रणवस्तथा ।। 1150

◎ **Pranava :** *Shrī Krishna is the sound of Om. Om is Pranava, the sacred syllable of the Vedas. He is Para-Brahma (the Supreme Brahma). Shrī Krishna is Pranava*

(**29. शब्दः खे** गीता–7.8)

अन्तरिक्षरवः कृष्ण ॐशब्दस्य खमण्डले ।
पवित्रो ब्रह्मनादः स सुश्राव्यश्च सुमङ्गलः ।। 1151

◎ **Shabdah-khe :** *Shrī Krishna is the sound of Om that wanders in the sky. He is the sacred Brahma-nada (divine vibration), which is auspicious and joy giving.*

(**30. पौरुषं नृषु** गीता–7.8)

ज्ञानिनः शूरवीरस्य धीरस्य पौरुषं नृणाम् ।
ऊर्जस्तेजो बलं तेषां कृष्णरूपेण विद्यते ।। 1152

◎ **Paurusham :** *Shrī Krishna is the manliness (Paurusham) of the men who are wise, brave, courageous and righteous. He is in the form of their power.*

(**31. पुण्यो गन्धः पृथिव्याम्** गीता–7.9)

सुगन्धो मृत्तिकायाञ्च पुष्पेषु सौरभो हरेः ।
सुवासश्चन्दने पुण्यः कस्तुरिका मृगेषु च ।। 1153

◎ **Punyo-gandha :** *Shrī Krishna is the sacred fragrance that sanctifies the soil, flowers, sandalwood, musk and everything else that is fragrent in the nature.*

(32. तेजो विभावसौ गीता-7.9)

तेजो विभावसौ कृष्ण: कृशानुश्शुचिकारक: ।
पवित्र: पावनो वह्नि:-आभा कृष्णस्य निर्मला ।। 1154

◉ **Tejas :** *Shrī Krishna is the brilliance in the sun and the fire that is purifier. The sacred fire is the aura of Shrī Krishna.*

(33. जीवनं सर्वभूतेषु गीता-7.8)

कृष्णो मध्यश्च भूतानाम्-आदिरन्तस्तथा हि स: ।
जीवनं सर्वभूतानां त्रिभुवने स प्राणिनाम् ।। 1155

◉ **Jivan :** *Shrī Krishna is the life of the living beings. He is the beginning, middle and the end of the life of the living beings in the three worlds.*

(34. तपस्तपस्विषु गीता-7.9)

ज्ञानं स ज्ञानिन: कृष्ण: कृष्णो योगश्च योगिनाम् ।
ध्यानञ्च ध्यानिन: कृष्ण: कृष्णस्तपस्तपस्विषु ।। 1156

◉ **Tapas :** *Shrī Krishna is the penance of the ascetics, wisdom of the wise, yoga of the yogi and the meditation of the mendicant.*

(35. बीजं सर्वभूतानां सनातनम् गीता-7.10)

कृष्णेन मायया व्याप्तं कृत्स्नं विश्वं चराचरम् ।
बीजं स सर्वभूतानां ब्रह्मभूतं सनातनम् ।। 1157

◉ **Bija :** *Shrī Krishna is eternal and ancient seed of all beings. The Universe is pervaded by the divinity of Shrī Krishna.*

(36. बुद्धिर्बुद्धिमताम् गीता-7.10)

बुद्धिर्बुद्धिमतां कृष्णो ज्ञानञ्च ज्ञानिनां तथा ।
सद्विवेक: सदाचार: शुभ: स सद्विवेकिनाम् ।। 1158

◉ **Buddhi :** *Shrī Krishna is the wisdom of the wise, he is the knowledge of the knowledgeable, he is the righteousness of the righteous and right thinking of the thoughtful.*

(37. तेजस्तेजस्विनाम् गीता-7.10)

ज्योति: स ज्योतिषां कृष्ण:-तमोऽज्ञानविनाशक: ।
प्रभा प्रभवतां कृष्ण:-तेजस्तेजस्विनां तथा ।। 1159

◉ **Brilliance :** *Shrī Krishna is the brilliance of the brilliant. He is the destroyer of ignorance in the ignorant. He is also the destroyer of the evil people. He is the protector of the righteousness.*

(38. बलं बलवतां कामरागविवर्जितम् गीता-7.11)

बलं बलवतां कृष्ण: साधूनाञ्च स रक्षणम् ।

सद्धर्मस्य हि रक्षायै कामरागविवर्जितम् ।। 1460

◎ **Bal :** *Shrī Krishna is the selfless strength of the strong. He protects the righteous and the selfless people.*

(**39. धर्माविरुद्धो भूतेषु कामः** गीता–7.11)

कृष्णः स धार्मिका बुद्धिः सद्विचारपरायणा ।
अधर्मिणाञ्च हन्ता स कृष्णो हि धर्मरक्षकः ।। 1161

◎ **And :** *Shrī Krishna is the righteous thinking. He is the protector of the righteous people and the destroyer of the evil.*

(**40. परमव्ययः** गीता–7.13)

ॐ चित्रकाव्यलोकः

अच्युतः श्रीधरः कृष्णः शाश्वतः परमव्ययः ।
जनार्दनः सदानन्दः माधवः केशवः प्रभुः ।। 1162

◎ **Parama-avyaya :** *Shrī Krishna is Supreme and eternal. Therefore, he is called Achyuta (undefeated), Shridhara (Husband of Lakshmi), Shashvata (immutable), Janardan (Destroyer of the evil people), Sadananda (Supreme joy), Madhava (Husband of Lakshmi), Keshava (God), Prabhu (God).*

(**41. वासुदेवः** गीता–7.9)

वसुदेवसुतं देवं वासुदेवं नमाम्यहम् ।
देवकीपरमानन्दं यशोदानन्दनन्दनम् ।। 1163

◎ **Vaasudeva :** *Shrī Krishna is a son of Vasudeva, therefore, he is called Vaasudeva. I salute Vaasudeva. He is the supreme joy of Devaki, Yashoda and Nanda.*

(**42. अव्यक्तः** गीता–7.24)

वन्देऽहं मस्तकं नत्वा सुन्दरं तमगोचरम् ।
अव्यक्तञ्च निराकारं श्रीकृष्णं तं महाप्रभुम् ।। 1164
अव्यक्तं कृष्ण ते रूपं नृणां नेत्रैर्न दृश्यते ।
रूपं व्यक्तं मनोहारि मानुषं रोचते वरम् ।। 1165

◎ **Avyakta :** *I bow my head and salute the beautiful and unpersonified, impersonal and formless great Lord Shrī Krishna. O Krishna! your unpersonified form is not visible to all, but the personified form is lovely and pleasing*

(**43. अव्यक्तोत्तमः** गीता–7.24)

निराकारञ्च साकारम्–अगोचरञ्च गोचरम् ।
वन्देऽहं परमानन्दं कृष्णमव्ययमुत्तमम् ।। 1166

◉ **Avyakta** : *Shrī Krishna is the unpersonified Lord who personifies on the earth. I salute that formless as well as personified, invisible as well as visible supreme joy Shrī Krishna.*

(44. न प्रकाश: सर्वस्य गीता-7.25)

न प्रकाश: स सर्वस्य दानेन तपसा तथा ।
लभ्यते किन्तु भक्तेन श्रद्धायुक्तेन चेतसा ।। 1167

◉ **Na-prakasha** : *Shrī Krishna is not visible to everyone even by giving charities and doing austerities. He is, however, visible to those devotees who have pure faith at their hearts.*

(45. योगमायासमावृत: गीता-7.25)

लीलाभिर्विस्मितं विश्वम्-अपूर्वाभिस्तु विस्तृतम् ।
अतो मत: स योगेशो योगमायासमावृत: ।। 1168
जना: कृष्णं न जानन्ति न च देवा न दानवा: ।
दुर्वेद्यो हि मत: कृष्ण: सदाचारोपदेशक: ।। 1169

◉ **Yoga-Maya** : *Shrī Krishna is the Lord of yoga. He is surrounded with the yogic divinity. The world is amazed with his divine deeds. Therefore, he is called the Lord of yoga.*

(46. अव्यय: गीता-7.25)

अव्ययं कृष्ण ते रूपं शाश्वतमजमव्ययम् ।
अक्षरमक्षयं नित्यम्-अविनाशि च दैवि च ।। 1170

◉ **Avyaya** : *O Lord Krishna! your unpersonified form is eternal, immutable, birthless, imperishable, indestructible, everlasting and divine.*

(47. पुरुषोत्तम: गीता-8.1)

दिव्यस्त्वमेव देवेश: पुरुष: पुरुषोत्तम: ।
त्वमेव ब्रह्म ब्रह्माण्डम्-ईश्वर: परमेश्वर: ।। 1171

◉ **Purushottama** : *O Lord Shrī Krishna! you are divine Lord of the Lords, Purusha, Supreme Purusha, Brahma and the Supreme God.*

(48. अक्षर: परम: गीता-8.3)

सर्वज्ञ: सर्वग: कृष्ण: सर्वव्यापी सुलक्षण: ।
अक्षर: परम: कृष्णो ब्रह्मरूप: परात्पर: ।। 1172

◉ **Akshara Parama** : *Shrī Krishna is All-knowing, Ever-present and All-encompassing with auspicious omens. He is immutable, Supreme, Brahma and Supreme Brahma.*

(49. अधियज्ञ: गीता-8.4)

योगो जीवनमेतद्धि पुरोहितो जनार्दनः ।
अधियज्ञः स तस्माद्धि कृष्णो देहेषु प्राणिनाम् ।। 1173

◎ **Adhiyajna :** *This life is an austerity (yajna) of yoga. The host is Janardan Shrī Krishna. Therefore, he is the Adhiyajna in the bodies of the living beings.*

(**50. कविः** गीता–8.9)

सर्वज्ञानी कविः कृष्णः सर्वगः सर्वतोमुखः ।
सर्वशास्ता स सर्वेषां सर्वेशः श्यामसुन्दरः ।। 1174

◎ **Kavi :** *The Omniscient Shrī Krishna is Kavi (knowledgeable). He is present everywhere and sees everything. The Shyama sundara (beautiful) Krishna is the ruler over everyone.*

(**51. पुराणः** गीता–8.9)

आदिदेवः पुराणः स देवदेवो महेश्वरः ।
अस्य कृत्स्नस्य विश्वस्य कृष्णो मूलं सनातनम् ।। 1175

◎ **Parana :** *Shrī Krishna is the primordial ancient God. He is Lord of the Lords. He is the Great God. He is the root of this Universe.*

(**52. अनुशासिता** गीता–8.9)

अस्य विश्वस्य पूर्णस्य कृष्ण त्वमनुशासिता ।
आज्ञया तव दैविन्या जगद्विपरिवर्तते ।। 1176

◎ **Anushasita :** *O Lord Shrī Krishna! you are the ruler of this entire Universe. With your divine order this world cycle goes round and round.*

(**53. अणोरणीयान्** गीता–8.9)

हरिरणोरणीयान्स गुरूणां स गुरुस्तथा ।
कृष्णो दीर्घेषु द्राघिष्ठो बहुरूपः स माधवः ।। 1177

◎ **Anu :** *Shrī Krishna is finer than the fine atom and he is greater than the greatest mountain. Madhava (Husband of Lakshmi) assumes many forms.*

(**54. सर्वस्य धाता** गीता–8.9)

ब्रह्मा सृजति भूतानि करोति प्रलयं शिवः ।
कृष्णो धाता स सर्वस्य मात्रा समश्च पालकः ।। 1178

◎ **Dhata :** *Brahma evolves the beings and Shiva dissolves them. Krishna is their sustainer with equanimity.*

(**55. अचिन्त्यरूपः** गीता–8.9)

अचिन्त्यो वर्णनातीतः कृष्णोऽगम्यो महाप्रभुः ।
सर्वे यद्यपि स्निह्यन्ति वेत्ति कोऽपि न तं परम् ।। 1179

◎ **Achintya :** *Shrī Krishna is beyond imagination and beyond description. Even though everyone loves him, no one really knows him.*

(56. आदित्यवर्ण: गीता–8.9)

मयूरमुकुटं माला पीताम्बरञ्च कुण्डले ।
आदित्यवर्णक: कृष्णो मोहन: स मनोहर: ।। 1180

◎ **Aditya :** *Shrī Krishna is glorious like the sun. He is wearing a peacock tiara, yellow garment, ear-rings and garlands. He is charming and pleasing to mind*

(57. तमस: पर: गीता–8.9)

माया कृष्णस्य लीलाया दैविनी तमस: परा ।
आभा कृष्णस्य वर्णस्य पूर्णे जगति प्रसृता ।। 1181

◎ **Tamasah-para :** *The divinity of Shrī Krishna is beyond the darkness of Tamas guna. The glory of Krishna's aura has spread all over the world.*

(58. पर: पुरुष: गीता–8.10)

आत्मा च पुरुषो देही श्रीकृष्ण: पुरुष: पर: ।
प्रकृतेर्गुणभूतानि वशे कृष्णस्य सर्वश: ।। 1182

◎ **Para-Purusha :** *Shrī Krishna is atma, Purusha and beyond the Purusha. The Gunas (three attributes) and the Bhutas (five elemental beings) are under the control of Shrī Krishna.*

(59. ओम् गीता–8.13)

ओमेवैकाक्षरं ब्रह्म तदेव कृष्णसंज्ञकम् ।
ॐशब्द: पावन: पूज्य: पवित्र: पुण्यदायक: ।। 1183
भवेदोमिति शब्देन प्रारम्भ: शुभकर्मणाम् ।
ओमोमिति हि व्याहृत्य तरसि भवसागरात् ।। 1184

◎ **Om :** *Om is the sacred syllable. It is Brahma. It is Shrī Krishna. It is the holy word of the Vedas.*

(60. परमा गति: गीता–8.21)

सर्वेषां भवभूतानां श्रीकृष्ण: परमा गति: ।
जन्मद: पालक: कृष्णो विसर्गश्च स एव हि ।। 1185

◎ **Gati :** *Shrī Krishna is the Supreme state of all beings. He is the birth giver, protector and the dissolver.*

(61. पुरुष: पर: गीता–8.22)

ईशश्च पुरुष: कृष्ण आत्मा च स बुधैर्मत: ।
परमपुरुष: कृष्ण ईश्वर: परमेश्वर: ।। 1186

◎ **Purusha :** *The wise men say, Shrī Krishna is the God, Purusha, atma, Supreme Person and the Supreme God.*

(**62. अव्यक्तमूर्तिः** गीता–9.4)

अव्यक्ता मूर्तिरीशस्य व्यक्तरूपेण श्रीहरिः ।
अव्यक्तस्य गतिर्दुःखं कायवद्भिरवाप्यते ।। 1187

◎ **Avyakta :** *Shrī Krishna is Brahma in this invisible unpersonified form. In visible and personified form, he is Shrī Krishna. Therefore, he is the King of the Gods.*

(**63. भूतभावनः** गीता–9.5)

जन्मदाता स कृष्णश्च स एव भूतभावनः ।
तस्मात्स पूज्यते कृष्णो भक्तिभावेन ज्ञानिभिः ।। 1188

◎ **Bhut-bhavan :** *Shrī Krishna is the life giver. He is the protector of the beings. Therefore, the wise men worship Krishna with faith.*

(**64. उदासीनवदासीनोऽसक्तः** गीता–9.9)

उदासीनो निरासक्तः कृष्णः सर्वेषु कर्मसु ।
वीतरागस्तटस्थश्च समः सर्वेषु प्राणिषु ।। 1189

◎ **Asakta :** *Shrī Krishna is indifferent and unattached to everyone and every deed. He is equanimous to all.*

(**65. भूतमहेश्वरः** गीता–9.11)

सर्वाधारः प्रभुः कृष्णः सर्वभूतमहेश्वरः ।
सर्वदेवनमस्कारः–तमेव प्रति गच्छति ।। 1190

◎ **Maheshvara :** *Shrī Krishna is the support for all beings. He is their Great Lord. Therefoer, worship Shrī Krishna.*

(**66. भूतादिः** गीता–9.13)

आदिः स सर्वभूतानां पिता धाता च रक्षकः ।
सर्वनाथाय कृष्णाय नमस्तस्मै नमो नमः ।। 1191

◎ **Bhutadi :** *Shrī Krishna is the beginning of all beings. He is their father, mother, nourisher and protector. Therefore, obeisance to Lord Krishna.*

(**67. विश्वतोमुखः** गीता–9.15)

ॐ चित्रकाव्यश्लोकः

सर्वं स्मरति सर्वस्य सर्वकालेषु सर्वदा ।
सर्वत्र सर्वव्यापी स श्रीकृष्णः सर्वतोमुखः ।। 1192

◎ **Vishvatomukha :** *Shrī Krishna beholds and knows everything everywhere all the time. He is omniscient and omnipresent. He pervades all.*

(68. क्रतुः गीता-9.16)

ज्ञानयज्ञेन बुद्ध्या च सर्वं समर्पणं भवेत् ।
तपो ध्यानं मतः कृष्णो यतीनां तपसां क्रतुः ।। 1193

◉ **Kratu** : *Shrī Krishna is the yajna. He ought to be known by Jnana yoga and everything ought to be offered to him by Jnana-yajna. He is the yoga of the yogis and austerity of the austere.*

(69. यज्ञः गीता-9.16)

ज्ञानं ध्यानं तपो योगः श्रीकृष्णो यज्ञ एव च ।
पूजयन्ति च यं देवाः कृष्णो यज्ञस्य देवता ।। 1194

◉ **Yajna** : *Shrī Krishna is the knowledge, meditation, penance, austerity and yoga, therefore, all Gods worship him. He is the deity of the yajna.*

(70. स्वधा गीता-9.16)

ॐ भूर्भुवः स्वधा कृष्णं यज्ञदेवं जनार्दनम् ।
सर्वदेववरेण्यं तं सर्वकर्म समर्पणम् ।। 1195

◉ **Svadha** : *Janardan Shrī Krishna is the one whom the offering of Om and the Gayatri mantra are to be given. All karmas are to be done in the name of Shrī Krishna, the Lord of the Lords.*

(71. औषधम् गीता-9.16)

औषधानां वने वासः कृष्णो ज्ञातो वनस्पतिः ।
तस्मात्पतिं वनानां तं वृणोति वनदेवता ।। 1196

◉ **Aushadh** : *The vegetation grows in the forest. Shrī Krishna is the Lord of the forests. Therefore, the Goddess of the forest chooses Shrī Krishna, the Lord of the forests.*

(72. मन्त्रः गीता-9.16)

यज्ञमन्त्रो मतः कृष्णो मन्त्रो मन्त्रयते मखम् ।
भृशं करोति कल्याणं मन्त्रस्य पावना ध्वनिः ।। 1197

◉ **Mantra** : *Shrī Krishna is the chant of the yajnas. The chant makes the yajna sacred. That holy sound of the chant is a purifier.*

(73. आज्यम् गीता-9.16)

कृष्ण आज्यञ्च यज्ञस्य मङ्गलं पावनं घृतम् ।
सुरभेः शुचिदुग्धञ्च कृष्णस्य दयितं प्रियम् ।। 1198

◉ **Ajya** : *Shrī Krishna is the oblation of the yajna. He is the holy offering of the clarified butter made from the pure milk of the cows. Shrī Krishna loves the butter made from cow milk.*

(**74. अग्निः** गीता–9.16)

पावनः पावकः कृष्णो यज्ञस्य चाग्निदेवता ।
तस्मादग्निरथी कृष्णो नित्यं यज्ञे प्रतिष्ठितः ।। 1199

◎ **Agni :** *Shrī Krishna is the pure and sacred fire of the yajna. He is the Goddess of the yajna. Therefore, Krishna, riding on the chariot of the fire, presides over yajna.*

(**75. हुतम्** गीता–9.16)

यद्यदपि हुतं यज्ञे मतं तत्तत्स केशवः ।
स्वाहा च यज्ञसाकल्यं क्षौद्रं समिद्धुतं तथा ।। 1200

◎ **Huta :** *Whatever is offered in the yajna, is regarded as Krishna. The recitation of Svaha, the chant of mantra, the holy water and the sacred firewood that is offered in yajna is Shrī Krishna.*

(**76. पिताऽस्य जगतः** गीता–9.17)

माया सर्वेषु कृष्णस्य वात्सल्यं पोषणं तथा ।
कृष्णो मतो जगन्माता श्रीकृष्णो हि जगत्पिता ।। 1201

◎ **Father :** *Shrī Krishna is regarded as the father of the world. He is their loving mother.*

(**77. माता** गीता–9.17)

सुहृन्माता मतः कृष्णो जगतश्चास्य पालकः ।
वन्देऽहं तं प्रियं प्राणं यशोदानन्दनन्दनम् ।। 1202

◎ **Mother :** *Shrī Krishna is the mother, well wisher and nourisher of the world. Salute to that dear son of Yashoda and Nanda Baba.*

(**78. धाता** गीता–9.17)

कृष्णो धाता विधाता च विश्वस्य स जनार्दनः ।
पालकश्चालको विष्णुः–विश्वाधारो महामना ।। 1203

◎ **Dhata :** *Janardan Shrī Krishna is the nourisher and Lord of the world. As Vishnu, he is the support of the world.*

(**79. पितामहः** गीता–9.17)

अस्य विश्वस्य श्रीकृष्णः पिता वन्द्यः पितामहः ।
जनकः स प्रजानाथः सदानन्दो रमापतिः ।। 1204

◎ **Pitamaha :** *Shrī Krishna is the Pitamaha (Grand-father) and support of all. Let's take the boat of Krishna's name and cross over to the other side of the worldly ocean.*

(**80. वेद्यः** गीता–9.17)

वेदनीयः प्रभुः कृष्णो माया तस्य महत्तमा ।

वेत्ति सर्वस्य सर्वं स कोऽपि वेत्ति न तं ननु ।। 1205

◎ **Vedya :** *Shrī Krishna's divinity is supreme. His real nature ought to be known. He knows everything of everyone, but no one knows him in reality.*

(**81. पवित्र ओङ्कारः** गीता–9.17)

कृष्णः पवित्र ओङ्कारः शब्दः खे पावनः खलु ।
मतः स ब्रह्मरूपश्च ब्रह्मनादोऽपि कथ्यते ।। 1206

◎ **Om :** *Shrī Krishna is the sacred syllable of Om which is the auspicious sound that reverberates in the sky. He is also known as Brahma and the Brahmanada (the celestial sound).*

(**82. ऋक्** गीता–9.17)

ऋग्वेदः कृष्णरूपः स आदिवेदो मतस्त्रिषु ।
सर्वज्ञानामृतं यस्मात्-सृष्टः स ब्रह्मणो मुखात् ।। 1207

◎ **Rik :** *Shrī Krishna is in the form of the Rig-Veda, the first among the three Vedas. The Veda has all knowledge and it comes directly from the mouth of Brahma.*

(**83. साम** गीता–9.17)

सामवेदस्य सङ्गीतं शिवं कृष्णात्मकं शुभम् ।
तस्मात्सङ्गीतशास्त्रञ्च नाट्यशास्त्रञ्च निर्गतम् ।। 1208

◎ **Sama :** *Shrī Krishna is also the Sama-Veda. The sacred music comes out of Sama-Veda. From Sam-Veda arises the prosody and the art of dance.*

(**84. यजुः** गीता–9.17)

यजुर्वेदो मतः कृष्णः कर्मश्रेणीप्रवर्तकः ।
गद्यपद्यात्मको वेदो मन्त्रनियमसंग्रहः ।। 1209

◎ **Yajus :** *Shrī Krishna is the Yajurveda. It promotes righteous karma. This prose and poetic Veda is the collection of verses on the rules of life.*

(**85. गतिः** गीता–9.18)

जन्ममृत्व्योर्गतिः कृष्णो भूतानां भवसागरे ।
भज कृष्णं प्रजानाथं सन्तरितुं भवं सुखम् ।। 1210

◎ **Gati :** *Shrī Krishna is the life and death of the beings in the world. Therefore, in order to cross over the worldly ocean happily, worship Shrī Krishna.*

(**86. भर्ता** गीता–9.18)

त्रिभुवनस्य स्वामी स श्रीकृष्णः परमेश्वरः ।
वन्दे तं सर्वभर्तारं लक्ष्मीनारायणप्रभुम् ।। 1211

◉ **Bharta :** *Shrī Krishna is the Master of the three worlds. He is the Supreme Lord. Obeisance to that Great Lord, Lakshmi-Nārāyana.*

(87. साक्षी गीता-9.18)

आत्मा स सर्वभूतानां श्रीकृष्णो हृदयस्थितः ।
गुणैस्तु कार्यते कर्म साक्षी स सर्वकर्मणाम् ॥ 1212

◉ **Witness :** *Shrī Krishna is the witness in the body of all beings. He is the atma residing in the heart. Karmas are done by the gunas (the three attributes), but Krishna in the form of atma is the observer of all karmas.*

(88. निवासः गीता-9.18)

अन्तिमं परमं धाम कृष्णो हि देहधारिणाम् ।
गत्वा यतः प्रयाताय निर्गन्तव्यं न वै पुनः ॥ 1213

◉ **Abode :** *Shrī Krishna is the final peaceful abode for the body bearers. Having gone to this Supreme abode, one does not return back to the worldly cycle.*

(89. शरणम् गीता-9.18)

परमं शरणं कृष्णो भक्तानामाश्रयः शुभः ।
नित्यं चरणयोस्तस्य सुस्थो नः संश्रयो भवेत् ॥ 1214

◉ **Shelter :** *Shrī Krishna is the Supreme shelter for the devotees. May our shelter be at the feet of Lord Shrī Krishna.*

(90. सुहृद् गीता-9.18)

श्रीकृष्णः सर्वभूतानां सुहृद्बन्धुः सखा तथा ।
दयालु हृदयं तस्य कृष्णः स भक्तवत्सलः ॥ 1215

◉ **Well wisher :** *Shrī Krishna is the well wisher for all beings. He is their friend and brother. He is kind and compassionate. He is merciful to his devotees.*

(91. प्रभवः गीता-9.18)

श्रीकृष्णः प्रभवः सृष्टेः-बीजं चराचरस्य हि ।
तस्माद्धि जायते सर्वं सर्वाकारं मनोहरम् ॥ 1216

◉ **Origin :** *Shrī Krishna is the origin of the Universe. He is the seed of evolution. From him originates everything that pleases our mind.*

(92. प्रलयः गीता-9.18)

सृष्टेः स प्रलयः कृष्णो जन्मदाता यथा हि सः ।
सृष्टिचक्रं विनाखण्डं कृतं तेन निरन्तरम् ॥ 1217

◉ **Dissolution :** *Shrī Krishna is the dissolution and the evolution. He made the cycle of nature eternal.*

(93. स्थानम् गीता-9.18)

निवासः परमं स्थानं कृष्णो विश्वस्य मातृवत् ।
सर्वेषां पितृवत्कृष्णः सर्वे तस्यैव बालकाः ।। 1218

◎ **Abode :** *Shrī Krishna is the Supreme abode for the devotees in the world. He is like a loving father and mother. They are his dear children.*

(94. निधानम् गीता-9.18)

निधानमन्तिमं कृष्णः सर्वेषां परमा गतिः ।
वन्दे तं सच्चिदानन्दं विश्वाधारं निरञ्जनम् ।। 1219

◎ **Treasure :** *Shrī Krishna is the final dwelling for all. Salute to that treasure of joy, peace and happiness. He is the kind hearted support of the world.*

(95. बीजमव्ययम् गीता-9.18)

चराचरस्य विश्वस्य दिव्यञ्च परमात्मकम् ।
कृष्णो हि भवभूतानां सर्वेषां बीजमव्ययम् ।। 1220

◎ **Seed :** *Shrī Krishna is the eternal divine seed of the moving and non-moving beings of the world.*

(96. अमृतम् गीता-9.19)

श्रीकृष्ण एव गीताया उपदेशामृतं शुभम् ।
सदाचारस्य रूपेण कृष्णो मार्गोपदेशकः ।। 1221

◎ **Nectar :** *Shrī Krishna is the divine nectar in the form of the Bhagavad Gita. He is the guide to righteousness.*

(97. मृत्युः गीता-9.19)

मृत्युः सर्वहरः कृष्णः पृथिव्यां जीवधारिणाम् ।
यथा कर्माणि भूतानां भवेत्तेषां तथा गतिः ।। 1222

◎ **Death :** *Shrī Krishna is the death and dissolution of the beings on the earth. As one's karmas are in this life, so he gets the next birth.*

(98. सदसत् गीता-9.19)

भूमेर्येये येऽपि गच्छन्ति कृष्णो हि सदसद्गती ।
भद्राणां सद्गतिस्तस्माद्-अभद्राणां च दुर्गतिः ।। 1223

◎ **Sat-asat :** *Shrī Krishna is the existence and non-existence of every being that appears on the earth. He gives good fate to the righteous people and bad fate to the unrighteous.*

(99. सर्वयज्ञानां भोक्ता गीता-9.24)

कृष्णो हि सर्वयज्ञानां भोक्ता साक्षी तथा प्रभुः ।

आहुतिर्यजमानश्च यज्ञश्च कृष्ण एव हि ।। 1224

◉ **Bhokta** : *Shrī Krishna is the witness, enjoyer and the Lord of all yajnas. He is the offering and oblation of the yajna.*

(100. सम: सर्वभूतेषु गीता-9.29)

सम: स सर्वभूतेषु यथा तुला सदा समा ।
न भेद: शत्रुमित्रेषु प्रियाप्रियेषु विद्यते ।। 1225

◉ **Equanimous** : *Shrī Krishna is equanimous to all beings like a weighing scale. No one is nearer or farther for him. He does not differentiate his devotees into friends and foes.*

(101. अनादि: गीता-10.3)

आदिर्न यस्य कोऽप्यस्ति कृष्णोऽनादि: सनातन: ।
अन्तोऽपि यस्य नास्ति स मतोऽनन्तश्च ज्ञानिभि: ।। 1226

◉ **Anadi** : *Shrī Krishna is eternal and without a beginning and without an end, the wise men know this truth.*

(102. सर्वस्य प्रभव: गीता-10.8)

सर्वस्य प्रभव: कृष्णो येन सर्वं कृतञ्जगत् ।
मूलं सर्वस्य विश्वस्य प्रभु: कृष्ण: सनातन: ।। 1227

◉ **Prabhu** : *Shrī Krishna is the origin of all beings. He made the existence of this world real. He is the eternal and ancient root of all.*

(103. आत्मभावस्थ: गीता-10.11)

श्रीकृष्ण आत्मभावस्थ: सर्वस्य हृदि तिष्ठति ।
अन्तर्ज्ञानी मतो देही देहे सर्वस्य माधव: ।। 1228

◉ **Atmabhava-stha** : *Shrī Krishna dwells within us all. He dwells in our hearts. Therefore, he knows our thoughts and feelings from within. He is Madhava (Husband of Lakshmi).*

(104. परं ब्रह्म गीता-10.12)

ब्रह्म स च परं ब्रह्म तेन सर्वमिदं ततम् ।
तस्माद्धि जायते सर्वं तस्मिन्सर्वं विलीयते ।। 1229

◉ **Parama Brahma** : *Shrī Krishna is the Supreme Brahma, from which everything evolve., Everything comes from him and everything dissolves in him.*

(105. परं धाम गीता-10.12)

कृष्णो गतिर्हि सर्वेषां परं धाम परत्र स: ।
सूर्येण न च चन्द्रेण स्वयं भृशं प्रकाशितम् ।। 1230

◉ **Supreme abode** : *Shrī Krishna is the Supreme abode beyond this world. That abode is neither enlightened by the Sun nor by the Moon, but it is self-illuminated.*

(106. पवित्रः परमः गीता-10.12)

पवित्रं परमं नाम स्मरणं पावनं तथा ।
कृष्ण कृष्णेति गोविन्दं केशवं भज माधवम् ।। 1231

◉ **Sacred** : Shrī Krishna's names are sacred. Therefore, one should chant Krishna! Govind! Keshava! Madhava! etc.

(107. पुरुषः शाश्वतः गीता-10.12)

पुरुषः शाश्वतः कृष्णः प्रकृतेः पूरको मतः ।
कृष्णः स देहिनां देही प्राणः स प्राणिनां तथा ।। 1232

◉ **Purusha** : Shrī Krishna is the Supreme Purusha. He is complimentary to the Prakriti (nature). He is the life of the living beings.

(108. दिव्यः गीता-10.12)

कृष्णस्तेजोमयो दिव्यः प्रदीप्तो रविरंशुमान् ।
आभा कृष्णस्य योगस्य तस्मादपि हि भासुरा ।। 1233

◉ **Divine** : Shrī Krishna is glorious and divine. O Krishna! your brilliance is like the Sun. And, the enlightenment of your yoga is even brighter than that brilliance.

(109. आदिदेवः गीता-10.12)

आदिदेवो महादेवो देवदेवः स यादवः ।
ईश्वरः सर्वदेवानां श्रीकृष्णः परमेश्वरः ।। 1234

◉ **Adi-deva** : Shrī Krishna is the primordial God. He is Mahadeva (Great God), Devadeva (God of the Gods). He is Yadava (of the Yadu dynasty), Ishvara (God) and Parameshvara (Supreme God).

(110. भगवान् गीता-10.14)

अनाद्यन्तं दयावन्तं वन्दे नारायणं प्रभुम् ।
भगवन्तं सदाशान्तं लक्ष्मीकान्तं नमाम्यहम् ।। 1235

◉ **God** : Shrī Krishna is Lord Nārāyana. Let's worship that merciful Lord, who has no beginning and no end. He is ever peaceful. He is the Husband of Lakshmi.

(111. भूतेशः गीता-10.15)

ईशो यः सर्वभूतानां भक्तानाञ्च महेश्वरः ।
समः सर्वेषु भूतेषु भूतेशः समवस्थितः ।। 1236

◉ **Bhutesha** : Shrī Krishna is the Lord of all beings. He is the Supreme Lord of all devotees. He dwells in all devotees with equanimity.

(112. देवदेवः गीता-10.12)

देवदेवश्चिरञ्जीवो माधवः करुणार्णवः ।
ईश्वरः सर्वदेवानां श्रीकृष्ण ईश्वरेश्वरः ।। 1237

◎ **Dev-deva :** *Shrī Krishna is the God of the Gods. He is eternal. He is Madhava (Husband of Lakshmi). The Lord of all Lords, he is the Supreme Lord.*

(**113. जगत्पतिः** गीता–10.15)

विश्वदेवो जगन्नाथो देवदेवो जगत्पतिः ।
स्वामी स सर्वलोकस्य श्रीकृष्णो गरुडध्वजः ।। 1238

◎ **Jagat-pati :** *Shrī Krishna is the Master of this world. He is the Lord of the Universe. Krishna rides on Garuda (the eagle).*

(**114. आत्मा सर्वभूताशयस्थितः** गीता–10.20)

स प्राणधारिणामात्मा सर्वभूताशयस्थितः ।
अंशः स ब्रह्मणः कृष्णः–तस्मात्प्राणः स प्राणिनाम् ।। 1239

◎ **Atma :** *Shrī Krishna is the atma of all beings. He dwells in all beings. He is the Brahma. He is atma. Thus, he is the life of the living beings.*

(**115. योगी** गीता–10.17)

सान्दीपनिर्गुरुः कृष्णम्–अकरोद्बालयोगिनम् ।
योगेशो दत्तवान्पार्थं पुनर्योगं सनातनम् ।। 1240

◎ **Yogi :** *Shrī Krishna is the yogi. Sage Sandipani told the same ancient yoga to young Krishna at his gurukul. Krishna is the Lord of the yoga, thus he is Yogesha. He gave the ancient and eternal yoga to Arjun.*

(**116. विष्णुः** गीता–10.21)

जाता यदा यदा हानिः सतो धर्मस्य भूतले ।
तदा रामश्च कृष्णश्च भूत्वा विष्णुरजायत ।। 1241
अवतारोऽष्टमो विष्णोः कृष्णरूपेण माधवः ।
कृपाकारी मनोहारी सदाचारी सुदर्शनः ।। 1242

◎ **Vishnu :** *Shrī Krishna is Vishnu. Whenever there is unrighteousness on the earth, Vishnu appears in a human form. Vishnu is Rama and Vishnu is Krishna.*

(**117. रविरंशुमान्** गीता–10.20)

कृष्णेन काशितं विश्वं कृष्णः स रविरंशुमान् ।
रविः कृष्णः शशी कृष्णः कृष्णो ज्योतिश्च ज्योतिषाम् ।। 1243

◎ **Sun :** *Shrī Krishna has illuminated this world. He is brilliant like the Sun. He is the light of the Sun, Moon and the stars.*

(**118. मरीचिः** गीता–10.21)

ज्ञाता दितेर्मरुत्पुत्राः–चत्वारिंशन्नवाधिकाः ।

मरीचिस्तेषु श्रीकृष्णः पावनः पवनः शुभः ।। 1244

◎ **Marichi :** *Shrī Krishna is the Marichi among the forty-nine Marut sons of Diti. He is holy, pure and auspicious like wind.*

(**119. शशी** गीता–10.21)

नक्षात्राणां शशी कृष्णः प्रकाशो यस्य शीतलः ।

गगनं शोभितं येन कृष्णरूपः स चन्द्रमा ।। 1245

◎ **Moon :** *Shrī Krishna is the cool light of the Moon among the planets. With him the sky looks beautiful at night.*

(**120. वासवः** गीता–10.22)

देवानामधिपः स्वर्गे कृष्णः सुरेन्द्रवासवः ।

इन्द्रः स इन्द्रियाणाञ्च सर्वभूतेष्ववस्थितः ।। 1246

◎ **Indra :** *Shrī Krishna is Indra, the king of the Gods. He is mind, the king of the organs in the body.*

(**121. इन्द्रियाणां मनः** गीता–10.22)

इन्द्रियाणां मनः कृष्णः षष्ठं यदिन्द्रियं मतम् ।

एकादशेन्द्रियग्रामे ज्ञानेन्द्रियमगोचरम् ।। 1247

◎ **Mind :** *Shrī Krishna is the eleventh organ called mind, the king of the organs in the body. He is also called the sixth sense organ.*

(**122. भूतानां चेतना** गीता–10.22)

भूतानाञ्चेतना कृष्णः–चेतनानां स देहिनाम् ।

आत्मा प्राणश्च जीवश्च जीवनं स तथा मतः ।। 1248

◎ **Life :** *Shrī Krishna is the life of the living beings. He is also called atma.*

(**123. शङ्करः** गीता–10.23)

कृष्णो ब्रह्मा च विष्णुश्च कृष्णो हि शिवशङ्करः ।

जन्मदाता विधाता च कृष्णो हि लयकारकः ।। 1249

◎ **Shiva :** *Shrī Krishna is Shiva. He is also Brahma and Vishnu. Thus, he is the life giver, sustainer and the dissolver.*

(**124. वित्तेशः** गीता–10.23)

कृष्णो नृपः कुबेरश्च वित्तेशो यक्षरक्षसाम् ।

लक्ष्म्याः पतिश्च वित्तेशः श्रीलक्ष्मीर्वित्तदेवता ।। 1250

◎ **Kubera :** *Shrī Krishna is Kubera, the Lord of wealth. Therefore, he is present at the court of Goddess Lakshmi. Lakshmi is Vitta. Lakshmi's Husband (Isha), Vishnu is called Vittesha.*

(125. पावक: गीता-10.23)

पावक: पावन: कृष्णो दहति पातकानि य: ।
अग्निदेव: स यज्ञानां ज्ञानयज्ञेन शोभते ।। 1251

◎ **Fire :** *Shrī Krishna is the purifying fire. He burns all evil things including the sins. As the Lord of fire, Krishna is always present in the yajna.*

(126. मेरु: गीता-10.23)

विश्वमध्यो मतो मेरु:-गिरीशो पर्वतेश्वर: ।
गिरिधर: स श्रीकृष्णो मेरुरूपो हि कथ्यते ।। 1252

◎ **Meru :** *Shrī Krishna is Meru, the Lord of the mountains. Krishna is also Giridhara, the one who picked up Govardhan mountain on his little finger.*

(127. बृहस्पति: गीता-10.24)

पुरोधसां मतो मुख्य: श्रीकृष्ण: स बृहस्पति: ।
अधिष्ठाता च देवानां धार्मिकाणां सुकर्मणाम् ।। 1253

◎ **Brihaspati :** *Shrī Krishna is Brihaspati, the physician of the Gods. He presides over the sacred deeds of the Gods.*

(128. स्कन्द: गीता-10.24)

स्कन्द: सेनानिनां कृष्ण: सुरसेनापतिर्मत: ।
शिवपुत्रो महावीर:-तारकासुरभञ्जक: ।। 1254

◎ **Skanda :** *Shrī Krishna is Skanda, the son of Shiva, who is the commander-in-chief of the Gods. Skanda killed the demon Tarkasura.*

(129. सागर: गीता-10.24)

रत्नाकर: स श्रीकृष्णो रत्नभाण्डारसागर: ।
यस्माद्रत्नानि प्राप्तानि समुद्रमन्थनात्सुरै: ।। 1255

◎ **Ocean :** *Shrī Krishna, who is the storehouse of the virtues, is an ocean from which the Gods obtained fourteen jewels by churning the ocean. Therefore, Shri krishna is called "Ratnakar."*

(130. भृगु: गीता-10.25)

सूक्तद्रष्टा भृगु: कृष्णो यज्ञस्य स प्रचारक: ।
अथर्ववेदनिर्माता सोऽग्निपूजाप्रवर्तक: ।। 1256

◎ **Bhrigu :** *Shrī Krishna is the sage Bhrigu who is the promoter of the yajnas and fire worship. He is the compiler of the Atharva Veda.*

(**131. गिरामेकमक्षरम्** गीता–10.25)

ओमिति संज्ञितः कृष्ण ओङ्गिरामेकमक्षरम् ।
तेन शब्देन दिव्येन दिव्या गीर्वाणभारती ।। 1257

◎ **Om :** *Shrī Krishna is the mono syllable of Om. From this syllable, the divine Sanskrit language originated.*

(**132. यज्ञानां जपयज्ञः** गीता–10.25)

द्रव्ययज्ञस्तपोयज्ञः–ज्ञानयज्ञादयः श्रुतौ ।
जपयज्ञो मतः कृष्णः सर्वेषु यो विशिष्यते ।। 1258

◎ **Japa-yagna :** *Shrī Krishna is the Japa-yagna among the yajnas. He is superior to the dravya-yagna, tapo-yajna and jnana-yajna.*

(**133. स्थावराणां हिमालयः** गीता–10.25)

गिरिवरेषु मुख्यो यः स्थावरेषु महत्तमः ।
किरीटो हिन्दुमातुः स कृष्णरूपो हिमालयः ।। 1259

◎ **Himalaya :** *Shrī Krishna is Himalaya, the king of the mountains. He is the crown of the Mother India.*

(**134. अश्वत्थः सर्ववृक्षाणाम्** गीता–10.26)

अश्वत्थो विश्ववृक्षः स कृष्णरूपः सनातनः ।
नृपः स सर्ववृक्षाणां शाश्वतः पावनः परः ।। 1260

◎ **Ashvattaha :** *Shrī Krishna is the Ashvattha (Bargad or Vat), the king of the trees. He is in the form of the eternal worldly tree.*

(**135. नारदः** गीता–10.26)

सर्वर्षिणाञ्च देवर्षिः कृष्णरूपः स नारदः ।
मनसोऽतीतगत्या स त्रिषु लोकेषु भ्राम्यति ।। 1261

◎ **Narad muni :** *Shrī Krishna is the great divine sage Narad muni. He moves around the three worlds faster than the speed of mind.*

(**136. चित्ररथः** गीता–10.26)

हाहाहूहूश्च गोमायुः–चित्ररथश्च तुम्बरः ।
नन्दीर्विश्ववसुर्हंसो गन्धर्वा गायका मताः ।। 1262
गन्धर्वः स मतः कृष्णः–चित्ररथः सुदर्शनः ।
सौन्दर्यं यस्य स्वर्गीयं गायनं सुन्दरं तथा ।। 1263

◎ **Chitraratha :** *Shrī Krishna is Chitraratha, the celestial musician of the Gods. He is as charming as his magnetizing music.*

कपिलः सांख्यतत्त्वज्ञः कृष्णरूपो महामुनिः ।

कर्दमस्य सुतो ज्ञानी सर्वसिद्धी: स प्राप्तवान् ।। 1264

◎ **Kapila** : *Shrī Krishna is the great sage Kapila, who put forth the doctrine of Sankhya Darshan philosophy. He is the all accomplished son of sage Kardama.*

(138. उच्चै:श्रवा गीता-10.27)

चतुर्दशेषु रत्नेषु सर्वेषु तुरगेषु च ।
उच्चै:श्रवा हय: कृष्ण: शुभ्रमिन्द्रस्य वाहनम् ।। 1265

◎ **Uchhaishrava** : *Shrī Krishna is the spotless Uchhaishrava, the divine white horse who is one of the fourteen jewels that came out from the churning of the ocean by Gods. He is the vehicle of Indra.*

(139. ऐरावत: गीता-10.27)

ऐरावतो गजो दिव्यो जात: सागरमन्थनात् ।
कृष्णरूपश्चतुर्दन्तो गजेन्द्र इन्द्रवाहनम् ।। 1266

◎ **Airavat** : *Shrī Krishna is the divine Airavat, the elephant with four trunks. He came out from the churning of the ocean by the Gods. He is also a vehicle of India, the king of Gods.*

(140. नराधिप: गीता-10.27)

कृष्णो नरावतारेण भूमौ नृणां नराधिप: ।
कृष्णो नृपो नरेन्द्राणां देवानामपि देवता ।। 1267

◎ **King** : *Shrī Krishna is the king of the human beings. He is also the king of the Gods.*

(141. आयुधानां वज्रम् गीता-10.28)

इन्द्रवज्रं मतं तीव्रं ब्रह्मास्त्रादपि भीषणम् ।
धृष्टञ्च दुर्जयं तीक्ष्णम्-अदम्यञ्च भयङ्करम् ।। 1268
सर्वायुधेषु घोरं यत्-शस्त्रास्त्रेषु भयानकम् ।
वज्रमेवायुधं चण्डं कृष्णरूपं दुरासदम् ।। 1269

◎ **Thunderbolt** : *Shrī Krishna is the terrible weapon in the form of thunderbolt. If the thunderbolt strikes, nothing survives.*

(142. कामधुक् गीता-10.28)

समुद्रमन्थनाज्जाता सुरभि: कामधुग्मता ।
ददाति वाञ्छितं सर्वं पूर्यते च मनोरथान् ।। 1270

◎ **Kamdhenu** : *Shrī Krishna is the wish granting cow, Kamdhenu. The divine Kamdhenu came out of the ocean when the Gods churned the ocean.*

(143. कन्दर्प: गीता-10.28)

यो भ्रामयति स्नेहेन क्षिप्त्वा प्रेमशरं हृदि ।

कृष्णरूपः स कन्दर्पः कामदेवो मतः खलु ।। 1271

अनङ्गो मदनः प्रीतिः-मन्मथश्च मनोहरः ।

कामदेवः स प्रद्युम्नः पञ्चबाणो मतस्तथा ।। 1272

◎ **Cupid :** *Shrī Krishna is Kandarpa, the Cupid. He is also called Ananga, Madana, Priti, Manmatha, Manohara, Kāmadeva, Pradyumna and Panchabana. He captivates the lovers with his arrows of love.*

(**144. वासुकिः** गीता-10.28)

कृष्णवर्णो महासर्पः कृष्णरूपः स वासुकिः ।

मित्रं स देवसङ्घस्य शिवभक्तो महामना ।। 1273

वर्षायामभवच्छत्रं वासुदेवस्य वासुकिः ।

समुद्रमन्थने रज्जुः-ग्रीवायाञ्च शिवस्य सः ।। 1274

◎ **Vasuki :** *Shrī Krishna is the divine snake Vasuki. Vasuki is around the neck of Shiva. He became an umbrella when Krishna was travelling from Mathura to Gokul and crossing the Yamuna river. He became the rope during the churning of the ocean by the Gods.*

(**145. अनन्तः** गीता-10.29)

नवनागेषु विस्तीर्णः शेषनागः फणीश्वरः ।

सहस्त्रशीर्षवान्सर्पः शिरसि पृथिवीधरः ।। 1275

अनन्तः शेषशय्या स लक्ष्मीनारायणस्य हि ।

कृष्णरूपो महाकायः कृष्णवर्णः सरीसृपः ।। 1276

◎ **Anant :** *Shrī Krishna is the divine snake Ananta, the supreme among the great nine snakes. He assumes a thousand heads and bares the load of the Universe. With his coil, he becomes a bed for Vishnu and Lakshmi.*

(**146. वरुणः** गीता-10.29)

वरुणो मकरारूढो वैदिकी जलदेवता ।

श्रीकृष्णस्य विभूतिः स शङ्खपद्मविभूषितः ।। 1277

◎ **Varuna :** *Shrī Krishna is Varuna, the God of waters. His vehicle is an alligator. Chaturbhuja (four armed) Krishna bares conch shell, lotus flower and the Sudarshan wheel in his hands.*

(**147. पितॄणामर्यमा** गीता-10.29)

पितॄणामर्यमा मुख्यः कश्यपस्य मुनेः सुतः ।

श्रीकृष्णः पद्मनाभः स पितॄणामर्यमा मतः ।। 1278

◎ **Aryama :** *Padmanabha Shrī Krishna is Aryama among the fore-fathers. Aryama was the son of sage Kashyap.*

(**148. यमः** गीता–10.29)

अहिंसा परमो धर्मः–चास्तेयमपरिग्रहः ।
सत्यञ्च ब्रह्मचर्यञ्च यमश्च संयमा मताः ।। 1279
षडेते[8] संयमा ज्ञाता योग इति विवेकिभिः ।
यमः संयमतां कृष्णो यमो मृत्योश्च देवता ।। 1280

◎ **Yama :** *Shrī Krishna is the Yama. Yams is self control. True speech, non-violence, righteousness, chastity, non-stealing and non-hoarding are the six self-controls. Yama is also the God of death.*

(**149. प्रह्लादः** गीता–10.30)

विष्णुभक्तः स प्रह्लादो मतो भक्तशिरोमणिः ।
विभूतिः पद्मनाभस्य सुहृदो वत्सलप्रभोः ।। 1281

◎ **Prahlada :** *Shrī Krishna is Prahlada. Boy Prahlada was the supreme devotee of Padmanabha Shrī Vishnu.*

(**150. कालः कलयताम्** गीता–10.30)

कालः कलयतां कृष्णो विभूतिः शाश्वता हि सः ।
सर्वभूतानि नश्यन्ति त्वक्षयः काल एव सः ।। 1282
यमो देवोऽपि कालश्च सर्वे जीवा नमन्ति तम् ।
जायन्ते ते निवर्तन्ते यमस्य नियमो हि सः ।। 1283

◎ **Time :** *Shrī Krishna is the infinite time. He is the beginning of everything. He is eternal. He causes the end of every being. Lord Yama, the God of death, is therefore, called Kala. Those who take birth must die, is the rule of nature. Everyone worships Kala.*

(**151. मृगाणां मृगेन्द्रः** गीता–10.30)

मृगाणां केसरी कृष्णो मृगाधिपो वनेषु सः ।
सर्वे शंसन्ति तं सिंहं दुर्गादेव्या हि वाहनम् ।। 1284

◎ **Lion :** *Shrī Krishna is the lion among the beasts in the forest. He is the vehicle for Goddess Durga. Everyone worships them.*

(**152. वैनतेयः पक्षिणाम्** गीता–10.30)

खगेन्द्रः कृष्णरूपः स वैनतेयो हि पक्षिणाम् ।
विनतातनयो धन्यो गरुडो विष्णुवाहनम् ।। 1285
कश्यपस्य सुपुत्राय गरुडाय नमो नमः ।

---

[8] **षडेते संयमाः** = गितायाम् आत्मसंयमहेतवे षड्संयामा निरूपिताः सन्ति, पातञ्जलयोगसूत्रे तु समाधये अष्टाङ्गानि वर्णितानि सन्ति।

विष्णुदासं महापक्षं वक्रवक्त्रं नमाम्यहाम् ।। 1286

◎ **Vainateya :** *Shrī Krishna is Vainateya, the celestial eagle. Vainateya is the son of sage Kashyap. Vainateya is the vehicle for Lord Vishnu.*

(**153. पवनः पवताम्** गीता–**10.31**)

पवनः पवतां कृष्णः पुष्पसौरभवाहकः ।
वायुरूपो जगद्गामी सर्वलोकस्य जीवनम् ।। 1287

◎ **Wind :** *Shrī Krishna is the wind that carries the fragrance of the flowers from place to place. He moves in the three worlds. He is life of the living beings.*

(**154. रामः** गीता–10.31)

श्रीकृष्णस्य हि रूपः स मतो रामो धनुर्धरः ।
श्रीविष्णोरवतारौ द्वौ रामकृष्णौ महाबलौ ।। 1288

◎ **Shrī Rama :** *Shrī Krishna is Rama, the supreme archer. Rama and Krishna are Vishnu's most important incarnations.*

(**155. झषाणां मकरः** गीता–10.31)

झषाणां मकरः कृष्णो मुख्यो जलचरेषु यः ।
मीना जलचरा नक्राः कच्छपा दर्दुरा झषाः ।। 1289

◎ **Alligator :** *Shrī Krishna is the alligator among the aquatic animals. The other common aquatic animals are fish, turtles and frogs.*

(**156. जाह्नवी** गीता–10.31)

नदीनां जाह्नवी कृष्णः पवित्रा पावना शुभा ।
चरणैर्रामसीतयोः स्पृष्टं तस्या यतो जलम्[9] ।। 1290
देवी भागीरथी गङ्गा मन्दाकिनी त्रिमार्गगा ।
जाह्नव्यलकनन्दा च सुरतरङ्गिणी मता ।। 1291

◎ **Ganga :** *Shrī Krishna is the Ganga among the sacred rivers. Its water is divine nectar. It comes on the earth from Shiva's head. She became more holy with the touch of the feet of the Rama and Sita. Ganga river is also called Jahnavi, Bhagirathi, Mandakini, Trimarga and Sura-tarangini.*

(**157. अध्यात्मविद्या विद्यानाम्** गीता–10.32)

अध्यात्मज्ञानमाहुस्ते ज्ञानानां कृष्णमेव हि ।
अध्यात्मादतिरिक्तं यत्–तदज्ञानं मतं मया[10] ।। 1292

---

[9] तस्याः स्पृष्टं यतो जलम् ।

◎ **Knowledge of self :** *Shrī Krishna is the knowledge of self. Other than the knowledge of self, everything else is just information.*

(**158. वादः प्रवदताम्** गीता–10.32)

तर्कः प्रवदतां कृष्णो वदन्ति तर्कज्ञानिनः ।
तर्को हि सर्व वादानां मतो मूलञ्च सर्वदा ।। 1293

◎ **Logic :** *Shrī Krishna is logic of the debate, say the logicians. Logic is the root of the debates.*

(**159. अक्षराणामकारः** गीता–10.33)

गिरो मूलमकारोऽस्ति वदति शारदा गिरा ।
अकारः कृष्ण ओङ्कारो यस्माद्वर्णाः समुद्भुताः ।। 1294
अकारः सर्ववर्णानां मूलमित्युच्यते बुधैः ।
यथा कृष्णञ्च देवानां मूलमिति वदन्ति ते ।। 1295

◎ **Letter-A :** *Shrī Krishna is letter-A in the alphabet. Goddess Sarasvati says, letter-A is the root of the language, as Shrī Krishna is the root of all Gods. Letter-A is the syllable of Om.*

(**160. द्वन्द्वः सामासिकस्य** गीता–10.33)

सर्वं हि प्रकृतौ द्वन्द्वं सर्वं द्वन्द्वात्मकं खलु ।
कृष्णरूपं हि द्वन्द्वं तत्–किञ्चित् द्वन्द्वं विना नहि ।। 1296

◎ **Dual :** *Shrī Krishna is the Dvandva (Dual) among the compound words. Everything other than Brahma, stands as duality in the nature. There is nothing without duality.*

(**161. अक्षयः कालः** गीता–10.33)

कृष्णरूपोऽक्षयः कालः शाश्वतः सततश्चिरः ।
न कालेन समः कश्चिद्–अनाद्यन्तो नु विद्यते ।। 1297

◎ **Akshaya :** *Shrī Krishna is Akshaya (never ending) time (Kala). It is eternal, non-stop. There is nothing as ancient and as everlasting as time.*

(**162. मृत्युः सर्वहरः** गीता–10.34)

मृत्युः सर्वहरः कृष्णो लयकारी शिवात्मकः ।
ध्रुवं जन्म च मर्त्यस्य मृत्युर्जातस्य वै ध्रुवः ।। 1298

◎ **Death :** *Shrī Krishna is the death of every being. As Shiva, he causes dissolution of everything in due course of time. As death of the born is certain, so is the birth of the dead.*

(**163. उद्भवो भविष्यताम्** गीता–10.34)

सर्वेषामुद्भवः कृष्णो योनिरन्या न काऽपि हि ।

---

[10] **अज्ञानम् =** स्वीकृतानि तत्त्वानि । Information, Data. See Gita 13.21 ।

भविष्यतां च भूतानां भविष्यं कृष्ण एव सः ।। 1299

◎ **Birth :** *Shrī Krishna is the birth of a being. There is no womb other than Krishna. Krishna is the future of the beings that will be born.*

(**164. कीर्तिः** गीता–10.34)

कीर्तिः स्त्रैणो गुणो नार्याः कृष्णरूपो बहूत्तमः ।
दत्तः कृष्णेन नारिभ्यो विश्वकल्याणकारणात् ।। 1300

◎ **Fame :** *Shrī Krishna is the feminine attribute of fame. It is given to the women by Krishna.*

(**165. श्रीः** गीता–10.34)

श्रीः स्त्रीगुणो महामूल्यः कृष्णरूपेण वर्तते ।
लक्ष्म्या हि वरदानं स विश्वे गौरवकारकः ।। 1301

◎ **Shrī :** *Shrī Krishna is the Shrī (nobility), the feminine attribute that is bestowed upon the women by Krishna. Shrī is Goddess Lakshmi's boon to the Universe.*

(**166. वाक्** गीता–10.34)

स्त्रीगुणः कृष्णरूपो वाग्–यस्मादोजश्च मार्दवम् ।
सरस्वती गिरा वाणी ज्ञानदा शारदा तथा ।। 1302

◎ **Speech :** *Shrī Krishna is the delicate feminine attribute of speech, that is sweetly given to the women by Krishna. This virtue is also called Sarasvati, Gira, Vani, Jnanada and Sharada.*

(**167. स्मृतिः** गीता–10.34)

स्मृतिश्च कृष्णरूपेण गणेशस्य वरो मतः ।
विशालो ज्ञानभाण्डारः सम्पन्नः स्त्रीगुणो मतः ।। 1303

◎ **Recollection :** *Shrī Krishna is the feminine attribute of recollection. It is the boon given to the women by Lord Ganesh. The vast knowledge and memory is the rich attribute of the women.*

(**168. मेधा** गीता–10.34)

धीः स्त्रीगुणः सरस्वत्याः कृष्णरूपो वरो वरः ।
मेधा बुद्धिश्च सद्बुद्धिः–धनधान्यं हि धीमताम् ।। 1304

◎ **Intelligence :** *Shrī Krishna is the feminine attribute of intelligence. It is the boon given to women by Goddess Sarasvati. It is the righteousness, wisdom and wealth of the wise.*

(**169. धृतिः** गीता–10.34)

धृतिर्वीरेषु धीरेषु कृष्णरूपेण स्त्रीगुणः ।
भीमार्जुनाभिमन्युश्च रामसीते धृतिग्रहाः ।। 1305

◎ **Courage :** *Shrī Krishna is the feminine attribute of courage. In men and women it exists in the form of Shrī Krishna. Bhīma, Arjun, Abhimanyu, Rama and Sita possessed courage.*

(170. **क्षमा** गीता-10.34)

क्षमा च स्त्रीगुण: कृष्णो गौर्या दत्तो वरो मत: ।
यत्र दया क्षमा शान्ति:-तत्र धर्मो दृढ: सदा ।। 1306

◉ **Forgiveness** : *Shrī Krishna is the feminine attribute of forgiveness. It is given by Parvati to the women. Where there is forgiveness, kindness and peace, there stays righteousness.*

(171. **बृहत्साम साम्नाम्** गीता-10.35)

कृष्ण: साम्नां बृहत्साम साममन्त्रो बृहत्तम: ।
तुष्टिमन्त्र: पुष्टिमन्त्र: शान्तिमन्त्र: स उच्यते ।। 1307

◉ **Brihat-sama** : *Shrī Krishna is the Brihat-sama of the Sama-Veda. It is the formula for peace, satisfaction and strength.*

(172. **गायत्री छन्दसाम्** गीता-10.35)

गायन्तं त्रायते मन्त्र: कृष्णरूप: सनातन: ।
ऋग्वेदे च यजुर्वेदे सर्वपूज्यतमो मत: ।। 1308

◉ **Gayatri** : *Shrī Krishna is the Gayatri Mantra. The chant that protects him who sings it, is the Gayatri mantra. It comes from Rig Veda and Yajur Veda. It is the holiest among all mantras.*

(173. **मासानां मार्गशीर्ष:** गीता-10.35)

मासानां मार्गशीर्ष: स कृष्णो गीतोपदेशक: ।
शीतलो मङ्गलो मास एषोऽग्रहायणो मत: ।। 1309
मत: पुण्यतमो मासो मार्गशीर्षो महाजना:! ।
अस्मिन्मासेऽभवत्पूज्य: संवाद: कृष्णपार्थयो: ।। 1310

◉ **Margshirsh** : *Shrī Krishna is the Margashirsh (November-December) among the months of the year.* **Shrī Krishna gave the holy discourse of the Gita to Arjun in this month**. *This month is also called Agrahayana.*

(174. **ऋतूनां कुसुमाकर:** गीता-10.35)

सुन्दरश्च मनोहारी मास: स कुसुमाकर: ।
कृष्णरूप: प्रियो मासो वसन्त इति कथ्यते ।। 1311

◉ **Kusumakar** : *Shrī Krishna is the season of Kusumakar (Spring) among the seasons of the year. This pleasant month is also called Vasant.*

(175. **द्यूतं छलयताम्** गीता-10.36)

द्यूतं छलयतां कृष्णो रहस्यं कैतवस्य च ।

अक्षक्रीडाविलासश्च देवित्रे भाग्यदेवनम्[11] ।। 1312

◎ **Chance :** *Shrī Krishna is the chance of the gamblers. It is the seed of the secrets. For the gamblers, it is the lucky dice.*

(176. जयः गीता–10.36)

कृष्णो जयो विजेतॄणां द्वन्द्वे जयपराजयोः ।
यत्र योगेश्वरः कृष्णः-तत्रैव विजयो ध्रुवः ।। 1313

◎ **Victory :** *In the duality of victory and defeat, Shrī Krishna is the victory of the victorious. Where Yogeshvara Krishna is, there the victory is, says Sanjaya.*

(177. व्यवसायः गीता–10.36)

व्यवसायो मतः कृष्णो निश्चितो व्यवसायिनाम् ।
निश्चयो नित्यसङ्कल्पो निग्रहो निर्णयस्तथा ।। 1314

◎ **Industry :** *Shrī Krishna is the industry of the industrious. He is the determination of the resolute.*

(178. सत्त्वं सत्त्ववताम् गीता–10.36)

सत्त्वं सत्त्ववतां कृष्णः सद्गुणस्य च रक्षकः ।
तस्मात्सर्वेषु कालेषु जयते सत्यमेव हि ।। 1315

◎ **Truth :** *Shrī Krishna is the truth of the truthful. He is the protector of the righteous. Therefore, truth always wins.*

(179. धनञ्जयः गीता–10.37)

सद्धर्मी धर्मवीराणां योगी निष्कामकर्मणाम् ।
कृष्णो हि पार्थरूपेण पाण्डवानां धनञ्जयः ।। 1316

◎ **Dhanajjaya :** *Shrī Krishna is the Dhananjaya (Winner of the wealth, Arjun) among the Pandavas. He is the symbol of righteousness, selflessness and valor.*

(180. व्यासः गीता–10.37)

कृष्णद्वैपायनो व्यासः कृष्णरूपो महाकविः ।
कालीपुत्रो महाज्ञानी वेदव्यासो महामुनिः ।। 1317

◎ **Vyasa :** *Shrī Krishna is the great poet sage Vyasa among the sages. He is also called the Son of Kali, Mahajnani, Ved-vyasa and Maha-muni.*

(181. कवीनामुशना कविः गीता–10.37)

कवीनामुशना कृष्णो ज्ञानितमः स ज्ञानिषु ।

---

[11] **देवितृ** = द्यूतकारः । देवनम् = द्यूतम् ।

धर्मज्ञः स्मृतिकर्ता च शुक्राचार्यश्च संज्ञितः ।। 1318

◎ **Ushana :** *Shrī Krishna is the Ushana among the knowledgeable poet laureates. He is also called Dharmajna, Smriti-karta and Shukracharya.*

(182. **दण्डो दमयताम्** गीता-10.38)

दण्डो दमयतां कृष्णो मनुस्मृतौ निरूपितः ।
यथा दोषस्तथा दण्डो राज्ञे च दोषिणे तथा ।। 1319

◎ **Rule :** *Shrī Krishna is the rule of the ruler, that is mentioned in the Manu-smriti. As the crime is, so should be the punishment, it is the rule of Manu.*

(183. **नीतिर्जिगीषताम्** गीता-10.38)

नीतिर्मनुस्मृतेः कृष्णः कृष्णो नीतिर्जिगीषताम् ।
नीतिधर्मः सदाचारः सत्यधर्मस्य साधनम् ।। 1320

◎ **Morality :** *Shrī Krishna is the morality of the moral. It is the tenet of the Manu-smriti. Morality is judgment, fairness, righteousness and truthfulness.*

(184. **मौनं गुह्यानाम्** गीता-10.38)

मौनं कृष्णः स गुह्यानां संयमिनां च लक्षणम् ।
मौनं मतं मुनेर्भावो रहस्यं मितभाषिणाम् ।। 1321
रसनानिग्रहो मौनं मौनं तटस्थता तथा ।
मौनं व्रतं मतं दुर्गं मौनं हि सात्त्विकं तपः ।। 1322

◎ **Silence :** *Shrī Krishna is silence of the secret. It is the sign of self control. It is the nature of the sages. Control over tongue is the quality of the Munis. It is a difficult austerity.*

(185. **ज्ञानं ज्ञानवताम्** गीता-10.38)

ज्ञानं ज्ञानवतां कृष्णो विदुषां ज्ञानयोगिनाम् ।
आत्मज्ञानं मतं ज्ञानं शिवञ्च परमात्मकम् ।। 1323

◎ **Knowledge :** *Shrī Krishna is the knowledge of the knowledgeable and the Jnana-yogis. Knowledge of self is regarded as true knowledge, the rest is all information, data or non-knowledge. Knowledge is as holy as Shiva.*

(186. **कमलपत्राक्षः** गीता-11.2)

कृष्णः कमलपत्राक्षो नीलवर्णः सुदर्शनः ।
कर्माणि तं न लिम्पन्ति पद्मपत्रमिवाम्भसा ।। 1324

◎ **Lotus-eyed :** *Shrī Krishna is lotus-eyed, blue coloured and auspicious to behold. Karmas do not stick to him as the water to a lotus leaf.*

(187. **परमेश्वरः** गीता-11.3)

श्रीविष्णोरवतारः स रामस्य प्रतिरूपकः ।
अस्मान्रक्षति देवेशः श्रीकृष्णः परमेश्वरः ।। 1325

◎ **Supreme God :** *Shrī Krishna is the Supreme God. He is also Rama, the incarnation of Vishnu. Lord of the Lords, Shrī Krishna protects us all.*

(**188. योगेश्वरः** गीता–11.4)

सांख्ययोगं च ज्ञानं च, बुद्धियोगसनातनम् ।
कर्मयोगस्य निष्कामं, भक्तियोगस्य साधनम् ।। 1326
यज्ञयोगस्य संसिद्धिम्, अभ्यासयोगपद्धतिम् ।
गीताऽमृतस्य रूपेण योगेश्वरः स दत्तवान् ।। 1327

◎ **Yogeshvara :** *Shrī Krishna is Yogeshvara, the Lord of yogas. The ancient Sankhya-yoga, Jnana-yoga, Buddhi-yoga and Bhakti-yoga are the means of attaining Krishna. Krishna gave us this divine knowledge in the form of the discourse of the Bhagavad Gita.*

(**189. महायोगेश्वरः** गीता–11.9)

कृष्णो योगी महायोगी राजयोगी स योगदः ।
योगेश्वरश्च योगेशः महायोगेश्वरस्तथा ।। 1328

◎ **Maha-yogeshvara :** *Shrī Krishna is also called Maha-yogeshvara, as he is the great Lord of the yoga. He is also called Yogada, Mahayogi, Yogi, Raj-yogi, Yogeshvara and Yogesha.*

(**190. हरिः** गीता–11.9)

हरिः कृष्णो हरिर्रामो हरिर्विष्णुर्हरिर्रविः ।
हरिरिन्द्रो हरिर्ब्रह्म हरिश्चन्द्रो हरिश्शिखी ।। 1329
हरिर्वायुर्हरिः सिंहो हरिरश्वो हरिः कपि ।
हरिर्हंसो हरिस्सर्पो हरिर्यमो हरिश्शुकः ।। 1330
हरिर्हरति पापानि भक्तानां यानि कानि हि ।
हरिभक्तः सदा सुस्थो नमोस्तुते हरे हरे ।। 1331

◎ **Hari :** *Shrī Krishna is popularly known as Hari. Rama is also called Hari. Hari is Vishnu, Sun, Indra, Brahma, Moon, Peacock, wind, lion, horse, monkey, swan, snake, Yama and parrot. Hari removes all sins of the devotees. Thus, Hari's devotees are safe. Salute to that Hari.*

(**191. अनेकवक्त्रनयनः** गीता–11.10)

हरेर्विराटरूपं तद्–अद्भुतं विस्मयावहम् ।
यस्मिन्ननेकवक्त्राणि बहूनि नयनानि च ।। 1332

◎ **Many eyes and mouths :** *Shrī Krishna's divine Universal form has many eyes and mouths. It is wondrous.*

(192. **अनेकाद्भुतदर्शनः** गीता–11.10)

कृष्ण विराटरूपं ते विस्मयकारकं बहु ।
अद्भुतं दर्शनं तस्य कृष्णं वदति पाण्डवः ।। 1333

◎ **Wonderful display :** *Shrī Krishna's Universal form is a wondrous display. It has many surprises, says Arjun.*

(193. **अनेकदिव्याभरणः** गीता–11.10)

आभरणानि दिव्यानि भूषयन्ति कलेवरम् ।
सुगन्धितानि पुष्पाणि माला वस्त्राणि ते प्रभो ।। 1334

◎ **Divine garments :** *Shrī Krishna is wearing many divine garments. He is also wearing garlands of fragrant flowers.*

(194. **दिव्यानेकोद्यतायुधः** गीता–11.10)

उद्यतानि च दिव्यानि शस्त्रास्त्राणि त्वया सखे ।
गदा चक्रञ्च खड्गश्च प्रहरणानि पाणिषु ।। 1335

◎ **Many weapons :** *Shrī Krishna is holding many divine weapons in his various hands. They include mace, Sudarshan wheel, conch shell, etc.*

(195. **दिव्यमाल्याम्बरधरः** गीता–11.11)

दिव्या मालाः शरीरे ते सुन्दरा विविधास्तथा ।
पुष्पसौरभयुक्ताश्च स्वर्णयुक्ताश्चकाशिताः ।। 1336

◎ **Many garlands :** *Shrī Krishna is wearing many divine garlands of many colours. They are all beautiful and fragrant. They are shining like gold.*

(196. **दिव्यगन्धानुलेपनः** गीता–11.11)

सुवासितं शरीरे ते दिव्यगन्धानुलेपनम् ।
स्नेहः सौरभयुक्तश्च परिमलश्च चन्दनम् ।। 1337

◎ **Scents :** *Shrī Krishna's body is perfumed with scents. It has a smear of sandalwood paste and flower nectars.*

(197. **सर्वाश्चर्यमयः** गीता–11.11)

सर्वाश्चर्यमयं कृष्ण रूपं ते सर्वमङ्गलम् ।
अद्भुतं भासुरं दिव्यं प्रदीप्तं परमं प्रभो ।। 1338

◎ **All wonderful :** *Shrī Krishna's Universal form is all wonderful and auspicious. Arjun says, I have never seen such display ever before. It is radiant.*

(198. **देवः** गीता–11.11)

सर्वं द्यु व्यावृतं येन सर्वं विश्वं चराचरम् ।

देवो दिव्य: स श्रीकृष्ण: सर्वभूतैश्च वन्दित: ॥ 1339

◎ **God :** *Shrī Krishna is a great God. He is occupying all sky, earth and the whole moving and non-moving Universe. He is worshipped by all beings.*

(199. विश्वतोमुख: गीता-11.11)

सर्वज्ञं सर्वगं कृष्णं पश्यामि विश्वतोमुखम् ।
उवाच पाण्डवो देवं हृषीकेशं कृताञ्जलि: ॥ 1340

◎ **Omniscient :** *Arjun is saying with his hands folded, O Hrishikesha! O God! O Shrī Krishna! you are beholding everything everywhere. You are Omniscient.*

(200. महात्मा गीता-11.12)

आत्मा कृष्णो महात्मा च परमात्मा मतस्तथा ।
धर्मात्मा सर्वभूतात्मा पुण्यात्मा मननात्पर: ॥ 1341

◎ **Great Soul :** *Shrī Krishna is a Great soul. He is the Supreme soul. He is a righteous soul. He is a sacred soul. He is the soul of all beings. He is beyond contemplation.*

(201. अनेकबाहूदरवक्त्रनेत्र: गीता-11.16)

देहे मुखानि नेत्राणि पिचिण्डा बहवो भुजा: ।
विश्वरूपं विराटञ्च कृष्ण तव भयानकम् ॥ 1342

◎ **Many appendages :** *Shrī Krishna's Universal form has many appendages. He has many hands, mouths, eyes and bellies. It is fearsome.*

(202. सर्वतोऽनन्तरूप: गीता-11.16)

सर्वतोऽनन्तरूपस्त्वं नादिमध्यं च लभ्यते ।
अपर्याप्तं हि रूपं ते कृष्णमुवाच पाण्डव: ॥ 1343

◎ **Ananta :** *O Lord Shrī Krishna! your form is infinite in every way. It's neither the beginning nor the end is visible, said Arjun.*

(203. विश्वेश्वर: गीता-11.16)

विश्वेश्वरो मत: कृष्णो विश्वदेवो मतस्तथा ।
विश्वाधारो जगत्पालो विश्वमूर्तिस्तथा च स: ॥ 1344

◎ **Lord of the Universe :** *Shrī Krishna is the Lord of the Universe. He is the God of the Universe. He is the support of the Universe. He is the protector of the Universe. He is the image of the Universe.*

(204. विश्वरूप: गीता-11.16)

सर्वगतो हि श्रीकृष्णो येन व्याप्तमिदं जगत् ।
विराटरूपधारी स विश्वरूप: स एव हि ॥ 1345

◎ **Universal form :** *Shrī Krishna is Omnipresent. He has occupied everything. He has assumed an Universal form. He is the image of the Universe.*

(**205. किरीटी** गीता–11.17)

मयूरमुकुटं शीर्षे बालकृष्णस्य शोभते ।
वनमाला च ग्रीवायां कृष्णस्य मुरली करे ।। 1346
किरीटं नृपकृष्णस्य स्वर्णमयञ्च सुन्दरम् ।
रत्नानि बहुरङ्गाणां मयूराकारपङ्क्तिषु ।। 1347

◎ **Crown bearer :** *Shrī Krishna is called Kiriti, the crown bearer. As a child, he wears a peacock tiara and a garland of wild flowers. As a king, he wears a beautiful golden crown studded with diamonds and jewels in the shape of a peacock.*

(**206. गदी** गीता–11.17)

कृष्णरूपं गदाधारि मोहकं सुन्दरं शुभम् ।
आसीनं कमलारूढं कान्तियुक्तं चतुर्भुजम् ।। 1348

◎ **mace bearer :** *Shrī Krishna is called Gadī, the mace bearer. He is seated on the throne of lotus flower. He has four arms. His form is glowing, attractive and beautiful.*

(**207. चक्री** गीता–11.17)

सर्वमङ्गलमाङ्गल्यं हस्ते चक्रं सुदर्शनम् ।
रूपञ्च मोहनं यस्य चक्रपाणिः स उच्यते ।। 1349

◎ **Wheel bearer :** *Shrī Krishna is called the Sudarshan wheel bearer. He is all auspicious and pleasing. He is also called Chakra-pani.*

(**208. तेजोराशिः** गीता–11.17)

तेजोराशिर्भवान्कृष्ण तेजःपुञ्जश्च काशितः ।
भासते वै जगत्सर्वं श्रीकृष्ण तव तेजसा ।। 1350

◎ **Splendid :** *O Shrī Krishna! you are a glowing heap of splendor. O Lord! with your aura, the world is enlightened.*

(**209. दुर्निरीक्ष्यः** गीता–11.17)

दुर्निरीक्ष्यो महातेजो दीप्तिमांश्च हरे भवान् ।
मूर्तिमांश्च रविः कृष्णः–तेजस्वी त्वं रवेरपि ।। 1351

◎ **Difficult to be seen :** *Shrī Krishna is splendorous like the Sun and thus difficult to be seen with bare human eyes. The sky is illuminated with the glow.*

(**210. दीप्तानलार्कद्युतिः** गीता–11.17)

कृष्ण तव द्युतिर्दीप्ता रविवच्चाग्निवत्प्रभो ।

औज्ज्वल्यं खलु सर्वत्र समन्ततः प्रविस्तृतम् ।। 1352

◎ **Glow :** *O Lord Shrī Krishna! your glow is bright like the Sun. The brightness has filled the entire Universe.*

(**211. अप्रमेयः** गीता–11.17)

असीमश्चाप्रमेयस्त्वम्–अगम्यो मधुसूदन ।

श्रीकृष्ण त्वं गुणातीतो वन्देऽहं करुणाकर ।। 1353

◎ **Infinite :** *O Madhusudan Shrī Krishna! your are infinite, unfathomable and unimaginable. O Karunakara (Merciful)! you are beyond the gunas (the three attributes). We worship you.*

(**212. वेदितव्यः** गीता–11.18)

ॐ चित्रकाव्यश्लोकः

वार्ष्णेयो वेदितव्यश्च वेदविद्वेददेवता ।

वेद्यश्च वेदस्तुत्यश्च वेदाङ्गो वेदवन्दितः ।। 1354

◎ **Ought to be known :** *Varshneya Shrī Krishna ought to be understood in reality. He is the knower of the Veda. He is praised by the Vedas and the sacred scriptures. He is saluted by the Vedas.*

(**213. अनन्तवीर्यः** गीता–11.19)

ॐ चित्रकाव्यश्लोकः

मुकुन्दोऽनन्तवीर्यच महाबाहुर्महाबलः ।

महावीरो महादेवो महायोगेश्वरस्तथा ।। 1355

◎ **Brave :** *Mukund Shrī Krishna is infinitely brave. He is greatly powerful. He is valorous. He is a Great God and the Great Lord of Yoga.*

(**214. अनन्तबाहुः** गीता–11.19)

विष्णुरनन्तबाहुः स विश्वरूपश्च केशवः ।

अमितविक्रमी कृष्णः–तेजस्वी धर्मरक्षकः ।। 1356

◎ **Many arms :** *Shrī Krishna is Vishnu. He has many arms. He is Keshava. He has assumed an Universal form. Krishna has infinite velour. He is the protector of righteousness.*

(**215. शशिसूर्यनेत्रः** गीता–11.19)

श्रीकृष्णस्य विराटस्य नेत्रे शशी रविस्तथा ।

चन्द्रमा शीतलो भावो मार्तण्डो भासुरस्तथा ।। 1357

◎ **Eyes like Sun and Moon :** *In his Universal form, Shrī Krishna's eyes are like the Sun and the Moon. The Moon represents his quiet nature and the Sun represents his severe nature.*

(**216. दीप्तहुताशवक्त्रः** गीता–11.19)

मुखं विराटकृष्णस्य प्रज्वलितं कृशानुवत् ।
ज्वालामुख्या समा ज्वाला भासयन्ति त्रिलोकिनः ।। 1358

◎ **Fire :** *In the Universal form, Shrī Krishna's mouth is spewing fire. It is burning everything like a volcano. It is heating up the three worlds.*

(**217. रूपं महत्** गीता–11.23)

दृष्ट्वा हरेर्महद्रूपं विराटं विघ्नहारकम् ।
भयभीतोऽभवत्पार्थो नतशीर्षः कृताञ्जलिः ।। 1359

◎ **The Great :** *Seeing the fearsome Universal form of Shrī Krishna, Arjun is terrified. He has folded his hands and bowed his head.*

(**218. बहुवक्त्रनेत्रः** गीता–11.23)

कृष्णस्य विश्वरूपस्य दर्शनं परमद्भुतम् ।
तस्यानेकानि वक्त्राणि बहूनि लोचनानि च ।। 1360

◎ **Many mouths and eyes :** *The display of the Universal form of Shrī Krishna is unique and supreme. It has many mouths and eyes.*

(**219. बहुबाहूरुपादः** गीता–11.23)

बहुबाहूरुपादस्य कृष्णस्य रूपमद्भुतम् ।
कान्तियुक्तं महाचण्डम्–उग्ररूपं भयानकम् ।। 1361

◎ **Many arms and legs :** *Shrī Krishna has many arms and legs. The form is wonderful. It is severe, brilliant, terrible and fearful.*

(**220. नभःस्पृशः** गीता–11.24)

विशालकायकृष्णः स मेरुरूपो नभस्स्पृशः ।
विश्वरूपो विराटश्च श्रीकृष्णो विश्ववन्दितः ।। 1362

◎ **Touching the sky :** *The immense Universal form of Shrī Krishna is touching the sky, like a mountain. Shrī Krishna is worshipped by the world.*

(**221. अनेकवर्णः** गीता–11.24)

ज्वाला विविधरङ्गाणां मुखेभ्यो गगनस्पृशाः ।
कृष्णो विविधवर्णः स विराटरूप ईश्वरः ।। 1363

◎ **Many colours :** *Many colourful flames are coming out from the mouths of Shrī Krishna. They are touching the sky.*

(**222. दीप्तविशालनेत्रः** गीता–11.24)

दीप्तविशालनेत्रः स तेजःपूर्णो भयावहः ।
नेत्राणि रक्तवर्णानि भयानकानि श्रीहरेः ।। 1364

◉ **Large eyes :** *Shrī Krishna has large and fiery red eyes. They are scary. His form is effulgent and fearsome.*

(223. देवेश: गीता-11.25)

कृष्णो देवो महादेवो देवेश: परमेश्वर: ।
ईश: स ईश्वर: कृष्ण: परमेश: परात्पर: ।। 1365

◉ **God of the Gods :** *Shrī Krishna is the God of the Gods. He is the Great God. He is the Supreme God. He is beyond the Supreme.*

(224. जगन्निवास: गीता-11.25)

कृष्णो जगन्निवास: स भूतचराचरस्य हि ।
परमं धाम भूतानां सर्वभूतमहेश्वर: ।। 1366

◉ **Abode :** *Shrī Krishna is the abode for all moving and non-moving beings of the Universe. He is the Lord of all beings.*

(225. उग्ररूप: गीता-11.31)

उग्ररूपो महाकायो विश्वरूपो महेश्वर: ।
अर्दनो दुष्टलोकानां श्रीकृष्णो हि जनार्दन: ।। 1367

◉ **Severe form :** *The Universal form of Shrī Krishna is severe and huge. He is the Great Lord of the world. He is the slayer of the evil people, therefore, he is called Janardan.*

(226. देववर: गीता-11.31)

कृष्णो देववरो ज्ञात: पुरुष: पुरुषोत्तम: ।
ईश्वरश्च स देवेषु नरेषु च नरोत्तम: ।। 1368

◉ **Superior God :** *Shrī Krishna is a Superior God. He is Purusha. He is Purushottama. He is the God of the Gods. In his human form, he is superior to all men.*

(227. आद्य: गीता-11.31)

मूलं स जगत: कृष्णो मत: स ब्रह्मण: पर: ।
आद्य आदीश्वर: कृष्ण आदिदेवो मतस्तथा ।। 1369

◉ **Primordial :** *Shrī Krishna is the root of the Universe. He is the Supreme Brahma. He is the Primordial God. He is the origin of the nature. Therefore, he is called Jagdish (Lord of the Universe).*

(228. कालो लोकक्षयकृत्प्रवृद्ध: गीता-11.32)

प्रवृद्ध: सोऽर्दनं कर्तुं कालो भूत्वा जनार्दन: ।
कुरुवीरा हतास्तेन विना युद्धं क्षतिं विना ।। 1370

◉ **Kala :** *Shrī Krishna assumed the Universal form to remove evil people. He is Janardan. He has annihilated the Kauravas without a war or any blood shed.*

(229. गरीयान्ब्रह्मणोऽपि गीता-11.37)

ईश्वरश्च सुरेन्द्रश्च गरीयान्ब्रह्मणोऽपि सः ।
देवदेवः स श्रीकृष्णः सर्वदेवा नमन्ति यम् ।। 1371

◎ **Beyond Brahma :** *Shrī Krishna is God. King of the Gods. Supreme Brahma. Lord of the Gods. All Gods worship him.*

(230. आदिकर्ता गीता-11.37)

आदिकर्ता भवान्कृष्ण सृष्टेरादिर्मतो भवान् ।
मूलबीजञ्च सर्गाणां ब्रह्मणश्च गतिर्भवान् ।। 1372

◎ **Original creator :** *Shrī Krishna is the original creator of the Universe. He is its root. He is the seed of the creation. He is the personified state of Brahma.*

(231. सदसत्परः गीता-11.37)

न कृष्णः सन्न चासच्च श्रीकृष्णः सदसत्परः ।
कृष्ण एव सतो भावो नाभावो विद्यतेऽसतः ।। 1373

◎ **Existence :** *Shrī Krishna is existence and non-existence and beyond existence and non-existence. Other than Krishna, non-existence has no existence.*

(232. पुरुषः पुराणः गीता-11.38)

अनादिः पुरुषः कृष्णः पुराणो ब्रह्मणोऽपि सः ।
कृष्णाद्धि सर्वमुद्भूतं कृष्णे सर्वं विलीयते ।। 1374

◎ **Ancient Purusha :** *Shrī Krishna is the ancient Purusha. He has no beginning. He is ancient than Brahma. From Krishna evolves everything and everything dissolves in Krishna.*

(233. अनन्तरूपः गीता-11.38)

श्रीकृष्णोऽनन्तरूपः स विश्ववृक्षः सनातनः ।
न तस्यादिर्न मध्यञ्च दृश्यते सकलैर्जनैः ।। 1375

◎ **Many forms :** *Shrī Krishna has many forms. He is the eternal worldly tree. Neither its beginning nor the middle nor the end is visible to all people.*

(234. वायुः गीता-11.39)

पवनः पवतां कृष्णो गन्धानां वाहकश्च सः ।
पञ्चभूतेषु वायुश्च भूमिरग्निर्जलं नभः ।। 1376

◎ **Wind :** *Shrī Krishna is the wind among the things that flow. The wind carries fragrance of the flowers from place to place. Wind, fire, earth, water and sky are the five elemental beings.*

(235. शशाङ्कः गीता-11.39)

भास्करश्च शशाङ्कश्च मतौ कृष्णस्य चक्षुषी ।

कृष्णः सूर्यः शशाङ्कश्च सर्वञ्च विश्वमण्डलम् ।। 1377

◎ **Moon :** *Shrī Krishna is the Moon. He is the Sun. The sky is Krishna. Sun and Moon are like Krishna's eyes.*

(**236. प्रजापतिः** गीता–11.39)

कृष्णः प्रजापतिर्ब्रह्मा भूतचराचरस्य हि ।
कृष्णस्तेषां पिता माता जन्मदाता जगत्पतिः ।। 1378

◎ **Progenitor :** *Shrī Krishna is the originator Brahma. There are twenty one progenitors of the living beings. Krishna is their mother, father and the Lord. Krishna is the Master of the world.*

(**237. प्रपितामहः** गीता–11.39)

श्रीकृष्णो जन्मदाता स माता पिता पितामहः ।
पितॄणां हि पिता कृष्णः–तस्मात्स प्रपितामहः ।। 1379

◎ **Great-grand-father :** *Shrī Krishna is the Great grandfather of the world. He is the life giver. He is the father of the forefathers. Therefore, he is the Great-grand-father.*

(**238. अमितविक्रमः** गीता–11.40)

विघ्नविनाशकः कृष्णः स चासुरनिकन्दनः ।
अमितविक्रमः कृष्णः कृष्णः सकलशक्तिमान् ।। 1380

◎ **Valorous :** *Shrī Krishna is infinitely valorous. He is the remover of obstacles. He is slayer of the evil. He is all powerful.*

(**239. सर्वः** गीता–11.40)

कृष्णः सर्वो हि सर्वस्य सर्वञ्च कृष्ण एव हि ।
सर्वस्मात्सृज्यते सर्वं सर्वं सर्वेषु लीयते ।। 1381

◎ **All :** *Shrī Krishna is everything of everyone. He is all. Everything comes from this all and everything dissolves into this all.*

(**240. सखा** गीता–11.41)

ॐ चित्रश्लोकः

सर्वभूतसखा कृष्णः सुखदुःखेषु सर्वदा ।
सुहृच्च सदयः कृष्णः सच्चिदानन्द ईश्वरः ।। 1382

◎ **Friend :** *Shrī Krishna is a dear friend of all beings in their pains and pleasures. He is the peace and joy at heart. He is the merciful Lord.*

(**241. यादवः** गीता–11.41)

ॐ चित्रकाव्यश्लोकः

यशोदो यदुवीरः स यादवो यदुनन्दनः ।
यदाऽऽहूतस्तदाऽऽयाति स यदुकुलभूषणः ।। 1383

◎ **Yadava :** *Shrī Krishna is a son of King Yadu. He is son of Yashoda. He is son of Nanda. He is the glory of Yadu dynasty. He comes whenever you call him.*

(**242. पिता लोकस्य चराचरस्य** गीता–11.43)

भूतानां स हि सर्वेषां कृष्णः पिता त्रिलोकिनाम् ।
पिता तथा च माता स परमो वत्सलः प्रभुः ।। 1384

◎ **Father :** *Shrī Krishna is the father of the moving and non-moving beings of the three worlds. He is the father, mother, friend as well as supremely kind Lord.*

(**243. पूज्यः** गीता–11.43)

ॐ चित्रकाव्यश्लोकः

पवित्रः पावनः पूज्यः प्रद्युम्नः परमेश्वरः ।
पातु मां सर्वपापेभ्यः पापहा प्रियदर्शनः ।। 1385

◎ **Venerable :** *Pradyumna Shrī Krishna is a Venerable Great God. He is the remover of sins. May he protect me from all sins.*

(**244. गरुर्गरीयान्** गीता–11.43)

कृष्णो गुरुर्गरीयान्स गुरूणाञ्च गुरुस्तथा ।
पूज्यते गुरुभिः कृष्णः कृष्णस्तस्माज्जगद्गुरुः ।। 1386

◎ **Guru :** *Shrī Krishna is the Guru of the Gurus, he is Jagad-guru (Guru of the World). Krishna is worshipped by all gurus.*

(**245. अप्रतिमप्रभावः** गीता–11.43)

सर्वेशः सर्वदेवश्च देवदेवो महेश्वरः ।
अप्रतिमप्रभावश्च श्रीकृष्णः सर्वशक्तिमान् ।। 1387

◎ **Infinite power :** *Shrī Krishna has infinite power. He is almighty God, God of the Gods, Supreme God of infinite power. He is all-powerful.*

(**246. ईश इड्यः** गीता–11.44)

श्रीकृष्णमीशमीड्यञ्च पूजार्हं तं प्रभुं विभुम् ।
मुरारिं वन्दनीयञ्च गोविन्दं तं नमाम्यहम् ।। 1388

◎ **Worship worthy :** *Shrī Krishna is the God to be worshipped. I salute Govind Murari Shrī Krishna.*

(**247. चतुर्भुजः** गीता–11.46)

सौम्यरूपः स श्रीकृष्णः शान्तमूर्तिश्चतुर्भुजः ।

नीलसरसिजारूढः-चक्रपाणिः सुदर्शनः ।। 1389

◉ **Four armed** : *Shrī Krishna, in his normal pleasing delightful form, has four arms. He is seated on blue lotus and holds Sudarshan wheel in his hand.*

(248. सहस्रबाहुः गीता-11.46)

कृष्ण सहस्रबाहो त्वं विश्वरूपो महाबल: ।
नेत्राणि ते सहस्राणि वक्त्राणि चरणास्तथा ।। 1390

◉ **Thousand arms** : *In his Universal almighty form, Shrī Krishna has a thousand arms, heads, legs and eyes.*

(249. विश्वमूर्तिः गीता-11.46)

विश्वमूर्ति: स श्रीकृष्णो यस्मिन्विश्वं समाहितम् ।
कृष्ण: सर्वस्य विश्वस्य प्रतिमा सुमनोहरा ।। 1391

◉ **Universal form** : *Shrī Krishna is Universal. In him the Universe is contained. Krishna is the beautiful image of the Universe.*

(250. तेजोमयः गीता-11.47)

तेजोमयो भवान्कृष्ण दीप्तियुक्तश्च सूर्यवत् ।
तेजसा तव हे कृष्ण विश्वं सर्वं प्रकाशितम् ।। 1392

◉ **Brilliant** : *Shrī Krishna is brilliant like the Sun. With his radiance the world is illuminated.*

(251. विश्वम् गीता-11.47)

कृष्णो ब्रह्मा च विष्णुश्च शिवो देवाश्च देवता: ।
प्रकृति: पुरुष: कृष्ण: परमात्मा तथा च स: ।। 1393
पृथिव्यां पादपा नद्यो गिरिवराश्च सागरा: ।
प्राणिन: पक्षिण: कीटा: कृष्ण त्वं सर्वमानवा: ।। 1394
विश्वमेतद्भवानेव तत्त्वमसि हरे खलु ।
त्वया सर्वमिदं व्याप्तं त्वयि सर्वं समाहितम् ।। 1395

◉ **Universe** : *Shrī Krishna is Brahma, Vishnu and Shiva. He is the Gods and he is the Goddesses. He is the Prakriti (nature) and the Purusha (atma). He is the Parmatma (the Supreme Person). O Krishna! you are the rivers, mountains, oceans, animals, men, birds, plants and the worms on the earth. You are the entire Universe. It is pervaded by you. It is contained in you.*

(252. अनिर्देश्यः गीता-12.3)

कृष्ण त्वं वर्णनातीतो ध्यानगम्यस्तु योगिभि: ।
अनिर्देश्यो गुणातीत: कृपाशीलश्च केशव ।। 1396

◎ **Beyond description :** *O Shrī Krishna! you are beyond description. You are attainable through meditation by the yogis. You are beyond the gunas (the three attributes). O Keshava! you are merciful.*

(253. सर्वत्रग: गीता-12.3)

चित्रकाव्यश्लोक:
श्रीकृष्ण: सर्वगामी स सर्वथा समवस्थित: ।
सर्वस्य सर्वदा साक्षी सद्भाव: सुहृद: सखा ॥ 1397

◎ **Omnipresent :** *Shrī Krishna is Omnipresent. He is present everywhere, in every which way he is equanimous. He is witness for all. He is well wisher of the righteous people.*

(254. अचिन्त्य: गीता-12.3)

यदि हि वर्णित: सर्वै: सर्वैश्च वन्दितस्तथा ।
श्रीकृष्णो मननातीत: शब्दातीतश्च सर्वथा ॥ 1398
मतोऽचिन्त्य: स श्रीकृष्ण: स्वप्नगम्यो हि यद्यपि ।
तथापि चिन्तनं कार्यं कृष्णस्य सर्वदा सदा ॥ 1399

◎ **Difficult to contemplate :** *Shrī Krishna is difficult to contemplate on. He is beyond words and thoughts. Even then, we should always meditate on him.*

(255. कूटस्थ: गीता-12.3)

श्रीकृष्णो ब्रह्मरूपेण कूटस्थ: स्थावरो ध्रुव: ।
अगोचरो निराकारो निर्गुणो दुर्गमस्तथा ॥ 1400

◎ **Highest :** *When Shrī Krishna is seated at the summit in the form of Brahma, he is eternal and immutable. In this form, he is invisible, formless and without attributes. He is then difficult to attain.*

भज गोविन्दम्
स्थायी
ब्रह्मा त्वमेव, विष्णुस्त्वमेव, शम्भुस्त्वमेव, कृष्ण सखे! ।
सर्गस्त्वमेव, स्वर्गस्त्वमेव, सर्वं त्वमेव, कृष्ण हरे! ॥

अंतरा-1
ब्रह्मस्वरूपम्, अव्यक्तरूपम्, अचिन्तनीयं, क्लिष्टतरम् ।
कथनातीतं, स्मरणातीतं, सुगमं सुलभं कृष्ण! न ते ॥

अंतरा-2
विष्णुस्वरूपं, मानवरूपं, दृष्टिगोचरं, हर्षकरम् ।
लोचनकमलं, निर्मलविमलं, सर्वसुन्दरं, लक्ष्मीपते ॥

अंतरा–3

देवकीनन्दं, नन्दनन्दनं, राधारमणं, करुणपरम् ।
तिलकचन्दनं, जगद्वन्दनम्, भज गोविन्दं, मूढमते ।।

◉ **Worship Govind :** *Sthāyī :* O Dear Krishna! you are Brahma. You are Vishnu. You are Shiva. You are the evolution. You are the heaven. You are everything in the Universe, O Hari! **Antarā : 1.** In the form of Brahma, you are impersonal, unfathomable, difficult to be described, difficult to contemplate, difficult to attain. **2.** In the form of Vishnu, you are personified, easy to behold, joy giving, beautiful like a lotus flower, pure, all adorable, O Lakshmi-pati (Husband of Lakshmi)! **3.** O My dumb mind! Chant the name of Shrī Krishna! Devaki-nand! Nand-nand! Radha-ramana! Karuna-para! Tilak-chandana! Govind!

(256. अचल: गीता–12.3)

ब्रह्मरूपोऽचल: कृष्णो यथा गिरिर्हिमाचल: ।
दर्शनं ब्रह्मरूपस्य विनाऽऽयासं न लभ्यते ।। 1401

◉ **Steady :** *In the form of Brahma, Shrī Krishna is steady like the Himalaya mountain. It can not be seen without efforts.*

(257. ध्रुव: गीता–12.3)

ब्रह्मरूपो ध्रुव: कृष्ण:-चिर: स्थिरश्च शाश्वत: ।
अविनाशी च नित्यश्च दृढोऽमरश्च स्थावर: ।। 1402

◉ **Stationary :** *In the form of Brahma, Shrī Krishna is stationary, eternal, everlasting, indestructible, immortal and fixed.*

(258. समुद्धर्ता मृत्युसंसारसागरात् गीता–12.7)

श्रीकृष्णो हि समुद्धर्ता मृत्युसंसारसागरात् ।
नौका भवति भक्ताय श्रीकृष्णो भवसागरे ।। 1803

◉ **Up lifter :** *Shrī Krishna uplifts us from the worldly ocean. He becomes the boat and the boatman to rescue his devotees.*

(259. क्षेत्रज्ञ गीता–13.3)

कलेवरमिदं क्षेत्रं कीर्तितं ब्रह्मज्ञानिभि: ।
ज्ञाता क्षेत्रस्य क्षेत्रज्ञ: श्रीकृष्ण एक एव स: ।। 1404

◉ **Kshetrajna :** *This body is a Kshetra and the knower of the body is Kshetrajna Shrī Krishna.*

(260. सर्वत: पाणिपाद: गीता–13.14)

विराटं परमं रूपं कृष्ण: पार्थमदर्शयत् ।
सर्वत: पाणिपादं तद्-विश्वरूपं महाजना:! ।। 1405

◉ **Many hands and legs :** *In the Universal form, Shrī Krishna has many hands and legs, says Arjun.*

(261. सर्वतोऽक्षिशिरोमुख: गीता-13.14)

दिव्यरूप: स श्रीकृष्ण: सर्वतोऽक्षिशिरोमुख: ।
सर्वं पश्यति सर्वेषां सर्वं जानाति सर्वदा ।। 1406

◎ **Many heads and mouths** : In the Universal form, Shrī Krishna has many heads, mouths and eyes. He observes everyone.

(262. सर्वत: श्रुतिमल्लोके गीता-13.14)

सर्वत: श्रुतिमल्लोके श्रीकृष्णो जगदीश्वर: ।
मतो विश्वे स लोकेश: शास्त्रेषु परमेश्वर: ।। 1407

◎ **Well known** : Shrī Krishna is well known in the three worlds. He is the Lord of the Universe. In the world he is called Lokesha. In the scriptures, he is called the Supreme Lord.

(263. सर्वमावृत्य तिष्ठित: गीता-13.14)

श्रीकृष्ण: सर्वव्यापी स सर्वमावृत्य तिष्ठित: ।
भूतानि तस्य छायायां सकलाश्चाश्रिता जना: ।। 1408

◎ **Encompassing** : Shrī Krishna is encompassing everything. He is pervading everything. Everything is within him. All beings are under his shelter.

(264. सर्वेन्द्रियगुणाभास: गीता-13.15)

सर्वेन्द्रियगुणाभास आत्मा भूत्वा तनौ स्थित: ।
श्रीकृष्ण: सर्वगात्रेषु सौक्ष्म्येन हि समावृत: ।। 1409

◎ **Gunas** : In the form of Brahma, Shrī Krishna is atma in the body of the beings in minute form. He appears to be attributed but he is without the gunas.

(265. सर्वेन्द्रियविवर्जित: गीता-13.15)

स्थितो यद्यपि गात्रेषु सर्वेन्द्रियविवर्जित: ।
देहेषु सर्वभूतानां कृष्णश्चरति आत्मवत् ।। 1410

◎ **Without appendages** : In the form of Brahma, Shrī Krishna is dwelling in the body of the beings, but as the atma he is without appendages.

(266. असक्त: गीता-13.15)

कृत्वाऽपि सर्वकर्माणि तैरलिप्तस्तथाऽपि स: ।
लिप्तो न कर्मभि: कृष्ण: पद्मपत्रमिवाम्भसा ।। 1411

◎ **Unattached** : Shrī Krishna dwells in the body and observes the karmas being performed by the gunas, but he is unattached to all the karmas, as a drop of oil is unattached to the water or the water is unattached to the lotus leaf.

(267. सर्वभृत् गीता-13.15)

कर्ता स सर्वभूतानां भर्ता च परमेश्वरः ।
माता पिता च श्रीकृष्णः सर्वेषां पालकस्तथा ।। 1412

◉ **Guardian :** *Shrī Krishna is the guardian for all beings. He is their Supreme Lord. Krishna is the mother, father and the guardian.*

(268. निर्गुणः गीता-13.15)

निर्गुणब्रह्मरूपः स श्रीकृष्णः सगुणो भुवि ।
ब्रह्मैव निर्गुणं तत्त्वं नान्यत्किञ्चिद्विना गुणम् ।। 1413

◉ **Without attributes :** *In the form of Brahma, Shrī Krishna is without attributes. On the earth, in his personified form, he is attributed. In the Universe, in the three worlds, only Brahma is without attributes, nothing else in the three worlds is without attributes. Everything else is with the three attributes.*

(269. गुणभोक्ता गीता-13.15)

निर्गुणः सगुणे देहे गुणभोक्ता स केशवः ।
साक्षी भूत्वा हि लीलां स पश्यति गुणकर्मणाम् ।। 1414

◉ **Experience the Formless:** *Becoming atma in the body, Shrī Keshava Krishna experiences the influence of the gunas. He becomes a witness and observes the magic of the gunas.*

(270. अचरश्च चरः गीता-13.16)

यद्यद्धि जायते भूमौ सर्वं कृष्णस्य मायया ।
भूत्वा चरोऽचरः कृष्णः प्रादुर्भवति भूतले ।। 1415

◉ **Charachar :** *Shrī Krishna is the moving as well as the non-moving beings. Everything takes birth on the earth with the kind grace of Shrī Krishna. They are his images.*

(271. सूक्ष्मत्वादविज्ञेयः गीता-13.16)

अणुरूपमविज्ञेयं सूक्ष्मत्वाद्गगनं यथा ।
तथा ह्यणोरणीयान्स कृष्णः सर्वैर्न ज्ञायते ।। 1416

◉ **Minute :** *In the form of Brahma, Shrī Krishna is minute. He is difficult to be seen and understood. He is finer than an atom. He is not known by all.*

(272. दूरस्थः गीता-13.16)

दूरस्थो मननातीतः श्रीकृष्णो दुर्गमस्तथा ।
विना श्रद्धां विना भक्तिं दृश्यते न स लोचनैः ।। 1417

◉ **Far :** *In the form of Brahma, Shrī Krishna is far away, beyond imagination in the mind. In any form, he is not visible by eyes without having firm faith.*

(273. अन्तिकः गीता-13.16)

सर्वगामी स श्रीकृष्णो दूरस्थश्चान्तिकस्तथा ।

अभक्ताय स दूरस्थो भक्ताय त्वन्तिक: सदा ।। 1418

◉ **Close :** Shrī Krishna is far away for those who are not his devotees. He is very close to his devotees.

(274. अविभक्त: गीता-13.17)

अविभक्त: स श्रीकृष्ण: सर्वभूतेषु विष्ठित: ।
एको भिन्नेषु भूतेषु सर्वभूतेषु संतत: ।। 1419

◉ **Undivided :** As atma, Shrī Krishna is undividedly seated in all bodies. Even if the beings are different, he is situated uniformly.

(275. विभक्त इव गीता-13.17)

विभक्त इव भूतेषु भिन्नेषु भिन्नरूपक: ।
अविभक्त: स श्रीकृष्ण: सर्वभूतेषु संस्थित: ।। 1420

◉ **As if divided :** Shrī Krishna appears to be dwelling in each being separately. But as atma, he is only one, seating in all beings simultaneously undivided.

(276. ग्रसिष्णु: गीता-13.17)

प्रभो विराटरूपस्त्वं ग्रसिष्णुरघनाशक: ।
खादसि योधवीरांस्त्वं श्रीकृष्ण विविधैर्मुखै: ।। 1421

◉ **Devouring :** In his Universal form, Shrī Krishna is gulping the evil people with his blazing mouths.

(277. प्रभविष्णु: गीता-13.17)

श्रीकृष्ण प्रभविष्णुस्त्वं सृष्टे: कर्ता पितामह: ।
तेजस्वी च प्रभावी त्वं विष्णुरूपो गणाधिप: ।। 1422

◉ **Prabha-Vishnu :** O Shrī Krishna! you are Prabha-Vishnu. You are the cause of the nature. You are the Grandfather. You are the Master of the beings. You are glorious.

(278. ज्योतिषामपि ज्योतिस्तमस: पर: गीता-13.18)

ज्योतिषामपि ज्योतिस्त्वं श्रीकृष्ण तमस: पर: ।
अज्ञानं निर्गतं सर्वं तेजसा तव केशव ।। 1423

◉ **Beyond darkness :** O Shrī Krishna! you are the brightness of the brilliant. You are beyond darkness. O Keshava! with the light of knowledge, our ignorance has gone away.

(279. ज्ञानगम्य: गीता-13.18)

अचिन्त्यो वर्णनातीतो गम्यस्त्वं ज्ञानयोगिभि: ।
न तपसा न ध्यानेन न च दानेन कृष्ण त्वम् ।। 1424

◉ **Knowable :** Shrī Krishna is beyond thought and words, but he is knowable by the yogis by meditation. He can not be attained merely by charities or austerities.

(**280. हृदि सर्वस्य विष्ठितः** गीता–13.18)

श्रीकृष्णः सर्वगामी स हृदि सर्वस्य विष्ठितः ।
सकलभूतभूतात्मा सर्वस्य परमेश्वरः ।। 1425

◎ **In the hearts :** *Shrī Krishna is seated in the hearts of all beings. He is omnipresent. He is the Lord of all beings.*

(**281. प्रकृतिः** गीता–13.20)

प्रकृतिः पुरुषः कृष्णः श्रीकृष्णो विश्वव्यापकः ।
श्रीकृष्णो ब्रह्म ब्रह्माण्डं निर्गुणः सगुणस्तथा ।। 1426

◎ **Nature :** *Shrī Krishna is the Prakriti (nature) and the Purusha. He occupies the world. Krishna is the attributed Universe and he is the Brahma (the Supreme) without attributes.*

(**282. उपद्रष्टा** गीता–13.23)

आत्मा भूत्वा हृषीकेशो भूतदेहे समावृतः ।
उपद्रष्टा हि साक्षी स न करोति न कार्यते ।। 1427

◎ **Observer :** *As atma, Shrī Krishna is an observer in the body, seated in the heart. He is just a witness, not doing anything nor causing anything to be done.*

(**283. अनुमन्ता** गीता–13.23)

हृद्देशे सर्व भूतानां स्थितः कृष्णो जनार्दनः ।
अनुमन्ता च साक्षी स श्रीकृष्णः पुरुषः परः ।। 1428

◎ **Commander :** *Janardan Shrī Krishna, seated in the heart, is the observer in the body. He is observing as a witness. He is atma, the Purusha.*

(**284. महेश्वरः** गीता–13.23)

ईश्वर ईश्वराणां स कृष्णो मतो महेश्वरः ।
भूतेशः सर्वभूतानां कृष्णो भूतमहेश्वरः ।। 1429

◎ **Great Lord :** *Lord Shrī Krishna is the God and the Great Lord of all beings and all Gods.*

(**285. परमात्मा पुरुषः परः** गीता–13.18)

आत्मा च परमात्मा स श्रीकृष्णः पुरुषः परः ।
ईशः स ईश्वरः कृष्णो देवेशः परमेश्वरः ।। 1430

◎ **Parmatma :** *Shrī Krishna is the Supreme soul. He is God of the Gods.*

(**286. समः सर्वेषु भूतेषु** गीता–13.28)

समः सर्वेषु भूतेषु श्रीकृष्णः सर्वदा हि सः ।
तस्य नारिर्न मित्रञ्च तटस्थः सर्वप्राणिषु ।। 1431

◎ **Equanimous :** *Shrī Krishna is equanimous to all beings all the time. He is indifferent to all. He has no enemies or friends.*

(**287. विनश्यत्स्वविनश्यः** गीता–13.28)

अविनश्यो विनश्यत्सु श्रीकृष्णः शाश्वतश्चिरः ।

सर्वभूतानि नश्यन्ति देही तेषां न नश्यति ।। 1432

◎ **Indestructible :** *As atma in the perishable body, Shrī Krishna is non-perishable. The beings are mutable but Krishna is immutable.* **x.x**

(**288. समवस्थितः** गीता–13.29)

देहिरूपेण श्रीकृष्णो देहेषु समवस्थितः ।

सदा सर्वेषु भूतेषु समः सङ्गविवर्जितः ।। 1433

◎ **Equanimous :** *Shrī Krishna is equanimous to all beings. As atma, he dwells in all beings without attachment.*

(**289. परमात्मा शरीरस्थः** गीता–13.32)

सर्वभूतशरीरस्थः श्रीकृष्णः परमेश्वरः ।

देही भूत्वा स देहेषु तिष्ठति भूतभावनः ।। 1434

◎ **Supreme soul :** *Shrī Krishna is soul. He is the Supreme soul. He is the Supreme Lord.*

(**290. महद्योनिः** गीता–14.4)

श्रीकृष्णः सर्वभूतानां महद्योनिर्हि प्राणिनाम् ।

बीजदाता पिता कृष्णः–तथा माता मतश्च सः ।। 1435

महद्योनिर्मतः कृष्णो ब्रह्मयोनिस्तथा च सः ।

यस्मात्सर्वाणि जायन्ते भूतानि भवसागरे ।। 1436

◎ **Womb :** *Shrī Krishna is the great womb in which everyone takes birth. He is the mother and the father for the worldly beings.*

(**291. बीजप्रदः पिता** गीता–14.4)

बीजं कृष्णो हि सर्वेषां भूतानां जन्मदायकम् ।

बीजप्रदो मतः कृष्णो ब्रह्मयोनिस्तथा च सः ।। 1437

◎ **Father :** *Shrī Krishna is the father. He is the seed of all beings. He is the great womb as well.*

(**292. यतः प्रवृत्तिः प्रसृता पुराणी** गीता–15.4)

कृष्णः पुरातना योनिः सृष्टिः सा प्रसृता यतः ।

प्रवृत्तिः स हि सर्वेषां निवृत्तिश्च गतिस्तथा ।। 1438

◎ **Origin :** *Shrī Krishna is the origin of everything. From him the evolution starts. He is ancient. He is the resting place as well.*

(293. आद्यः पुरुषः गीता–15.4)

अनादिः पुरुषः कृष्णो बीजमाद्यञ्च निर्मिते: ।
संयोगात्प्रकृतेस्तेन ब्रह्माण्डं सकलं कृतम् ।। 1439

◎ **Purusha :** Shrī Krishna is the first Purusha. He is the seed of all. With the union of Purusha and Prakriti, the evolution takes place.

(294. पदमव्ययम् गीता–15.5)

पावनं मुक्तिस्थानं यत्–सुन्दरं शांतिदायकम् ।
स्वर्गादपि गरीयान्यत्–कृष्णस्तत्पदमव्ययम् ।। 1440

◎ **Eternal place :** Shrī Krishna is the eternal Supreme place for the departed beings. For his devotees, he is the peaceful dwelling, superior to the heaven.

(295. वैश्वानरः गीता–15.14)

कृष्णो वैश्वानरो भूत्वा देहे सर्वस्य सर्वदा ।
पचत्यन्नानि सर्वाणि चतुर्विधानि देहिनाम् ।। 1441

◎ **Vaishvanar :** Shrī Krishna is the Vaishvanar, the fire in the stomach that helps digesting the four kinds of food.

(296. वेदान्तकृत् गीता–15.15)

भवानुपनिषत्कर्ता गीतोपनिषतः प्रभो ।
वन्दे वेदान्तकृत्कृष्णं योगदं पार्थसारथिम् ।। 1442

◎ **Upanishad :** Shrī Krishna is the maker of the Vedas and the Vedant (Upanishads). O Lord Krishna! you are the giver of the Upanishads of the Gita.

(297. वेदविद्देवः गीता–15.15)

ज्ञातव्यो वेदविद्देवो वेदज्ञाता च त्वं प्रभो ।
वेदेषु स्तवनं येषां सर्वदेवा भवान्हरे ।। 1443

◎ **Veda :** Shrī Krishna is the God who knows the Veda and who is known by the Veda. O Lord! all Gods praise you.

(298. अक्षरः गीता–15.16)

त्वमक्षरो हृषीकेश रत्नाकरः परात्परः ।
ईश्वरस्त्वं गदाधारी सुन्दरः परमेश्वरः ।। 1444

◎ **Imperishable :** Shrī Krishna is imperishable atma in the perishable body. He is the ocean of mercy which never dries. O Lord! your form holding the mace looks beautiful

(299. उत्तमः पुरुषः गीता–15.17)

उत्तमः पुरुषाणां त्वं श्रीकृष्ण पुरुषोत्तमः ।
त्वमेव वन्दितः सर्वैः परमानन्दमाधव ।। 1445

◎ **Purusha** : *Shrī Krishna is Purusha. He is Supreme Purusha. He is Purushottama. O Paramamand Madhava! your are worshipped by all.*

(300. क्षरादतीतोऽक्षरादुत्तमः गीता-15.18)

भूते द्वे नु मते विश्वे स्वर्गेऽपि च क्षराक्षरे ।
अक्षरादुत्तमः कृष्णः क्षरादतीत ईश्वरः ।। 1446

◎ **Imperishable** : *Shrī Krishna is imperishable. He is superior to the perishable. He is superior to the imperishable. There are two kinds of beings in Universe, the perishable and imperishable. He is superior to both.*

(301. केशिनिषूदनः गीता-18.1)

मुख्यः कंसस्य मन्त्री स केशी कंसेन प्रेषितः ।
अघ्नन्दुष्टं तु गावस्तं कृष्णः केशिनिषूदनः ।। 1447

◎ **Keshinishudana** : *Shrī Krishna is Keshinishudana, the slayer of the demon Keshi. He slain Keshi, the minister of Kamsa and protected the cows.*

www.ingramcontent.com/pod-product-compliance
Lightning Source LLC
Chambersburg PA
CBHW081355070526
44583CB00020B/2558
* 9 7 8 1 9 8 9 4 1 6 0 6 8 *